INOUE Yasushi

Le Loup bleu

Le roman de Gengis-khan

Traduit du japonais
par Dominique Palmé et Kyoko Sato

Cartes et généalogies établies
par André-Louis Picquier

Éditions
Philippe Picquier

Tous nos remerciements à Mireille Beulaygue, Huo Dadong et Jean-Noël Robert pour l'aide précieuse qu'ils ont apportée à l'élaboration de la traduction française.

Titre original : *Aoki okami*

© 1960, Inoue Yasushi
© 1990, 1994, Editions Philippe Picquier
   pour la traduction en langue française
© 2002, Editions Philippe Picquier pour la présente édition
   Mas de Vert
   B.P. 150
   13631 Arles cedex

En couverture : Portrait de Gengis-khan, Musée national de Taipei
   © D.R.

Conception graphique : Picquier & Protière

ISBN : 978-2-87730-171-8
ISSN : 1251-6007

Avant-propos

Gengis-khan fait partie de ces conquérants qui après avoir, par la démesure de leurs ambitions, bouleversé les frontières, malmené l'ordre du monde, perdurent dans la mémoire collective à la manière de quelque aveuglant météore : en traversant le champ de la réalité et de l'histoire, ils font jaillir en nous cette étincelle de rêve qui les transforme en légende, les élève à la dimension d'un mythe – tout en nous laissant vaguement incrédules : est-il possible que de tels êtres aient véritablement existé ?

Les données relatives à la vie de Gengis-khan sont assez diverses, assez fragmentaires pour que la personnalité de l'homme demeure partiellement dans l'ombre. Elle suscite donc toute une série d'interrogations permettant à un écrivain comme Inoue Yasushi de donner libre cours à son interprétation romanesque de l'Histoire : *Ce sont en général les aspects difficilement compréhensibles d'un personnage historique qui font naître en moi le désir de me pencher sur lui. [...] J'ai eu envie d'écrire la vie de Gengis-khan car si j'étais capable, jusqu'à un certain degré, de la comprendre, il y avait pourtant un point que je ne parvenais pas à élucider : qu'y avait-il à la source de son désir de conquête ? C'est ce mystère qui m'a attiré.*

C'est au lecteur de découvrir, au fil des pages, la solution qu'Inoue propose à cette énigme. On remarquera simplement ici la présence, dans le roman, de deux thèmes constamment entrelacés : la nostalgie des origines et d'un ancêtre mythique, le loup « couleur de ciel », et la quête de l'identité, l'une des préoccupations majeures de la littérature japonaise depuis la dernière guerre. Peut-être est-il bon aussi de rappeler les résonances qu'éveille le nom de Gengis-khan dans l'esprit des Japonais : à l'époque même de la jeunesse du chef mongol, en 1189, Miyamoto no Yoshitsune, célèbre guerrier devenu par la suite le héros le plus populaire d'un récit épique, le *Dit des Heike,* meurt obscurément dans une province du Nord du Japon. Très vite, la légende s'empare de lui, prétendant que loin d'être mort, il serait passé en Sibérie pour gagner les hauts plateaux mongols et se métamorphoser en Gengis-khan. Cette assimilation, dans laquelle c'est le héros devenu mythique (Yoshitsune) qui engendre le personnage historique (Gengis-khan), atteste du pouvoir exercé par l'imaginaire sur la réalité. Inoue, qui dit avoir été « ensorcelé » par l'*Histoire secrète des Mongols*[1], poème épique du XIIIe siècle magnifiant les exploits de Gengis-khan, s'est appuyé sur des faits réels non pour brosser un portrait fidèle du chef mongol, mais pour insuffler la vie à un personnage fictif : « son » Gengis-khan. Par ce choix, il accorde à ses lecteurs la plus dépaysante des libertés : celle de rêver.

DOMINIQUE PALMÉ

---

1. L'*Histoire secrète des Mongols,* chronique écrite en mongol, à laquelle l'auteur se réfère, aurait été composée en 1240. Une traduction partielle en a été donnée par Paul Pelliot (Maisonneuve et Larose, 1949).

Note liminaire

Pour les noms mongols, sauf usage consacré (comme c'est le cas pour Gengis-khan), on a adopté la graphie la plus simple possible. Il convient de lire les consonnes comme en anglais. Quant aux voyelles, elles se prononcent de la façon suivante :

e = *é* (Jebe = Jébé)
i = systématiquement détaché après une autre voyelle (na-i-man)
ö = *œ* (Jöchi = Jœchi)
u = *ou* (Qulan = Qoulan)
ü = *u* (Belgüteï = Belguteï)

Pour les noms chinois, on a suivi la transcription instituée par l'Ecole française d'Extrême-Orient.

En fin de volume, le lecteur trouvera une carte et deux tableaux généalogiques.

Chapitre I

C'était l'an 1162 de notre ère. Là où le cours supérieur du fleuve Amour se divise en deux affluents, l'Onon et le Kerülen, sous la yourte d'un chef de tribu mongole nomadisant dans les steppes et les forêts des alentours, naquit un garçon. Sa mère, une splendide jeune femme de tout juste vingt ans, se nommait Hoëlün. Tous les hommes de la tribu étaient alors absents, occupés à combattre les Tatars, avec lesquels ils se disputaient depuis longtemps ce territoire. Seuls demeuraient, sous les quelques centaines de tentes du campement, les vieillards, les femmes et les enfants.

Hoëlün dépêcha un vieux serf pour annoncer la naissance du garçon à son mari Yesügeï qui se battait à quelque quarante kilomètres de là. Après le départ du messager, son regard revint se poser sur le visage du nouveau-né. L'enfant, enveloppé dans des lambeaux d'étoffe, gardait le poing gauche obstinément fermé, malgré les tentatives des femmes, depuis sa venue au monde, pour le lui desserrer. Hoëlün, avec l'entêtement de la mère qui cherche instinctivement à s'assurer que son enfant est parfaitement constitué, s'efforça d'ouvrir cette main. C'était un geste qui devait être accompli sans brutalité, avec une grande délicatesse. Parfois Hoëlün, lâchant la main de l'enfant, tendait l'oreille au vent qui passait par rafales en mugissant au-dessus de la tente. Elle le sentait gonflé comme un torrent en crue, secouant de toute sa

9

masse, dans sa course d'est en ouest, l'axe de la terre. Durant les courtes accalmies, Höelün songeait au ciel lointain laqué de noir, de l'autre côté de la tente où elle reposait : elle l'imaginait pailleté d'innombrables étoiles scintillant d'une lueur froide. Mais bientôt la charge furieuse d'une autre rafale venait fouetter cette étoffe noire brodée de constellations, les éparpillant au hasard, et il ne restait plus alors que le hurlement du vent ensevelissant ciel et terre. La violence des bourrasques, l'immensité de la voûte étoilée renforçaient encore en Höelün le sentiment de la fragilité, du dénuement de son univers.

La conscience de n'être qu'un point minuscule, vulnérable, au sein de l'immense nature, était présente chez tous ces nomades, en quête perpétuelle de pâturages, sans demeure ni terre où se fixer. Toutes leurs actions, toutes leurs pensées étaient marquées par cette certitude proche de l'envoûtement. Mais cette nuit-là, d'autres raisons venaient encore accroître, en Höelün, ce sentiment d'abandon. Cette nuit-là, le ciel lui semblait plus lointain au-dessus de la tente, plus enragée la puissance du vent qui secouait la toile.

Car deux préoccupations se partageaient le cœur de la jeune mère : le corps de son nouveau-né était-il assez bien constitué pour satisfaire Yesügeï ? Ses traits ressemblaient-ils suffisamment à ceux de son père pour que celui-ci le reconnaisse pour son enfant ?

Bientôt pourtant son premier sujet d'inquiétude se dissipa. Car le nouveau-né ouvrit de lui-même, comme sous le coup d'une brusque détermination, la main qui reposait toujours dans la paume de sa mère, laissant apparaître ce qu'il avait tenu fortement serré comme une médaille : un caillot de sang en forme d'osselet[1].

---

1. D'après la tradition turco-mongole, la présence d'un caillot de sang dans la main à la naissance était le signe d'un avenir glorieux dans le domaine des armes.

Mais sur la physionomie de l'enfant, Höelün ne put trouver la confirmation que celui-ci était bien le fils de Yesügeï. Car il lui ressemblait sans lui ressembler. Son visage pouvait également rappeler, ou ne pas rappeler, celui de l'autre homme qui était la cause d'une telle inquiétude. A vrai dire, l'enfant ne ressemblait à personne, si ce n'est à sa mère.

Höelün était incapable d'imaginer comment Yesügeï réagirait à l'annonce de cette naissance. En effet, comme tous les braves de sa tribu, il était resté taciturne et impénétrable en apprenant la grossesse de sa femme. En avait-il éprouvé de la joie, de la colère ? Personne d'autre que lui n'aurait pu le dire. Höelün, en l'informant de la naissance de l'enfant, allait enfin connaître ses sentiments. Et elle n'aurait pas trouvé autrement plus étrange qu'il lui ordonne de supprimer le nouveau-né.

Le vieux messager qu'elle avait envoyé à Yesügeï regagna le campement le lendemain soir. Il annonça à la jeune mère que son mari avait choisi pour l'enfant le prénom de Temüjin. A cette nouvelle, pour la première fois depuis l'accouchement, le visage de Höelün se rasséréna. A présent, une chose au moins était sûre : Yesügeï ne détestait pas l'enfant qu'elle avait mis au monde au point de le maudire. Pour le reste, tout demeurait dans l'incertitude. En effet, à entendre le récit du vieillard, Höelün pouvait interpréter dans des sens différents le choix du nom de Temüjin.

« Je suis arrivé au camp du seigneur Yesügeï alors qu'il fêtait sa victoire écrasante sur les Tatars. Près des torchères, deux chefs ennemis étaient ligotés. Vers le milieu du festin, on a traîné l'un d'entre eux devant nous et on lui a coupé la tête. Le seigneur Yesügeï, en souvenir de cette victoire, a alors ordonné que l'on donne le nom de ce chef, Temüjin, à l'enfant qui venait de naître. »

Ainsi parla le vieillard. On pouvait bien sûr voir tout simplement dans ce choix la commémoration d'une

11

victoire. Mais en songeant que ce nom était celui d'un chef ennemi à qui on avait tranché le cou, Höelün ne pouvait s'empêcher d'éprouver un certain malaise. Yesügeï se réjouissait-il de la naissance de l'enfant, éprouvait-il pour lui de la haine ? Cela demeurait une véritable énigme.

Quoi qu'il en fût, cet enfant, dont la mère elle-même ne pouvait dire qui était réellement le père, avait reçu le nom de Temüjin. Et sa destinée était donc de grandir sous la tente, en tant que fils aîné d'un chef de clan mongol.

Pendant les quelques jours qui suivirent l'accouchement, Höelün, en proie à une forte fièvre, se trouva entre la vie et la mort. Puis la fièvre baissa, et quand elle reprit conscience, la première image qui frappa son regard affaibli fut celle de Yesügeï, debout, tenant Temüjin dans ses bras.

Höelün était devenue la femme de Yesügeï environ dix mois auparavant. Originaire du clan des Olqunu'ut, elle avait été enlevée par un jeune guerrier merkit [1]. Mais alors qu'on l'emmenait de force vers le campement de cette tribu, Yesügeï l'avait capturée sur les bords du fleuve Onon, et en avait fait sa femme. Comme le jeune Merkit l'avait violée plusieurs fois, elle avait beau avoir accouché après son union avec Yesügeï, il lui était donc impossible de savoir lequel des deux hommes était le père de l'enfant.

Höelün ne cessait de scruter le profil de son mari. Yesügeï, connu sous le surnom de Ba'atur (le Preux), était un personnage réputé pour son audace et sa bravoure, et redouté par les autres tribus. Sur ce visage énergique ne filtrait aucune des pensées qui pouvaient l'agiter mais, à voir ainsi son mari serrer Temüjin dans ses bras puissants, Höelün se sentit soulagée malgré tout.

---

1. Peuple de chasseurs et de bergers vivant au sud du lac Baïkal. Cette tribu, très puissante à l'époque, représentait une menace importante pour les Mongols.

Ce soulagement se transforma en une violente et inexplicable émotion, qui emplit ses yeux de larmes.

A l'époque, la région où vivaient les Mongols, située au nord de la Grande Muraille de Chine, et donc « hors des fortifications », était occupée également par des nomades de plusieurs autres tribus. Limitée à l'est par le massif montagneux du Khingan, à l'ouest par les chaînes du Sayan, du T'ang-nu, de l'Altaï et du T'ien-chan, elle jouxtait au sud la Chine au niveau de la Grande Muraille et les territoires de l'Ouest au niveau du désert de Gobi. Enfin, au nord, vers le lac Baïkal, elle se perdait dans les contrées inhabitées et impénétrables de la Sibérie. Sur ces vastes plateaux ainsi entourés de chaînes de montagnes, de déserts et de terres désolées, coulaient six fleuves. L'Onon, l'Ingoda et le Kerülen se rejoignaient pour former le fleuve Amour qui allait se jeter dans la mer d'Okhotsk, tandis que la Toula, l'Orkhon et le Selengga débouchaient dans le lac Baïkal. Ces deux groupes de fleuves prenaient leur source dans le centre de cette région, sur les hauts plateaux, et leurs bassins étaient constitués de steppes et de forêts qui avaient vu, depuis des siècles, prospérer et s'éteindre plusieurs peuples nomades. Les Hiong-nu [1], les Jeou-jan [2], les T'ou-k'iue [3] et

---

1. Peuple d'éleveurs et de cavaliers qui domina les hauts plateaux mongols pendant environ cinq cents ans à partir de la fin du IVᵉ siècle avant l'ère occidentale. L'organisation judicieuse de son armée lui permit de fréquentes incursions en Chine du Nord.

2. Jeou-Jan ou Jurchen. Peuple nomade qui, à la suite des Hiong-nu, joua un rôle prédominant sur les hauts plateaux entre le milieu du IVᵉ et le milieu du VIᵉ siècle. C'est avec les rois Jeou-jan que l'on voit apparaître le titre mongol de *khan*. Ce peuple, à travers ses fréquents contacts avec la Chine, en adopta le système administratif.

3. T'ou-k'iue ou Türküt. Descendants d'une branche des Hiong-nu de l'Altaï, ils établirent sur toute la zone des steppes asiatiques, qu'ils dominèrent pendant environ deux siècles, le premier empire turc. Ils surent faire régner sur l'Asie centrale, du VIᵉ au VIIIᵉ siècle, une grande tolérance religieuse. Ils furent supplantés en 744 par les Uigur.

les Uigur[1], basés dans cette région, avaient tenté d'étendre leur puissance vers le sud, seule ouverture vers l'extérieur, contraignant les souverains successifs de la Chine à construire la Grande Muraille afin de se protéger contre les invasions de ces nomades du Nord.

On ignore vers quelle époque les Mongols s'implantèrent dans cette région, mais comme les autres tribus, ils se trouvaient, au début du VIIIe siècle, sous la domination des T'ou-k'iue, puis passèrent successivement sous celle des Uigur quelque cinquante ans plus tard, et des Tatars au cours du IXe siècle. Après le déclin de ces derniers, ces peuples, qui différaient légèrement les uns des autres par la couleur des cheveux et de la peau et par les coutumes, se dispersèrent dans les vastes steppes où ils formèrent chacun des campements. Et leur vie se passa dorénavant en luttes incessantes, dont l'enjeu était le bétail, les femmes, les pâturages.

Lors de la naissance de Temüjin, vers le milieu du XIIe siècle, outre les Mongols vivaient, dans cette région de hauts plateaux, les Kirghiz, les Oirat, les Merkit, les Tatars, les Kereyit, les Naiman et les Öngüt. Mais c'étaient surtout les Mongols et les Tatars qui, se disputant la prééminence sur les autres tribus, passaient leur temps en querelles. Quand Temüjin naquit, la lutte entre ces deux peuples battait son plein.

Outre ces conflits entre peuples rivaux, à l'intérieur d'une même tribu, c'étaient des escarmouches violentes et continuelles destinées à ramener du butin. Les Mongols se divisaient en plusieurs clans, chacun regroupé autour d'un campement, et entre eux la rivalité

---

1. Peuple d'origine turque, allié à la dynastie chinoise des Tang. Pendant un siècle, les Uigur surent faire bénéficier les autres tribus des apports de la culture Tang, et par l'adoption du manichéisme comme religion nationale, contribuèrent à humaniser les mœurs. Ils perdirent le pouvoir en 840. Mais jusqu'au XIIIe siècle, ils continuèrent d'occuper une position privilégiée parmi les autres tribus nomades.

était forte. Celui des Borjigin, dont faisait partie Yesügeï, formait une illustre lignée d'où étaient issus plusieurs des khans qui avaient gouverné l'ensemble des tribus mongoles. Le premier d'entre eux était Qabul, l'arrière-grand-père de Temüjin. Il avait tenté d'unifier les clans mongols jusque-là dispersés afin de pouvoir opposer aux autres tribus une force organisée. C'est Ambaqaï, du clan Tayichi'ut, qui succéda à Qabul-khan, puis le pouvoir repassa aux mains des Borjigin avec Qutula, l'oncle de Yesügeï, Yesügeï qui était, à la naissance de Temüjin, le quatrième khan.

C'est dans cette situation troublée que l'enfant grandit. Höelün, deux ans après la naissance de ce premier fils, mit au monde Qasar, et deux ans plus tard, Qachi'un. Temüjin se retrouva donc, à l'âge de quatre ans, avec deux petits frères, auxquels venaient s'ajouter Bekter, d'un an plus jeune que lui, et Belgüteï, de deux ans plus jeune, nés de l'union de Yesügeï avec une autre femme. Tous furent élevés ensemble sous la même tente. Yesügeï se montrait tout à fait équitable à l'égard des enfants. Il les traitait tous les cinq avec égalité, ne marquait jamais la moindre préférence pour l'un d'entre eux. Höelün, elle aussi, se comportait de même, ne faisant aucune distinction entre ses propres enfants et ceux de l'autre femme, avec lesquels elle se montrait aussi impartiale que Yesügeï avec Temüjin. Ce en quoi elle faisait preuve d'une grande intelligence.

Quand Temüjin eut six ans, Höelün mit au monde un autre enfant, Temüge. Temüjin dépassait en taille et en force les autres garçons de son âge, mais il était renfermé et taciturne. Il se battait très rarement, mais quand il le faisait, c'était avec démesure. Il écoutait toujours en silence, un éclat sombre dans le regard, les méchancetés que lui débitait son adversaire, et dès qu'il voyait que celui-ci n'avait plus rien à ajouter, il se jetait brusquement sur lui sans mot dire. Il le renversait, se mettait à cheval sur lui, et se laissait aller à sa sauvagerie, frappant l'autre avec une pierre, lui enfonçant la tête dans le sable avant de la piétiner. Dans ces violences, il y avait quelque chose de cruel, et aux yeux de ceux qui venaient s'interposer, Temüjin passait pour un enfant peu attachant, aux réactions imprévisibles. En ces circonstances, les adultes le percevaient à tort comme quelqu'un de leur âge et, avec une sévérité excessive, ne blâmaient que lui.

Mais en dehors de ces moments de violence, Temüjin était tout simplement un enfant silencieux et réservé. En tant qu'aîné, il était obligé de céder sa place à ses jeunes frères sur les genoux et dans les bras de Höelün, mais il ne différait point des autres enfants dans son désir de rester le plus près possible de sa mère.

C'est à l'âge de sept ans que Temüjin entendit conter, pour la première fois, la généalogie de sa tribu. Parmi ses parents éloignés, il y avait un vieillard nommé Bültechü-ba'atur. L'appellation même de *ba'atur* (le Preux) prouvait bien qu'il avait dû être, dans sa jeunesse, un valeureux guerrier. Mais à l'époque ce n'était plus qu'un vieil homme placide à la belle barbe blanche qui adorait les enfants. Il était doué d'une mémoire prodigieuse, et quand parfois les gens de la famille se rassemblaient sous la tente de Yesügeï, il leur racontait, de génération en génération, l'histoire de leurs lointains ancêtres. Comme s'il les avait réellement connus, il ne tarissait pas de détails sur leur physionomie, leur allure, leur caractère, captivant ainsi son auditoire.

Il suffisait que quelques personnes se réunissent pour que Bültechü-ba'atur remplisse fidèlement son rôle, dévidant, comme on le ferait d'un fil, l'écheveau des récits qui emplissaient sa tête. Beaucoup de gens connaissaient par cœur certains de ces récits, mais personne n'était capable de les raconter aussi bien que Bültechü, et personne n'aurait songé à conserver en mémoire des histoires aussi interminables.

Lorsque le vieillard se préparait à parler, chacun essayait tour à tour de placer avant lui la partie dont il se souvenait.

... Il y eut d'abord Batachi-qan, puis son fils Tamacha, puis Qorichar-mergen, fils de Tamacha, et A'ujam-boro'ul, fils de Qorichar-mergen, Sali-qacha'u, fils d'A'ujam-boro'ul, Yeke-nidün, fils de Sali-qacha'u, Sem-sochi, fils de Yeke-nidün...

Et quand un des récitants perdait le fil de cette longue généalogie de chefs, un autre aussitôt prenait le relais.

... et Qarchu, fils de Sem-sochi, Borjigideï-mergen, fils de Qarchu, qui eut pour épouse la belle Mongqoljin-qo'a, et pour fils Toroqoljin-bayan, qui épousa la belle Boroqchin-qo'a, et qui possédait le jeune valet Boroldaï-suyalbi et les deux coursiers Dayir et Boro.

Même ceux qui avaient une excellente mémoire perdaient pied à ce moment du récit. Car après le dixième chef Toroqoljin-bayan (Toroqoljin le Fortuné), les descendants se multipliaient, les personnages à retenir devenaient aussi nombreux que les feuilles d'un arbre, et il n'y avait plus rien d'autre à faire que de s'en remettre à la prodigieuse mémoire de Bültechü. Sur le visage ridé de celui-ci apparaissait alors un sourire ravi, et il se mettait à parler lentement. Et bien sûr, son récit ne se bornait pas à une simple énumération des principaux chefs mongols.

« Toroqoljin-bayan et sa femme Boroqchin-qo'a formaient un couple très uni. Comme ils s'entendaient trop bien, il leur naquit un enfant qui n'avait qu'un seul œil. On le nomma donc Duwa-soqor (Duwa l'Aveugle). Cet œil, placé verticalement au milieu du front, était extrêmement perçant, et aussi incroyable que cela puisse paraître, il lui permettait de voir à cent lieues à la ronde. Après Duwa-soqor naquit Dobun-mergen (Dobun le Grand Archer). L'un et l'autre devinrent bientôt des jeunes gens pleins d'ardeur. Un jour, ils partirent à la chasse, et Duwa-soqor, en parcourant la plaine du regard, dit : "J'aperçois une belle fille au loin, on dirait qu'elle va à ses noces. Demain, elle devrait passer par ici. Quand elle arrivera, enlève-la, Dobun-mergen, pour en faire ta femme !" Le cadet ne le crut pas, mais le lendemain, comme il était revenu attendre au même endroit, il vit arriver une jeune fille en route pour ses noces, entourée d'une troupe de gens. Le jeune homme se précipita sur eux, les assaillant de flèches et de coups de sabre. Et c'est ainsi qu'Alan-qo'a (Alan la Belle) devint sa femme. Très vite leur naquirent deux enfants, l'aîné nommé Bügünüteï et le cadet Belgünütei, qui sont respectivement les ancêtres des clans Bügünüt et Belgünüt. Quant à Dobun-mergen, par malheur, il mourut jeune en laissant derrière lui sa femme et ses deux fils. Tandis qu'Alan-qo'a élevait ceux-ci, elle accoucha successivement de trois enfants. Même sans mari, on peut faire autant d'enfants qu'on veut. Mais Alan-qo'a était une femme chaste, qui n'aurait jamais pris d'amant. Comment alors pouvait-elle avoir des enfants ? Eh bien, chaque fois, un rayon lumineux venu du ciel pénétrait par le trou à fumée de la tente et frôlait la peau blanche d'Alan-qo'a. Et c'est ainsi que naquirent Buqu-qadagi, Buqatu-salji et Bodonchar-mungqaq, les ancêtres des clans Qatagin, Salji'ut et Borjigin. Et voilà pourquoi en nous, les Borjigin, descendants de Bodonchar-mungqaq, se mêlent le sang de la belle Alan et la lumière du ciel. »

Ainsi parlait Bültechü. Et à mesure qu'il contait les hauts faits des braves qui avaient succédé à Bodonchar, il le faisait avec un plus grand luxe de détails, avec une vivacité croissante. Comme dix chefs s'étaient succédé entre Bodonchar et Yesügeï, les événements à raconter étaient légion, et il était impossible d'en faire le tour en une seule soirée.

Quand Temüjin avait sept ans, seule l'histoire de Duwa-soqor qui n'a qu'un œil lui faisait une forte impression. Les autres ne l'intéressaient guère, et d'ailleurs il n'arrivait pas à bien les comprendre. Mais lors des grandes assemblées qui réunissaient tous les membres de la tribu, il arrivait que plusieurs anciens, dont Bültechü, psalmodient, sur la place devant les tentes, la légende relative aux origines des Mongols, et c'est cette incantation qui captivait surtout Temüjin.

... D'abord il y eut le Loup bleu, né d'un ordre céleste. Et son épouse était la Biche blanche. Ils vinrent, traversant le vaste lac. Ils fixèrent leur campement à la source du fleuve Onon, au mont Burqan, et leur naquit alors Batachi-qan [1].

Ainsi débutait cette incantation, dont les phrases courtes se perdaient bientôt dans les rites touffus de la cérémonie. Mais à chaque fois qu'elle leur était contée, la tradition selon laquelle leur premier ancêtre Batachi-qan était né des amours d'un loup et d'une biche provoquait dans le cœur de tous les Mongols, qu'ils soient borjigin ou tayichi'ut, une étrange émotion. Tout le monde croyait à cette légende. Ce vaste lac que le loup vigoureux avait franchi sur ordre du Ciel, en compagnie de son épouse la douce et belle biche, se trouvait effectivement au loin, à l'ouest. Quant au mont Burqan, personne dans la tribu ne l'ignorait, car il dominait le paysage au point que tous les Mongols, à quelque endroit qu'ils fixent leur tente, l'avaient constamment sous les yeux.

Temüjin fut profondément remué lui aussi par l'histoire du Loup bleu. Il était ravi et fier d'être le descendant d'un loup et d'une biche, et quand il pensait aux peuples qui n'avaient pas la même origine, il éprouvait pour eux à la fois pitié et mépris.

Ces incantations étranges récitées par les anciens constituèrent donc l'élément le plus marquant de son enfance. Evidemment, comme il n'avait que sept ans, il

---

1. Inoue cite ici telle quelle la première phrase de l'*Histoire secrète des Mongols*. Le mont Burqan (Burqan-qaldun ou « mont Sacré ») correspond approximativement à l'actuel mont Khentei, à la source du fleuve Onon.

avait du mal, sans les explications données par sa mère Höelün, à comprendre le sens de ces phrases psalmodiées. Mais tandis que les vieillards chantaient, leurs voix basses et solennelles faisaient naître en lui la vision de ce loup vigoureux, de cette douce et belle biche. Le loup avait le regard perçant. C'était un regard qui pouvait voir beaucoup plus loin que celui de Duwa-soqor. Un regard qui capturait toutes les choses et ne les lâchait plus, qui ne connaissait pas la peur. Dans sa lueur glaciale il y avait à la fois une combativité à toute épreuve, et la volonté inflexible de s'approprier tout ce qu'il désirait. Son corps était bâti pour l'attaque. Aucun son, même le plus éloigné, ne pouvait échapper à ses oreilles dressées, et tous les os, tous les muscles de son corps étaient conçus pour tailler l'ennemi en pièces. Ses quatre pattes robustes et minces pouvaient parcourir les plaines enneigées, fendre le vent de la tempête, gravir les rocs, bondir dans les airs.

Ce loup était accompagné d'une biche au corps frêle, à la fourrure magnifique. Son pelage bai était moucheté de taches blanches, son museau recouvert de poils également blancs. Contrairement au loup, elle avait un regard d'une grande douceur, mais constamment en éveil, et de tout son corps aux aguets elle cherchait à protéger des ennemis celui qu'elle aimait. Sa beauté même était au service du loup, tout comme sa prudence, qui ne se relâchait jamais. Au moindre bruissement d'une feuille d'arbre frôlée par le vent, elle tournait précautionneusement dans cette direction sa longue tête. Il n'y avait pas un brin d'agressivité en elle, mais son attitude défensive était sans faille.

Ces deux êtres totalement différents, par leur beauté, ne pouvaient que fasciner le jeune Temüjin. Ils avaient donné naissance au premier ancêtre, Batachi-qan, et leur sang, coulant sans se tarir au long des siècles dans les veines de ses nombreux aïeux, continuait à présent encore à bouillonner en lui.

Après que Temüjin eut connu cette légende, il ne trouva plus le moindre charme aux autres histoires contées par Bültechü, qu'il commençait pourtant peu à peu à comprendre. Il avait entendu parler bien des fois d'Alan la Belle, dont le sang se mêlait, dans les veines des Borjigin, à la lumière du ciel. Mais comparé à celui du loup et de la biche, ce récit, qui était cependant le morceau de bravoure du vieil homme, lui paraissait terne et sans attrait. Bien sûr, l'idée de la supériorité des Borjigin sur les autres clans mongols du fait de cette lumière du ciel n'était pas pour lui déplaire. Mais le sang du loup et de la biche, également réparti entre tous les Mongols, lui semblait une particularité beaucoup plus merveilleuse. Car elle les unissait, tout comme le territoire où ils étaient rassemblés, l'étendue infinie des hauts plateaux.

Alors que Temüjin venait d'avoir huit ans, au printemps, Höelün mit au monde un autre enfant, une petite fille que l'on nomma Temülün. Et pour la première fois, Temüjin fut saisi d'une émotion où entrait une part de doute : était-il possible que coule aussi, dans les veines de Temülün, le sang du loup et de la biche blanche ? Il acceptait sans le moindre sentiment d'étrangeté que ses frères et ses demi-frères aient reçu ce sang en partage, mais dans le cas de sa petite sœur, il éprouvait quelques réticences.

La perplexité qui avait envahi Temüjin lors de la naissance de Temülün lui fit voir d'un autre œil toutes les femmes, qu'elles fussent enfants ou adultes. Que coulât dans leurs veines le sang d'une biche, c'était bien possible, mais celui d'un loup... Il n'arrivait pas à le croire. Un jour, il confia ses doutes à Höelün, qui lui répondit : « Un homme, une femme, quelle différence cela fait-il ? Nous sommes tous mongols, nous avons en nous le sang des mêmes ancêtres. »

Cette réponse ne satisfit nullement Temüjin. Il ne pouvait pas admettre que les filles, qui trébuchent dès qu'on les pousse, qui tombent et se mettent à pleurer au moindre coup, étaient de la même race que les hommes. Il ne voulait pas qu'on les confonde. Comment pouvait-on affirmer que ces êtres faibles, qui n'étaient même pas capables de faire la guerre, descendaient du loup venu sur leur territoire par ordre du Ciel, en traversant le lac de l'Ouest ?

Temüjin ne jouait jamais avec les filles. Bien plus : sauf en cas d'absolue nécessité, il ne leur adressait pas la parole. Ce n'était pas vraiment par mépris pour les faibles, mais plutôt par répugnance, par indignation à l'idée qu'en dépit de cette faiblesse, elles puissent prétendre être du même sang mongol. Et ce refus était profondément ancré dans son cœur d'enfant de huit ans.

A partir de cette époque, Temüjin se mit soudain à avoir une vision plus large du monde. Sa croissance était plus rapide que celle des autres enfants, et ce garçon taciturne et brutal montrait également une grande précocité d'esprit.

Poussé par son désir d'apprendre, Temüjin finit par connaître beaucoup de choses. Alors que les conversations entre son père Yesügeï et sa mère Höelün ne différaient en rien de celles qu'ils échangeaient auparavant, elles prenaient à présent pour lui une autre résonance. A travers elles, il apprit la généalogie et l'histoire du clan auquel ils appartenaient, les Borjigin, la position de ce clan à l'intérieur du peuple mongol, et également la situation de ce peuple parmi tous ceux qui vivaient sur les hauts plateaux. Et la sensibilité du jeune garçon absorbait avidement, comme une éponge, tout ce qu'elle pouvait tirer également des conversations des habitants du campement, ou des propos tenus lors des petites réunions ou des grandes assemblées. Ainsi son corps et son esprit évoluaient-ils insensiblement vers la maturité de l'âge adulte.

Temüjin apprit d'abord que depuis que son père était à la tête des Borjigin, leurs relations avec le clan

Tayichi'ut s'étaient détériorées, et que tout était prétexte à des affrontements. A l'origine, les Tayichi'ut faisaient partie eux aussi du clan Borjigin, mais à l'époque du deuxième khan, Ambaqaï, ils avaient pris leur indépendance pour former une autre communauté, et il y avait donc entre eux des rapports de frères ennemis. Mais c'est surtout vers le moment où Yesügeï prit le pouvoir que les fils d'Ambaqaï, commençant à étendre l'influence du clan Tayichi'ut, gagnèrent à leur cause un grand nombre d'autres clans, et leurs fréquentes insubordinations aux ordres de Yesügeï étaient à l'origine de tous les conflits qui déchiraient le peuple mongol.

Malgré l'entente apparente qui regroupait tous les Mongols autour de Yesügeï-khan, il y avait donc, en réalité, division du pouvoir entre les deux clans.

Aucun répit n'était laissé à Yesügeï, car à ces conflits internes venaient s'ajouter d'incessantes petites luttes avec d'autres tribus. Parmi elles, la plus puissante, celle des Tatars, était depuis toujours l'ennemi acharné des Mongols. Réaliser une alliance regroupant toutes les tribus qui peuplaient les hauts plateaux avait été, pendant des siècles, une préoccupation fondamentale. C'était d'ailleurs, pour toutes ces populations nomades, une absolue nécessité, afin de vivre en bonne intelligence, et aussi pour régler les problèmes posés par les pays voisins : les empires Kin[1] et Si-Hia[2], et le royaume Uigur.

---

1. Fondé en 1115 par les Jurchen, au sud-est de Kharbin (Mandchourie), cet « empire barbare de la Chine du Nord » s'étendit progressivement, jusqu'à sa conquête en 1233 par les fils de Gengis-khan. Au moment de la naissance de celui-ci, la dynastie Kin avait pris une telle importance qu'elle rivalisait avec celle des Song du Sud. Les Jurchen étaient réputés pour leurs actes de cruauté systématiques envers les Mongols.

2. Fondé en 1038 par les Tangut, peuple sinisé de race tibétaine, cet empire, situé à l'ouest du pays des Kin, occupait une position stratégique dans les relations commerciales entre l'Orient et l'Occident. Il subsista jusqu'à l'offensive dirigée contre lui par Gengis-khan en 1225-1227.

Le plus réticent devant la possibilité d'une telle alliance était l'empire Kin, dont la Grande Muraille formait la frontière avec les hauts plateaux. Et dès qu'il voyait se manifester les prémices de cette alliance, il s'arrangeait pour l'étouffer dans l'œuf par quelque stratagème et s'ingéniait par tous les moyens à semer la discorde entre les tribus nomades.

Tous les khans, de Qabul à Yesügeï, en passant par Ambaqaï et Qutula, avaient désiré l'unification, mais les Tatars, manipulés par l'empire Kin, y avaient toujours fait obstacle. Qabul avait failli être empoisonné par un envoyé des Kin. Ambaqaï, capturé par les Tatars et livré aux Kin, avait été exécuté. Qutula et la plupart de ses six frères avaient péri dans des combats contre les Tatars. Bref, l'arrière-grand-père de Temüjin, ainsi que les frères de son grand-père, avaient perdu la vie en affrontant la tribu rivale.

Au cours de la bataille qui avait eu lieu au moment de la naissance de Temüjin, Yesügeï était parvenu pour la première fois à infliger de lourdes pertes aux Tatars, et depuis une période de paix relative régnait entre les deux tribus. Mais la pression exercée dans l'ombre par l'empire Kin risquait à tout moment de faire renaître la discorde.

Temüjin, dès son enfance, comprit que les ennemis du peuple mongol étaient les Tatars et l'immense empire Kin, qui s'étendait au-delà de la Grande Muraille. Et ces deux noms se gravèrent dans son cœur comme ceux de démons maléfiques.

Un jour Yesügeï, en buvant de l'alcool sous sa tente, se laissa aller à dire : « Tant que je n'aurai pas écrasé les Tayichi'ut et les Tatars, je ne peux pas me permettre de mourir. »

Temüjin, entendant cela, se demanda avec perplexité pourquoi son père n'avait pas ajouté à ces deux noms celui de l'empire Kin. Comme il lui posait la question, Yesügeï répondit en riant : « Ce n'est pas une petite

24

affaire que d'écraser l'empire Kin ! A supposer que l'on puisse réunir toutes les tribus des hauts plateaux mongols, on arriverait à peine à une force de deux cent mille hommes. En revanche, les Kin disposent d'une puissante armée dix fois supérieure en nombre et chacun de ses soldats possède des armes extraordinaires que tu ne peux imaginer. »

Puis, laissant de côté ses récits de batailles avec les ennemis héréditaires, il lui parla du pays des Kin, et aussi de celui des Song, situé encore plus au sud. Là-bas, sur des terres entourées de fortifications géantes, les gens se regroupent dans des cités constituées d'habitations faites de terre et de bois, et qu'on ne peut déplacer. Chacun a un travail bien défini : les commerçants vendent leurs marchandises dans des boutiques, les paysans cultivent la terre, les fonctionnaires se consacrent à toutes les tâches administratives, les soldats passent leurs journées à s'entraîner à la guerre. Et à l'intérieur des fortifications sont construits de grands temples et des palais en pierre, qui s'élancent droit vers le ciel.

Temüjin eut peine à croire qu'existaient vraiment des pays de rêve comme ceux-là. Et il eut envie d'en savoir plus.

Il assaillit son père de questions. Mais comme Yesügeï n'avait jamais vu ces pays de ses propres yeux, il fut incapable de lui donner de plus amples détails.

Dans ces circonstances, Temüjin prit un jour l'initiative d'interroger Bültechü sur les empires des Song et des Kin. Alors le vieil homme à l'excellente mémoire, après avoir dit, en guise de préambule : « Tu sais, ce sont des contrées épouvantables ! », n'aborda pas les sujets qui intéressaient Temüjin, et pour preuve de ce qu'il avançait là, lui raconta l'histoire d'Ambaqaï-khan, exécuté par les Kin.

« Ambaqaï-khan, capturé par les Tatars, a été livré à l'empereur Kin, et là rends-toi compte qu'on l'a cloué à une espèce d'âne en bois, qu'on l'a dépecé tout vif, et qu'on l'a haché en menus morceaux. Ambaqaï-khan était un homme héroïque, alors il a dit à son valet Bülqechi, qui se trouvait auprès de lui tandis qu'il se mourait : "Si tu rentres vivant au pays, dis à tous : Vengez-moi ! Quitte pour cela à user tous vos ongles, à perdre tous vos doigts !" Bülqechi s'est enfui, et à son retour, a répété cela à tout le monde. Et tout le monde a versé des larmes. Même ton père. Même moi. »

Bülqechi était mort à présent, mais Temüjin, à l'âge où il était encore sur les genoux de sa mère, avait aperçu ce petit vieillard. Ainsi, le drame d'Ambaqaï-khan lui parut d'autant plus vrai que lui-même, Temüjin, gardait le souvenir d'en avoir vu l'un des acteurs. Et l'enfant fut saisi d'un chagrin qui le laissa inconsolable. Il était mortifié à l'idée que même son père Yesügeï avait renoncé à entreprendre des représailles contre l'empire Kin, tant celui-ci était grand et inaccessible. Pour lui, ce pays était à la fois une immense contrée inconnue, objet de curiosité et de rêves, et la patrie des ennemis mortels des Mongols, de ceux qui avaient tué avec tant de sauvagerie leur second khan. Le pays dont il fallait se venger à tout prix, quitte pour cela à user tous ses ongles, à perdre tous ses doigts !

L'été qui suivit les neuf ans de Temüjin vit le départ de Yesügeï, à la demande de sa femme Höelün, pour le campement du clan Olqunu'ut dont elle était originaire. Il emmenait Temüjin, afin de trouver celle qui deviendrait un jour sa femme.

Pour l'enfant, c'était le premier voyage. Devant lui s'ouvraient des paysages totalement différents de ceux qu'il avait toujours vus. Bien sûr, au rythme des saisons, les Mongols déplaçaient leurs tentes d'un endroit à un autre. Mais ils ne dépassaient jamais un périmètre limité, déterminé par les conditions naturelles : les alentours du mont Burqan, les rives des fleuves Onon et Kerülen. Temüjin ne connaissait donc que d'épais taillis formés des mêmes variétés d'arbres, et des plaines aux teintes monotones. Et ce voyage fut pour lui une véritable découverte.

L'expédition se composait d'une dizaine d'hommes à cheval, traînant à leur suite des chameaux chargés de vivres. Toute la troupe, après avoir emprunté vers l'aval les gorges touffues du fleuve Kerülen, s'en écarta en cours de route, traversant des steppes, gravissant des collines rocailleuses, cheminant dans des étendues de gravier et de sable. Un peu partout il y avait des lacs. Pour Temüjin, ces étapes quotidiennes étaient un enchantement. Comme rien ne pressait, on s'arrêtait en chemin pour pêcher ou pour chasser des oiseaux et des lièvres.

Avant l'arrivée au campement dont Höelün était originaire, un imprévu bouleversa le déroulement du voyage : au moment de passer entre les monts Chiqurqu et Chekcher, la troupe croisa soudain le chef de la tribu Onggirat, Deï-sechen, escorté de ses hommes. Lui et Yesügeï se rencontraient pour la première fois, mais l'entente entre les deux chefs fut immédiate. Quand Deï-sechen eut appris quel était le but du voyage de Yesügeï, il lui proposa de modifier son itinéraire et de venir avec lui jusqu'à son campement.

« Ton fils Temüjin me plaît. Par chance, j'ai une fille, Börte. Ils feront certainement un couple bien assorti », dit paisiblement Deï-sechen, en redressant légèrement son corps à la belle prestance.

Yesügeï éprouvait de la sympathie pour cet homme qui s'exprimait sans détours. Et comme il avait souvent entendu parler de la prospérité du clan Onggirat, il accepta d'emblée la proposition qui lui était faite. Pour les Mongols, une alliance avec les Onggirat n'était certes pas à dédaigner.

Au terme de cet accord, les deux groupes, se fondant en un seul, se dirigèrent vers la zone de prairies située en contrebas du versant sud du mont Khingan. Parmi toutes les tribus des hauts plateaux mongols, les

Ongirrat occupaient le territoire le plus proche de la Grande Muraille. Ils étaient en contact avec la culture du pays des Kin, et menaient donc une vie plus raffinée que les autres peuples de la région.

Les pâturages des Onggirat étaient bien plus luxuriants que ceux des Mongols. Des prairies en pente douce s'étendaient à perte de vue et une multitude de moutons et de chevaux y paissaient en liberté. La tente de Deï-sechen, incomparablement plus spacieuse et plus luxueuse que celle de Yesügeï, était aménagée avec raffinement. Les réserves regorgeaient d'une grande variété de peaux de bêtes et de fourrures. Mais l'émerveillement de Temüjin et de son père atteignit son comble devant tous les objets rares sans doute acquis par le troc : vaisselle laquée, armures et armes perfectionnées, bibelots superbes, ivoire et pierres précieuses. Temüjin ne pouvait pas ne pas se rendre compte à quel point la vie du peuple mongol était pauvre, et même misérable, comparée à celle des Onggirat.

Börte avait dix ans, un an de plus que Temüjin. Dès le premier coup d'œil, elle plut à Yesügeï. Temüjin, lui aussi, trouva belle cette fillette déjà grande pour son âge, et qui respirait la santé. Sa peau était blanche et il y avait des reflets lustrés dans ses cheveux châtains. Depuis sa plus tendre enfance, Temüjin avait entendu parler d'un peuple désigné sous le nom de « Tartares blancs », par opposition aux « Tartares noirs [1] ». A présent, il se rendait compte que cela n'était pas une légende.

Deï-sechen, après avoir offert l'hospitalité pendant trois jours à Yesügeï et à ses hommes, exprima le désir de garder Temüjin quelque temps auprès de lui, pour que le garçon se familiarise avec son peuple. Cette fois encore

---

1. Les historiens chinois de l'époque faisaient la distinction entre les « Tartares noirs », ceux qui avaient dominé les hauts plateaux avant la création de l'empire mongol, et les « Tartares blancs », c'est-à-dire le peuple Öngüt d'origine turque, établi au nord-est de l'empire Kin.

Yesügeï, sans se faire prier, lui donna son accord. L'idée de vivre au sein d'une autre tribu n'enchantait guère Temüjin. Mais l'enfant, comprenant qu'il allait ainsi découvrir un tout autre monde, se soumit de bonne grâce au désir de son père et accepta de rester au campement de Deï-sechen.

Et tandis que Yesügeï repartait vers le mont Burqan, une nouvelle vie commença pour Temüjin, parmi ce peuple aux habitudes et à la langue si différentes.

L'enfant vécut ainsi dans le campement de Deï-sechen de l'automne de ses neuf ans au printemps de ses treize ans. Il ne s'intéressait pas du tout à Börte, la petite fille qui lui était promise. Mais il faisait preuve, à l'égard de l'organisation de cette tribu, d'une curiosité prodigieuse pour son âge. Ainsi, il remarqua qu'un petit nombre de jeunes gens étaient spécialement entraînés pour pouvoir faire face aux agressions d'autres tribus. Ces garçons étaient d'excellents cavaliers, des archers d'élite. Chaque jour, disséminés aux quatre coins de la plaine, ils s'exerçaient à protéger les troupeaux en cas d'attaque et pratiquaient le tir à l'arc à cheval. Temüjin obtint de Deï-sechen l'autorisation de participer à leur entraînement.

Mais ce séjour fut surtout pour lui une occasion unique de recueillir des connaissances sur l'immense pays des Kin. Parfois, venus de l'autre côté de la Grande Muraille, des commerçants chinois arrivaient au village avec des caravanes de chameaux. De leur bouche, Temüjin apprit sur cette contrée des choses qu'il n'aurait jamais pu savoir en restant en amont du fleuve Onon. Il fut particulièrement étonné d'entendre dire que le pays des Kin, et aussi, encore plus au sud, celui des Song, étaient placés sous l'autorité d'un seul homme, et dotés d'une armée qui obéissait aveuglément aux ordres de celui-ci.

Temüjin avait treize ans quand un jour, au printemps, un de ses parents, un homme d'une trentaine d'années

29

nommé Mönglik, vint du campement Borjigin pour chercher l'adolescent. Les explications de Mönglik n'étaient pas très claires, mais il en ressortait que Yesügeï, après une longue séparation, voulait revoir son fils. Deï-sechen ne fut pas vraiment convaincu par les raisons de cette brusque demande, mais il permit à Temüjin de regagner son pays natal, en lui faisant promettre de revenir sans tarder.

Temüjin et Mönglik chevauchèrent jour et nuit, à bride abattue, sur les hauts plateaux. Car entre-temps, Mönglik avait dévoilé à l'adolescent la mort de son père. Au cours d'un voyage Yesügeï avait dû, selon les coutumes des nomades[1], festoyer avec un groupe de Tatars, qui avaient profité de cette aubaine pour l'empoisonner. Tenaillé par la souffrance, il avait galopé pendant trois jours pour regagner son campement où, à peine arrivé, il avait expiré. Yesügeï avait consacré sa vie à la lutte contre les ennemis séculaires, les Tatars, et leur avait infligé de tels revers qu'il en était résulté douze ou treize ans de paix relative, mais finalement son destin était de se faire prendre au piège de leur vengeance.

Quand Temüjin apprit ces détails de la bouche de Mönglik, la mort de son père, au lieu de l'attrister, provoqua en lui une fureur sans borne. Lorsque Yesügeï avait écrasé les Tatars treize ans auparavant, il aurait dû prendre des mesures radicales pour étouffer dans l'œuf toute velléité de vengeance. Il fallait massacrer les hommes jusqu'au dernier, garder femmes et enfants comme esclaves. C'était pour avoir négligé ces précautions que son père Yesügeï avait subi le juste châtiment des dieux.

L'adolescent de treize ans parvint au campement des Borjigin qui, déjà bien modeste d'ordinaire, paraissait

---

1. Chez les Mongols, la tradition exigeait qu'un cavalier passant auprès de gens qui se restauraient descende de cheval pour se joindre à leur repas, même s'il n'y était pas expressément invité.

encore plus sombre, misérable et morne du fait de la disparition de Yesügeï.

Temüjin passa lentement à cheval, avec Mönglik, entre les centaines de yourtes alignées là. Toutes semblaient désertes et plongées dans le silence. Temüjin mit pied à terre devant sa tente et s'avança vers l'entrée. Il aperçut alors, debout, ses deux demi-frères Belgüteï et Bekter, si brusquement grandis qu'il eut peine à les reconnaître. A l'intérieur flottait une atmosphère triste et accablée, d'autant plus qu'aucune lumière ne filtrait par le trou à fumée. Temüjin marqua un temps d'arrêt jusqu'à ce que ses yeux se fussent habitués à l'obscurité. Dès qu'il parvint à distinguer la silhouette de sa mère Höelün assise au fond de la tente, entourée de ses trois frères et de sa sœur, il se dirigea vers elle.

« Ton père Yesügeï est mort. Désormais il te faut rester avec nous, pour le remplacer à la tête de la famille. » Telles furent les premières paroles de Höelün à Temüjin.

Celui-ci garda le silence. Alors Höelün dit : « Allez chercher Mönglik », comme si elle s'apercevait soudain de son absence. Elle voulait sans doute le remercier d'avoir accompli ce long et pénible voyage. Mais Belgüteï, debout près de l'entrée, répondit : « Mönglik est déjà reparti à cheval. » Höelün sembla un instant déconcertée par ces paroles et, pour vérifier si Belgüteï disait vrai, se leva et sortit de la tente.

Elle revint bientôt et, rassemblant ses sept enfants autour d'elle, leur dit : « A partir d'aujourd'hui, nous ne pouvons plus compter que sur nous-mêmes. Il nous faut unir nos forces pour survivre. »

Quelques jours déjà s'étaient écoulés depuis les funérailles de Yesügeï, et Höelün ne versait plus de larmes. Selon les dires du jeune frère de Temüjin, Qasar, la source de ses pleurs s'était tarie.

Temüjin ne tarda pas à apprendre, de sa mère et de ses frères, un certain nombre de choses surprenantes : avec la mort de Yesügeï, le pouvoir allait probablement passer aux mains des Tayichi'ut, ce qui provoquait des flottements parmi les Borjigin. La plupart d'entre eux étaient tentés de se rallier à ce clan, dans lequel serait choisi à coup sûr le successeur de Yesügeï. Certaines des concubines de celui-ci, ayant accumulé jalousies et rancœurs à l'égard de Höelün, l'épouse principale, l'avaient mise à l'écart, célébrant sans elle une cérémonie pour le repos de l'âme de leur maître. Même les membres de la famille proche s'étaient peu à peu éloignés de Höelün pour finir, depuis deux ou trois jours, par ne plus se montrer du tout. Enfin, les gens du campement organisaient chaque jour des réunions, auxquelles ils ne conviaient plus la famille de Höelün, devenue soudain quantité négligeable.

Temüjin écoutait tout cela sans dire un mot. Il comprenait maintenant pourquoi, quand il avait pénétré dans le campement, le silence régnait sur les tentes qui semblaient désertées : c'était l'heure où tous étaient réunis pour prendre des décisions. Temüjin essaya alors de démêler les raisons qui avaient pu réduire sa famille à une telle situation.

Yesügeï disparu, il n'y avait personne chez les Borjigin pour assumer le pouvoir à sa place. Personne, car lui-même ne s'était pas prévu de successeur. Ceci ne concernait pas seulement les Borjigin, mais aussi les Tayichi'ut et tous les autres clans. Les populations se rassemblaient autour d'un chef qui les unifiait. A la mort de celui-ci, pour des raisons d'intérêt, elles n'avaient plus qu'à se rallier à un autre. Comme dans tous les groupes non organisés, c'était là pratique courante parmi les Mongols depuis des générations et des générations.

Il était donc naturel qu'après la disparition d'un chef, ses proches connaissent un sort pitoyable. Car l'oppression exercée par celui-ci de son vivant engendrait une haine qui, longtemps étouffée, se déchaînait alors inévitablement contre sa famille. *Ce ne doit pas être toujours aux mêmes de boire le meilleur bouillon* – cet adage, très répandu parmi les Mongols, avait pour eux la force de l'évidence. Ils voyaient là la volonté du Ciel de ramener tous les hommes au même niveau.

Temüjin pensa alors à Deï-sechen, auprès duquel il venait de passer trois ans et demi. Chez les Onggirat, les choses étaient différentes. Car si ce clan, lui non plus, n'était pas vraiment organisé, au moins pour accéder au rang de chef fallait-il faire partie de la famille de Deï-sechen. Les biens qu'elle possédait concrétisaient cette puissance. Deï-sechen était en effet plus riche que tous les autres membres de son clan. Et s'il tenait tant à Temüjin, au point de vouloir en faire son gendre, c'est qu'il n'avait pas de fils pour lui succéder.

Temüjin parcourut du regard la tente où son père avait longtemps vécu comme chef des Borjigin. Si elle était légèrement plus grande, ce qu'elle contenait ne la distinguait en rien des autres. Le butin dérobé aux clans rivaux était immédiatement réparti de façon équitable, sans tribut spécial pour le chef. Bref, la notion de « classe » n'existant pas, il n'y avait ni riche ni pauvre, ou plutôt, tous étaient également pauvres.

Temüjin dit à Höelün, d'un ton froid où perçait une certaine colère : « Il était inévitable que les choses se déroulent ainsi. » Ce n'était déjà plus le ton d'un adolescent. Mais celui d'un homme assumant la responsabilité de chef de famille après la mort de son père. Il poursuivit : « Ces maudits Tayichi'ut ne vont certainement pas en rester là. Tant que nous n'aurons pas touché le fond de la misère, ils ne désarmeront pas. »

A ces mots, Höelün ne put réprimer ses larmes. Elle sanglota si longtemps que Bekter et Belgüteï prirent leurs arcs et partirent chasser, que Qachi'un et Temüge allèrent jouer, et que Temülün, qui n'avait que cinq ans, s'endormit.

Seul Qasar resta debout près de Temüjin, en silence, les yeux fixés comme lui sur la silhouette de sa mère. L'adolescent lui dit alors gravement : « A partir d'aujourd'hui, je fais de toi mon fidèle vassal. Tu devras te plier à tous mes ordres. En retour, je te reconnais, dans notre famille, un pouvoir presque égal au mien. En cas de conflit avec Bekter et Belgüteï, nous nous battrons ensemble. Si je suis mis hors de combat, c'est toi qui prendras ma place à la tête de la famille. »

En entendant ces mots, Höelün cessa de pleurer et leva légèrement la tête, mais ce fut pour la rebaisser aussitôt. Temüjin pressa Qasar de lui donner sa réponse. Alors celui-ci, dont le visage trop doux pour celui d'un garçon, et plus régulier que celui de son frère, s'enflammait d'exaltation, répondit : « C'est bon, j'accepte le pacte. »

Temüjin partageait cette exaltation. Pour lui, ce serment revêtait un caractère d'intense solennité. Il n'avait même, de toute sa vie, jamais connu un pareil moment. Il décida alors, pour venir en aide à sa mère et prendre en charge les siens, d'instaurer dans sa famille abandonnée de tous un ordre, une structure, une hiérarchie. Cette décision lui était dictée bien sûr par le sentiment de ses devoirs en tant qu'aîné, mais aussi par la méfiance que lui inspiraient maintenant ses deux demi-frères Bekter et Belgüteï, qui le dépassaient presque en taille et en vigueur. Au moment où, après sa longue absence, Temüjin était entré dans la tente, la lueur qu'il avait vue dans leurs yeux n'était pas particulièrement celle de l'amour fraternel. Il lui avait semblé y percevoir plutôt une sorte de haine.

Bientôt, ils eurent à affronter une situation bien pire que celle prévue par Temüjin. Environ deux mois après son retour, un matin, l'adolescent, réveillé par le tumulte du dehors, sortit de sa tente. Ce fut pour voir, dans la clarté pâle de l'aube, les hommes et les femmes du clan s'affairant à démonter en hâte toutes les tentes, et à charger leurs biens sur des chevaux et des chameaux. Tout le campement s'apprêtait à migrer. Temüjin sentit soudain la présence de sa mère à ses côtés. Höelün, comme si elle avait perdu l'usage de la parole, restait hébétée. Temüjin s'éloigna pour aller demander aux gens de sa parenté où ils comptaient aller. L'un des hommes lui répondit : « Sur ordre du chef des Tayichi'ut, nous partons vers de nouveaux pâturages. »

Il n'y avait rien d'étrange à ce que le campement se déplaçât aux approches de l'été ; en revanche, il était anormal que l'ordre de départ émanât du chef tayichi'ut, et qu'il n'ait pas été transmis à la famille de Temüjin. L'adolescent comprit immédiatement qu'on cherchait à les exclure du clan et à les abandonner. Yesügeï était mort, mais tant qu'un nouveau khan n'était pas encore choisi, Temüjin, son fils aîné, devait être consulté sur tous les changements survenant dans le campement. Or, non seulement on ne l'avait pas mis au courant, mais on prétendait le laisser là avec les siens.

Temüjin fit à tous de violents reproches sur la manière dont on les traitait, mais personne ne daigna écouter ses protestations. Au moment où, le corps tremblant de colère, il allait regagner sa tente, il vit passer sa mère à cheval, tenant un *tuq* enroulé d'une queue de cheval blanc. Höelün, en brandissant ainsi cette bannière, symbole de la puissance des khans, tentait d'empêcher ce départ décidé à leur insu. Temüjin savait bien que cet acte ne servirait à rien. Mais il ne fit aucun geste, ni pour appuyer, ni pour retenir sa mère.

Revenu devant sa tente, il resta longtemps là, à regarder les va-et-vient précipités des gens du campement. Sa mère avait arrêté son cheval au coin sud-ouest de la place. De temps en temps la bannière, fouettée par le vent, voltigeait haut dans le ciel. Elle paraissait alors minuscule et lointaine.

Bientôt des petits groupes constitués d'une ou plusieurs familles s'ébranlèrent dans le plus grand désordre, avec leurs chameaux et leurs chevaux. Quittant cette terre où ils s'étaient fixés pendant plusieurs saisons, ils disparurent de l'autre côté de la pente qui s'accentuait brusquement à quelques pas de l'endroit où Höelün brandissait toujours sa bannière. Et on aurait pu croire que celle-ci indiquait, à ceux qui s'en allaient, la direction à prendre. La place se vida peu à peu, et à la fin seule la tente de Höelün et de ses enfants resta abandonnée là.

Lorsque le dernier groupe eut disparu dans le creux de la pente, Temüjin vit Höelün revenir vers le centre de la place qui lui parut soudain immensément vide. A mesure qu'elle approchait à cheval, la bannière toujours dressée droit vers le ciel, il fut frappé de la pâleur de son visage, qu'une extrême tension rendait farouche. Et jamais sa mère ne lui avait semblé plus courageuse et plus belle.

« Mönglik est parti. Yamulde et Sorqan-shira aussi. »

Une fois descendue de cheval, Höelün énuméra les noms des compagnons les plus proches de Yesügeï. Parmi eux se trouvait aussi le vieux Bültechü-ba'atur, à l'étonnante mémoire.

Ce soir-là, Charaqa, le père de Mönglik et l'homme le plus âgé du clan des Borjigin, revint à cheval. Dès qu'il eut mis pied à terre, il tomba évanoui. Une lance lui avait percé le dos, et sa blessure était grave. Ignorant ce qui s'était passé, Höelün et ses fils transportèrent Charaqa à l'intérieur de la tente pour le soigner.

Au bout de deux ou trois jours, le vieillard put enfin dire quelques mots. Il raconta qu'il avait été le seul à s'opposer jusqu'au bout à ce qu'on abandonnât Höelün et les siens, et que même après avoir quitté le campement il n'avait cessé de protester de cette décision auprès des hommes les plus puissants du clan Tayichi'ut. Alors l'un des chefs, Tödö'en-girte, lui avait dit : « L'eau profonde est tarie. La pierre brillante est en miettes. Yesügeï est mort. Cesse donc de radoter ! » et lui avait planté sa lance dans le dos.

Le vieillard survécut encore trois jours, n'absorbant que de l'eau, puis il expira. Temüjin, qui n'avait jamais versé une larme, même à la mort de son père, pleura celle du seul homme courageux de tout le clan Borjigin. Et ses sanglots étaient si violents qu'ils inquiétèrent sa mère. L'adolescent était navré à l'idée qu'il ne pourrait jamais récompenser Charaqa, alors que celui-ci s'était montré si loyal envers sa famille tombée dans la disgrâce.

Dès lors, la vie de Höelün et des siens devint extrêmement difficile. La famille ne possédait qu'une tente, quelques moutons et quelques chevaux. Et comme son habitation était isolée, il était impossible de troquer de la nourriture et des vêtements avec quiconque.

Les Borjigin, après avoir abandonné Höelün et ses enfants, s'étaient ralliés aux Tayichi'ut, formant avec eux un nouveau campement dans les steppes en aval du fleuve Onon, à plusieurs jours de marche de là. Tarqutaï, le chef tayichi'ut, avait accédé au rang de khan des Mongols, mais cette nouvelle n'était pas parvenue aux oreilles de Temüjin et de sa famille.

Pour qu'ils ne meurent pas de faim, l'adolescent ne laissait pas aux siens un seul moment de répit. Chaque jour Höelün, avec la petite Temülün, remontait plus avant les berges du fleuve Onon pour cueillir des herbes, ou s'enfonçait profondément dans la montagne pour chercher des poires sauvages. Dans les champs devant leur tente, elle planta de l'ail et des échalotes. Les six garçons, eux, allaient à tour de rôle faire paître les moutons, et dès qu'ils avaient quelque loisir, partaient à la pêche ou à la chasse.

Durant cette période, la plus grande source de préoccupation fut pour Temüjin l'attitude de ses demi-frères : Bekter et Belgüteï, inséparables, rechignaient à obéir à ses ordres. Ils se ressemblaient comme deux gouttes d'eau, avaient la même force, le même tempérament brutal.

Un an après la mort de Yesügeï, au printemps, le conflit larvé entre eux et Temüjin éclata au grand jour.

Qasar, fidèle au serment fait à son aîné, lui était soumis, mais sa force insuffisante et la douceur de son caractère n'en faisaient pas un allié très efficace en cas de heurt. Il était difficile également de compter sur les deux plus jeunes, Temüge et Qachi'un, qui n'avaient que huit et dix ans. Souvent Temüjin se faisait dépouiller de ses prises par ses demi-frères. Et quand ceux-ci lui imposaient leur volonté, il était bien obligé de s'y plier.

Un jour que Temüjin était parti pêcher avec Qasar, celui-ci remonta un poisson, un *soqosun*, dont le corps brillait d'étranges reflets dorés. Aussitôt, Bekter et Belgüteï cherchèrent à le lui arracher, Il s'ensuivit une violente bagarre opposant les deux frères à Qasar, qui s'agrippait à sa prise, et à Temüjin venu à son secours. Finalement, Bekter et Belgüteï s'emparèrent du poisson.

Temüjin se plaignit de cet incident à sa mère. Höelün, les traits altérés par la tristesse, dit alors à ses fils : « Comment avez-vous pu en arriver là ? Si vous vous battez entre frères, comment pouvons-nous espérer nous venger des Tayichi'ut ? Alors qu'à présent, nous n'avons pas d'autre ami que notre ombre, d'autre fouet que la queue de nos chevaux… »

Ces paroles touchèrent profondément Temüjin. Mais en même temps qu'elles réveillaient en lui sa haine des Tayichi'ut, elles renforcèrent sa décision de ne plus laisser désormais ses demi-frères se comporter de la sorte.

Le lendemain matin, Temüjin emmena Bekter hors de la tente, lui reprocha sa conduite, et lui ordonna de s'amender. Aussitôt, entre eux, la dispute s'enflamma.

« Tu n'es pas le fils de notre mère Höelün. De quel droit, alors qu'elle est si bonne, lui ferais-tu encore plus de peine ? »

A ces mots, Bekter rétorqua en disant :

« Et toi alors, tu n'es pas le fils de notre père Yesügeï ! Belgüteï, Qasar, Qachi'un, Temüge, Temülün et moi, nous sommes ses enfants, mais pas toi. Je le sais bien. Et tous les gens du campement le savaient aussi. Tu es le seul à l'ignorer. Dans tes veines coule le sang des Merkit. Si tu es né dans cette famille, c'est simplement parce que tu as emprunté le corps de Höelün !

— Qu'est-ce que tu racontes ?

— Si tu ne me crois pas, va demander à ta mère ! Après tout, c'est elle qui t'a fait, c'est la mieux placée pour le savoir. Et si tu n'oses pas le lui demander, tu n'as qu'à interroger ton cœur. Notre père Yesügeï ne t'a jamais aimé. Je suis sûr que tu sais de quoi je parle ! »

Sur le moment, Temüjin ne put comprendre pleinement le sens de ces propos. Ils lui firent l'effet d'une averse d'orage s'abattant violemment près de ses oreilles.

« Tu dis vraiment n'importe quoi ! » répondit-il, refusant en bloc les paroles de Bekter. Mais sa voix avait perdu ses accents impérieux. L'adolescent avait beau ne pas croire à ces accusations, elles l'ébranlaient pourtant profondément. Bekter, comme pour lui porter le coup de grâce, ajouta : « Dorénavant, je n'obéirai plus à un seul de tes ordres. Je refuse de te reconnaître comme mon frère aîné. C'est moi, en qui coule le sang de Yesügeï, qui dirigerai la famille ! »

Sur ces mots, il tourna le dos à Temüjin et s'éloigna. L'adolescent suivit quelque temps du regard la silhouette de son demi-frère qui l'avait planté là après lui avoir manifesté si ouvertement son hostilité. Et la certitude qu'il ne fallait plus le laisser vivre s'imposa soudain à lui. Il fallait se débarrasser de ceux qui troublaient la paix de la famille, de ceux qui le défiaient, quels qu'ils fussent.

Temüjin appela Qasar et lui ordonna d'aller voir où était parti Bekter. Peu de temps après, l'enfant revint lui dire que Bekter se trouvait sur une colline, à peu de distance de là, en train de garder les neuf chevaux pommelés.

Temüjin saisit un arc et ordonna à Qasar d'en faire autant. Et ils sortirent tous deux de la tente. En arrivant au pied de la colline, l'adolescent confia à son frère sa décision de tuer Bekter. Le visage de Qasar changea immédiatement de couleur, et une lueur de saisissement brilla dans ses yeux, mais comprenant qu'il s'agissait d'un ordre de Temüjin, il jura de lui apporter son aide.

Pour que Bekter ne puisse leur échapper, les deux frères gravirent chacun un versant de la colline, et arrivés au sommet, encochèrent leurs flèches, prêts à tirer sur leur demi-frère. Celui-ci s'aperçut de leur présence, et comprenant leurs intentions, s'assit aussitôt sur le sol et leur lança d'un air indifférent : « Vous êtes venus pour me tuer. Comment pourrais-je vous en empêcher ? Allez, tirez ! »

Puis il ajouta : « Qasar, tire le premier ! Que je meure de ta main ! Je ne veux pas périr sous les flèches d'un Merkit ! » A peine avait-il fini de parler que Temüjin et Qasar, d'un même mouvement, décochaient leurs flèches. Elles atteignirent en même temps la poitrine et le dos de Bekter, où elles se fichèrent en vibrant. Elles furent suivies d'autres, et d'autres encore, Qasar tirant par-devant, Temüjin par-derrière. Et Bekter expira, le corps hérissé de flèches.

Dès que les deux frères regagnèrent la tente, Höelün, d'un ton véhément qui ne lui était pas habituel, leur demanda : « D'où venez-vous ? Pourquoi êtes-vous si pâles ? » Temüjin lui dit alors que Bekter se trouvait sur la colline et qu'il ne reviendrait plus jamais. Aussitôt, le visage de Höelün s'altéra, et après avoir poussé un gémissement, elle s'écria, en fixant durement son fils : « Tu as tué un de nos rares alliés ! Pareil en cela au dogue qui déchire son placenta, pareil à la panthère qui se jette sur une falaise, pareil au lion qui ne peut réprimer sa colère, pareil au python avalant un animal tout vif, pareil au gerfaut qui fond sur son ombre, pareil au brochet engloutissant sa proie en silence, pareil au chameau qui mord le jarret de son petit ! » Sur ces mots, Höelün s'arrêta. Ou plutôt, son emportement lui coupa le souffle.

Mais bientôt, elle reprit ses imprécations avec plus de véhémence encore : « Vous avez tué ! Vous avez tué un de nos irremplaçables alliés ! Pareils en cela au chacal sautant à la gorge de ses ennemis, pareils au canard mandarin qui, ne pouvant faire avancer ses canetons, les dévore, pareils à la hyène qui attaque celui qui touche à sa tanière, pareils au tigre qui se jette sans hésiter sur sa proie, pareils au chien sauvage qui bondit à l'aveuglette ! »

Ayant proféré ces mots, Höelün s'évanouit. Temüjin n'avait jamais imaginé qu'un être humain pût se mettre dans une telle fureur. Comme un ouragan qui se déchaîne et fait rage, interminablement, la colère de sa mère s'était enflée et enflée encore, jusqu'au paroxysme.

Temüjin avait envisagé de supprimer Belgüteï, qui était la réplique exacte de Bekter, mais devant l'emportement de Höelün, il renonça à ses intentions meurtrières et murmura à l'oreille de Qasar : « Laissons-lui la vie sauve. » Car à présent que Belgüteï avait perdu son allié, il pourrait leur être d'une aide précieuse. Les paroles de Temüjin tirèrent Qasar de l'ébahissement dans lequel l'avait plongé l'explosion de colère de Höelün, et il donna son avis, en fidèle vassal : « Ce qu'il y a de bien en Belgüteï, c'est qu'il ne trahit jamais ses promesses. »

Sur les ordres de leur mère, Temüjin et Qasar enterrèrent le corps de Bekter au pied de la colline. Et Höelün, pendant trois mois, s'y rendit tous les jours.

Cependant, Temüjin restait persuadé qu'il n'avait pas eu tort d'agir comme il l'avait fait. Car depuis la mort de Bekter, la plus grande harmonie régnait sous la tente. Jamais la moindre querelle n'éclatait entre les frères. Quant à Belgüteï, il semblait s'être métamorphosé, tant il était docile à présent, et comme l'avait dit Qasar, il respectait toujours ses engagements, quoi qu'il arrivât.

Les jours passant, les derniers mots prononcés par Bekter revinrent à la mémoire de Temüjin. Et comme hanté par la haine de son frère, il les entendait sans cesse résonner à son oreille. *Qasar, tire le premier ! Que je meure de ta main ! Je ne veux pas périr sous les flèches d'un Merkit !*

Temüjin tourna et retourna ces paroles dans sa tête. Elles semblaient trop préméditées pour que Bekter les ait prononcées uniquement par méchanceté, au moment où il s'était senti perdu.

Avec ces paroles lui revenaient toujours celles que Bekter lui avait lancées ce matin-là. Qu'il était fils de Merkit. Que Höelün était bien sa mère, mais que son père n'était pas Yesügeï. Et que Yesügeï ne l'aimait pas. Mais que signifiait donc tout cela ?

De toutes ces affirmations, ce fut la dernière qui imprima dans le cœur de Temüjin la blessure la plus profonde.

Parfois, l'adolescent se surprenait à recenser par le menu tous les actes et les paroles de son père à son égard. Et il s'efforçait d'extraire de ses moindres mots, de ses gestes les plus insignifiants, tel un simple clignement de paupière, une quelconque signification. Ces tentatives s'accompagnaient d'un sentiment de solitude, et d'intenses efforts physiques. Temüjin, au bord de l'épuisement, finissait par se dire que Yesügeï l'avait peut-être traité différemment de ses frères et de sa sœur. Quand cette idée l'envahissait, l'image de Yesügeï qui s'imposait à lui, menaçante et lugubre, n'avait rien à voir avec celle du père qu'il avait véritablement connu.

A mesure qu'il ressassait ces pensées, le fait qu'on l'avait confié, à l'âge de neuf ans, à la tribu des Onggirat, prenait une tout autre signification. Peut-être son père avait-il voulu, dès le début, l'abandonner dans cette tribu ? Sa mort avait entraîné le retour de Temüjin chez les siens, mais si Yesügeï avait vécu, peut-être l'aurait-il relégué à jamais dans ce campement proche du massif du Khingan ?

Les mois passant, Temüjin et ses frères, nourris d'ail et d'échalotes cultivés par Höelün, se forgeaient des corps solides, infatigables. Mais l'adolescent, vers l'âge de quinze ans, devint encore plus renfermé et taciturne, et prit l'habitude, dans ses moments de liberté, de s'isoler dans un coin de la tente.

Temüjin regrettait de n'avoir personne à ses côtés pour dissiper ses incertitudes. S'il s'adressait à Höelün, la question s'éclaircirait sans doute aussitôt, mais il n'avait pas envie de demander à sa mère des révélations sur sa naissance. Car il sentait qu'il risquait de s'exposer une seconde fois à la rage folle qui avait saisi celle-ci quand il avait tué Bekter. Il avait l'impression que les mots qu'il prononcerait devant elle auraient le pouvoir de la mettre hors d'elle-même, de la jeter de nouveau dans cet état de fureur.

Imaginer que coulait dans ses veines non pas le sang des Mongols, mais celui des Merkit : rien ne pouvait être plus cruel pour Temüjin. Il fallait absolument qu'il fût le fils de Yesügeï. Car s'il ne l'était pas, cela voulait dire que tout lien était coupé avec son grand-père Bartan-ba'atur, son arrière-grand-père Qabul, ses aïeux Tümbineï-sechen (Tümbineï le Clairvoyant) et Beï-shingqor-doqshin, et plus loin encore avec le courageux Qabichi, avec Bodonchar-mungqaq, fils de la belle Alan et de la lumière du ciel, et encore avec Duwa-soqor l'Aveugle, avec Toroqoljin le Fortuné, et en remontant toujours pendant des générations et des générations, avec Yekenidün, avec Sali-qacha'u, et encore avec le premier Mongol, le grand ancêtre Batachi-qan, et enfin avec le père de celui-ci, le Loup bleu qui était venu en traversant le vaste lac de l'Ouest, et aussi avec la Biche blanche.

A l'idée que tout lien pouvait être rompu avec le loup et la biche, Temüjin était immanquablement saisi d'un sentiment de désespoir qui assombrissait le monde autour de lui. Depuis que, tout enfant, il avait pris conscience des choses, il avait été nourri des récits des origines des Mongols, c'était sur eux que son passé s'était bâti, sur eux que devait s'édifier son existence à venir.

43

Lui ôter le sang mongol qui coulait dans ses veines, c'était nier non seulement tout ce passé, mais tout cet avenir. Et Temüjin ne saurait plus alors pour quoi il avait vécu jusqu'à présent, à quoi il devrait désormais consacrer sa vie. Etait-il vraiment possible qu'il n'y eût pas en lui une seule goutte du sang du loup ni de la biche ? Qu'il fût exclu de la lignée de ces deux belles créatures, dont étaient nés tant de valeureux guerriers, d'archers habiles et d'hommes sages ? Alors que Qasar, Qachi'un, Temüge, et même Temülün, qui n'était qu'une fille, et jusqu'à son demi-frère Belgüteï, avaient en eux du sang mongol, était-il possible que lui seul ait été oublié dans le partage ? Temüjin, après s'être tourmenté des jours et des jours, se força à rejeter ces doutes hors de son esprit, comme s'ils étaient sans fondement. Que cela fût vrai ou non, il fallait qu'il soit mongol.

C'est alors qu'il fit, l'été de ses quinze ans, une rencontre déterminante. A cette époque, la tente familiale était installée dans une prairie sur la rive droite du cours moyen de l'Onon, et un jour, en revenant des pâturages, Temüjin aperçut, cheminant au loin sur les hauts plateaux, un homme de pauvre apparence. Depuis le départ du clan, à part sa famille, il ne voyait que deux ou trois personnes par an, et pris du désir de communiquer, il fit donc progresser prudemment son cheval en direction de l'homme. Celui-ci – chose tout à fait inattendue – était un Borjigin dont Temüjin se souvenait pour avoir joué avec ses enfants quand il était petit.

L'homme, après avoir détaillé l'adolescent de la tête aux pieds, s'exclama, comme pour s'assurer que son impression était juste : « Tu es donc bien Temüjin, le fils de Yesügeï ! » Le garçon, en très peu de temps, avait tellement grandi qu'il avait déjà l'apparence d'un jeune homme. Alors que le voyageur faisait partie de la tribu haïe qui les avait abandonnés, lui et les siens, Temüjin, loin d'éprouver de l'animosité pour ce petit homme amaigri, ressentit presque, à retrouver ainsi quelqu'un de son clan, une joie mêlée de nostalgie.

« Comment fais-tu pour te nourrir ? » lui demanda l'homme. Il semblait avoir du mal à comprendre comment Temüjin avait pu se forger un corps aussi robuste, alors qu'il était de prime abord impensable qu'on puisse survivre complètement isolé à l'écart d'un campement. Temüjin apprit de l'homme que les Borjigin ne vivaient pas vraiment heureux auprès de Tarqutaï-khan, issu du clan Tayichi'ut.

Au moment où l'homme, au terme de son récit, s'apprêtait à poursuivre son chemin, Temüjin, saisi d'une impulsion irrésistible, lui cria : « Attends ! » Peut-être cet homme pourrait-il éclaircir le mystère de sa naissance, qui l'obsédait depuis si longtemps ?

« Suis-je vraiment le fils de Yesügeï ? Réponds-moi ! » demanda-t-il à l'homme qui s'était retourné vers lui. Celui-ci, un instant déconcerté par cette question inattendue, finit par dire d'un ton mal assuré : « Ma foi… » Mais devant l'expression farouche de Temüjin, il ajouta : « Ça, qui peut le savoir, à part ta mère ? Et d'ailleurs, qu'est-ce que ça peut faire ? Ma mère à moi, elle a été enlevée deux fois par les Tatars. Mon frère, on sait qui est son père, mais le mien ? Mystère… Les Borjigin, les Tayichi'ut, ils se sont tous pris et fait prendre leurs femmes au moins une ou deux fois, alors… »

Mais Temüjin ne le lâchait pas : « Pour les Borjigin, mon père, c'est qui ? » « Ma foi… De toute façon, comme Yesügeï a raflé ta mère aux Merkit, ton père, c'est soit Yesügeï, soit un Merkit. A toi de choisir ce que tu préfères. Si tu tiens vraiment à le savoir, tu n'as qu'à attendre jusqu'à cinquante ans. Tu ne pourras pas y échapper, quand tu auras cet âge-là, les choses deviendront claires. Les Merkit vieillissent d'un coup et se mettent à chaparder, les Kereyit deviennent chauves et grippe-sous. » « Et les Mongols ? » demanda Temüjin, les traits déformés par l'angoisse de l'attente.

« Les Mongols, ils deviennent des loups. »

Temüjin ne comprit pas ce que pouvait représenter cette transformation, mais il ne poussa pas plus loin ses investigations. Devenir un loup ! Apparemment, cela avait une tout autre signification que de vieillir d'un coup et de se mettre à chaparder, ou de se retrouver chauve et grippe-sou. Cette expression semblait recéler quelque chose que Temüjin avait pressenti dès sa petite enfance, quelque chose d'insaisissable, et qui était peut-être le secret du sang mongol. En ce sens, la réponse de ce Borjigin famélique avait de quoi le convaincre. Quelle autre formule aurait pu mieux évoquer la destinée unique des Mongols ?

Temüjin n'avait pu obtenir le moindre éclaircissement sur ce qui lui importait le plus : sa naissance, mais il renonça à ses questions et laissa partir l'homme. Il pensa simplement qu'il voudrait bien devenir un loup, à cinquante ans.

L'adolescent se dit que cette rencontre avec le Borjigin lui avait fait plus de bien que de mal. Après l'avoir quitté, tandis qu'il retournait à sa tente, il se jura de ne jamais demander à Höelün qui était vraiment son père. Car harceler sa mère de questions à ce sujet ne ferait que l'embarrasser et l'attrister, et il ne sortirait rien de bon de tout cela. Si Höelün lui disait que son père était un Merkit, qu'adviendrait-il de lui ? Tout ce qui l'avait soutenu jusqu'à présent s'écroulerait. Si au contraire elle lui affirmait qu'il était de sang mongol, ne serait-ce pas simplement pour apaiser ses doutes ? Höelün savait très bien ce qu'il fallait dire et ne pas dire. Comme le lui avait suggéré l'homme famélique, le plus important pour lui était de croire qu'il était fils de Yesügeï, et donc qu'il continuait la lignée des Mongols.

Ce soir-là, quand il rentra à son campement, Temüjin raconta aux siens qu'il avait rencontré le jour même un homme de leur clan et que, d'après lui, les Borjigin ne vivaient pas vraiment heureux.

« Encore un peu de patience. Bientôt vous deviendrez des hommes dignes de ce nom, et alors les Borjigin se disputeront le privilège de se rallier à nous », dit Höelün.

Temüjin ne fit aucun commentaire. Mais il pensa que pour attaquer ses ennemis mortels les Tayichi'ut, reconquérir les Borjigin, et les regrouper sous sa bannière, comme Yesügeï autrefois, il n'attendrait pas d'être un homme. Il n'aurait pas cette patience. Car il lui fallait devenir un loup, le plus vite possible. Pour le clan Borjigin, pour sa mère, ses frères et sa sœur, mais aussi pour lui-même. Pas question de finir voleur ou avare. Pas question d'avoir des cheveux gris ou de se retrouver chauve. Pas question de ressembler en quoi que ce soit à ceux des autres tribus. Non, rien de tout cela : il lui fallait devenir un loup. Pour se prouver à lui-même qu'il était fils de Yesügeï, et qu'il continuait la lignée des Mongols.

Chapitre II

Abandonnés à leur triste sort par tout leur clan, Höelün et les siens passèrent deux ans dans leur petit campement, au pied du versant nord du mont Burqan. Temüjin avait maintenant seize ans. Il était déjà plus grand et plus robuste que ne l'était son père Yesügeï dans son âge mûr, et taciturne au point de ne jamais ouvrir la bouche sans raison valable. Toute la famille faisait bloc autour de lui, et la vie se déroulait sans le moindre heurt. Temüjin avait un pouvoir absolu sur le travail et sur les affaires domestiques, c'était lui qui commandait en tout. Quand il avait du mal à prendre une décision, il consultait son frère Qasar, qui avait quatorze ans, et à qui il avait accordé des droits presque égaux aux siens.

Qasar, qui avait gardé le caractère pondéré de son enfance et faisait preuve en toutes circonstances d'une grande circonspection, était un auxiliaire précieux pour Temüjin. Quand celui-ci venait lui demander son avis et que lui-même ne savait que répondre, il en discutait avec son demi-frère Belgüteï, qui avait le même âge, puis transmettait à son aîné le fruit de leurs réflexions. Belgüteï l'emportait presque sur Temüjin par sa robustesse, et il pouvait faire montre d'une certaine rudesse, mais grâce à son tempérament magnanime et sa bonté foncière, il s'était attaché Qachi'un, Temüge et Temülün, âgés alors de douze, dix et huit ans, comme s'il était leur véritable frère. Höelün et les siens avaient beau, isolés de

49

tous, mener une existence misérable, ils étaient donc parfaitement unis autour de Temüjin, et vivaient en paix.

Höelün occupait, au sein de la famille, une position particulière. Temüjin avait coutume de régler tous les problèmes sans jamais en référer à sa mère. Parfois, celle-ci intervenait pour exprimer une opinion, mais si Temüjin l'écoutait alors sans la contredire, il n'en modifiait pas pour autant ses décisions. On aurait dit qu'il ne lui accordait qu'une attention de pure forme. Et pourtant, il était loin de traiter Höelün comme quantité négligeable. C'était elle qu'il ménageait le plus, à elle qu'il attribuait les meilleurs morceaux du gibier, à elle encore qu'il offrait en priorité tout ce qu'il pouvait se procurer de précieux, literie ou vêtements. Mais pour tout ce qui concernait l'organisation des tâches et de la maison, il ne lui reconnaissait aucun droit d'intervention. En toutes circonstances, Höelün se bornait donc à dispenser à Temüjin, en pure perte, ses conseils ou ses critiques. Et quels que fussent ses désirs, sans l'approbation de son fils, elle ne pouvait même pas changer un lit de place.

Cependant, en agissant ainsi, Temüjin faisait finalement preuve de sagesse. Car s'il avait permis à Höelün de se mêler de tout et de changer un tant soit peu les choses, la bonne marche de la maison en aurait été perturbée. Höelün avait beau aimer Belgüteï autant que les autres enfants, rien ne pourrait effacer le fait qu'il n'était pas né d'elle, ce qui créait entre eux deux une situation particulière. Comment savoir si un jour Höelün n'allait pas retirer à Belgüteï une part de son affection, ou si l'adolescent, le cœur rongé par le démon du doute, n'allait pas croire qu'il était mal aimé ?

Mais la complexité des relations familiales ne s'arrêtait pas là, Temüjin lui-même se trouvait dans une situation analogue à celle de Belgüteï, dans la mesure où ses incertitudes sur l'identité de son père ne s'étaient pas dissipées. Et le doute que son frère Bekter avait jeté dans son esprit juste avant de mourir devait le poursuivre sa vie durant, jusqu'à la tombe. Evidemment, c'était Höelün qui l'avait mis au monde, comme ses frères Qasar, Qachi'un et Temüge, et sa sœur Temülün, mais comment affirmer qu'il avait le même père ? Quant à sa mère, peut-être n'aimait-elle pas tous ses enfants de la même façon ? C'était un problème délicat, qui dépassait l'entendement, mais Temüjin ne voulait pas se laisser envahir par de telles préoccupations. Le meilleur moyen pour que tout se passe bien, c'était d'ôter à sa mère les droits qui lui revenaient [1].

Une telle situation ne provoquait pas chez Höelün le moindre mécontentement. Elle se savait aimée et respectée de ses enfants, et se réjouissait même de voir son aîné diriger toute la famille. Ses six enfants paraissaient tout à fait dignes de confiance à ses yeux.

Tout comme Temüjin qui parfois, s'isolant dans un coin de la tente, se plongeait dans ses pensées, Höelün elle aussi, à ses moments de solitude, s'aventurait au plus profond de son cœur, là où personne n'avait jamais pénétré. Moments très brefs, durant lesquels elle glissait dans le gouffre de son secret. A qui ressemblait donc Temüjin ? A Yesügeï ? A Chiledü le Merkit ?

Höelün ignorait lequel de ces deux hommes était vraiment le père de Temüjin. Elle avait pensé que son fils, en grandissant, se mettrait à ressembler à l'un ou à l'autre, mais même à présent, comme dans son enfance d'ailleurs, rien ne permettait de trancher à ce sujet. En cherchant bien, quand Temüjin pénétrait dans la tente en courbant légèrement sa haute taille, on pouvait parfois déceler dans son allure quelque chose qui semblait directement hérité de Yesügeï. Et puis il y avait eu cette nuit

---

1. Jusqu'à ce que ses fils atteignent l'âge adulte et se marient, c'était la veuve qui gérait les biens de la famille et les terres que possédait son mari. C'est elle également qui devenait responsable des troupes dont celui-ci était le chef.

de furieux ouragan où Temüjin, fouetté par la pluie, s'acharnait à consolider la tente pour qu'elle ne s'envole pas ; en entendant la voix de l'adolescent qui donnait des ordres à ses jeunes frères, Höelün avait eu l'illusion que c'était Yesügeï qui se trouvait là. Cette voix rugissante lui parvenait par intermittence tandis qu'à l'entrée de la tente elle scrutait les ténèbres ravagées par le vent et la pluie.

Mais le caractère de Temüjin ne ressemblait en rien à celui de Yesügeï. Il y avait dans la fermeté de celui-ci, brave au point de ne pas craindre la mort, une tendance – par gentillesse peut-être, ou par bonté, ou par indulgence ? – à ne pas s'imposer, à céder la place aux autres. C'était par cette indulgence même qu'il s'était attaché un grand nombre d'hommes de sa tribu, parvenant à maintenir, sans conflit majeur, l'équilibre dans un clan qui comptait tant de foyers. Or, de ce trait de caractère de Yesügeï, on ne trouvait pas trace chez Temüjin. Celui-ci était, à la différence de son père, d'une froideur proche de l'insensibilité. Inflexible, il ne cédait jamais un pouce de terrain une fois qu'il avait avancé une opinion.

Temüjin, cependant, ne ressemblait pas plus au Merkit. Par rapport à celui-ci, qui était de petite taille, avec une sorte de vivacité dans la physionomie et les mouvements, l'adolescent avait une présence bien plus imposante. Et rien dans ses traits, dans son allure ou son caractère, ne rappelait ceux de l'homme.

Pourtant – mais cela ne s'était produit qu'une fois – le jour où Temüjin avait tué son demi-frère et que, dédaignant de se justifier, il était resté, devant le déchaînement de colère de sa mère, muré dans le silence, Höelün avait vu en lui le jeune Merkit. C'était ce Merkit, ce ne pouvait être que Chiledü, qui se dressait ainsi devant elle. C'était bien lui, cet homme qui, survenu une nuit comme la bourrasque, l'avait enlevée de son campement Olqunu'ut, l'avait aussitôt violée sans proférer un mot, s'acharnant ensuite chaque jour sur elle, avec des coups.

Ses actes étaient traversés de la volonté farouche de s'approprier ce qu'il désirait, et pour cela, tous les moyens étaient bons.

Devant le meurtre de Bekter par Temüjin, Höelün avait laissé exploser sa colère, mais les violents reproches qu'elle n'avait cessé de décocher, jusqu'à en perdre connaissance, à son fils, s'adressaient en réalité à ce cruel Merkit. Car à cet instant, ce n'était plus Temüjin qui lui faisait face, mais Chiledü.

Quand, dégrisée, Höelün reprit connaissance, elle fut effrayée de la pensée qui s'emparait d'elle : comment accepter que Temüjin puisse avoir du sang merkit ? Elle repoussa aussitôt ce mouvement de rejet, indigne d'une mère. Mais cet incident laissa dans son cœur des traces ineffaçables.

Alors que Temüjin avait seize ans, pendant l'été, se produisit un événement qui bouleversa radicalement sa vie et celle des siens : le chef du clan Tayichi'ut, Tarqutaï, à la tête de trois cents hommes, attaqua brusquement le campement.

L'adolescent avait prévu l'éventualité de cette attaque. En effet, un mois environ avant qu'elle n'eût lieu, un homme du clan Borjigin, qui vivait misérablement sous la domination des Tayichi'ut, était passé soudain lui rendre visite. Venu chasser non loin de là, il avait fait un détour pour saluer Höelün et les siens, poussé sans doute par le désir de les revoir, de savoir comment ils vivaient. Et parce qu'il avait pris la peine de se déranger pour s'enquérir de leur sort, leur ressentiment à l'égard de cet homme, qui pourtant les avait abandonnés pour pactiser avec l'ennemi détesté, se dissipa malgré eux. L'homme repartit aussitôt, leur laissant un tiers de sa chasse, mais durant cette brève visite, il leur apprit que Tarqutaï avait l'intention de nuire à Temüjin. En effet, au début de cette année-là, lors d'un rassemblement de son clan, Tarqutaï, pris de boisson, avait dit : « Les plumes des jeunes coqs ont poussé, les agneaux bêlants ont grandi. Il est temps de tordre le cou aux rejetons de Yesügeï. N'attendons pas qu'ils prennent leur envol, qu'ils sillonnent le désert de leurs jambes robustes ! »

Ainsi averti, Temüjin construisit dans la forêt proche des retranchements faits de branches assemblées, et regroupa les moutons et les chevaux autour du campement la nuit, afin d'être prévenu en cas d'attaque.

Au début de l'été, par une nuit baignée de lune, Höelün et les siens, réveillés par des cris insolites d'animaux, se levèrent précipitamment. Sortant de la tente, ils aperçurent des flèches tombées au milieu du bétail. Temüjin, entraînant sa famille avec lui, traversa la prairie et courut en direction de la forêt pour s'y retrancher. Ils virent alors, en contrebas de la pente sur laquelle ils se trouvaient, des cavaliers tayichi'ut qui galopaient vers eux en décochant des flèches.

Temüjin n'avait pas prévu un assaut d'une telle envergure. Sa famille était si peu nombreuse qu'il s'attendait tout au plus à une attaque au sabre de cinquante ou soixante hommes, et il se sentit donc désemparé. Il dissimula sa mère, sa sœur et ceux de ses frères inaptes au combat dans les anfractuosités d'une falaise de la forêt, puis, se retranchant avec Qasar et Belgüteï derrière les palissades, riposta au tir des assaillants.

Mais la bataille était perdue d'avance. Quand il eut épuisé presque toutes ses flèches, Temüjin donna l'ordre à ses deux frères de fuir dans les fourrés avec leur mère et les autres enfants, pour tenter de sauver leurs vies.

« S'ils nous ont attaqués en si grand nombre, c'est pour récupérer cette partie de la steppe. Si vous en réchappez, réfugiez-vous au nord du mont Burqan, ne vous approchez pas d'ici », leur dit Temüjin. Et pour couvrir la fuite de sa famille, il resta seul derrière les palissades à décocher des flèches. Quand il eut tiré la dernière, sautant à cheval, il s'échappa dans les fourrés qui enserraient le pied du mont Tergüne.

Temüjin passa trois nuits dans la forêt. Les Tayichi'ut devaient chercher le fuyard, car il entendit plusieurs fois des hennissements. Le quatrième jour, tirant son cheval par la bride, il allait sortir de la forêt quand, curieusement, alors que la sangle était serrée, la selle se détacha et tomba à terre. Voyant là un mauvais présage, Temüjin resta dans la montagne trois jours de plus. Puis il tenta une autre fois de sortir, mais un roc blanc de la taille d'une tente, qui obstruait le chemin, l'incita à attendre encore, et il se cacha de nouveau dans la montagne pendant trois jours. Puis, tenaillé par la faim, il se décida, pour la troisième fois, à quitter la forêt. Comme l'énorme roc blanc bloquait toujours le chemin, Temüjin voulut le contourner, mais le sol tout autour était à moitié éboulé.

Une fois de plus, l'adolescent vit là un mauvais présage. Cependant, se disant qu'il était condamné à mourir de faim s'il s'obstinait à rester dans la forêt, il se risqua à en sortir en passant par une falaise à pic. A peine arrivé en bas, il fut capturé par des Tayichi'ut, postés là à faire le guet.

Temüjin, ligoté, fut emmené non loin de là vers le nouveau campement des Tayichi'ut, situé sur les rives du fleuve Onon.

On le promena entre les centaines de tentes du village, les épaules lestées d'un gros rondin de bois auquel ses deux mains étaient ligotées. Temüjin reconnut un grand nombre de visages, ceux des gens du clan Borjigin. Tous, hommes et femmes, jetaient les yeux d'un air perplexe sur le corps à demi nu du fils de Yesügeï, leur ancien khan, tout en muscles et solide comme un roc. Personne ne lui adressa la parole. Temüjin avait entendu dire, par les deux hommes rencontrés par hasard, que sa tribu ne vivait pas heureuse, et ce qu'il vit confirma ses dires : les tentes étaient de pauvre apparence, un même abattement se lisait sur tous les visages.

Temüjin sentit que le chef tayichi'ut n'avait pas l'intention de le tuer. S'il avait voulu le tuer, il ne l'aurait sans doute pas exhibé ainsi devant les Borjigin, il n'avait aucun intérêt à cela. Temüjin se dit qu'après quelques jours de brimades de ce genre, on allait certainement le libérer de ses liens, le traîner devant Tarqutaï et le forcer à se soumettre.

Cette nuit-là, Temüjin dut rester debout sur la place à l'extrémité du village. Il était gardé par une seule sentinelle. Tous les gens du campement étaient en train de festoyer devant la tente du chef. Temüjin frappa la sentinelle à la tête avec une extrémité du rondin qui pesait sur ses épaules, et s'étant assuré que l'homme était bien assommé, s'enfuit aussitôt. C'était une nuit de clair de lune. Temüjin, suivant des yeux l'ombre insolite de sa silhouette entravée qui léchait le sol, courait à perdre haleine le long des rives de l'Onon. Enfin, à bout de souffle, il s'abrita avec son encombrant fardeau dans les buissons de la berge.

Bientôt, entendant de confuses clameurs, il sut que les Tayichi'ut étaient partis à sa recherche. Les cris venaient des rives du fleuve, et de tous les recoins de la vaste steppe qui bordait celui-ci. Plusieurs fois, à proximité de l'endroit où l'adolescent était blotti, crûrent et décrûrent des bruits de voix et de pas. Au bout de quelque temps Temüjin, craignant d'être découvert, se coula dans un buisson tout près de l'eau.

Soudain, une voix résonna au-dessus de sa tête : « Tu as du feu dans les yeux, de l'éclat sur ton visage. Il y a en toi quelque chose qui dérange, voilà pourquoi le chef des Tayichi'ut te jalouse et te craint. Reste caché là, je ne te dénoncerai pas. »

Temüjin reconnut cette voix chevrotante. Le corps à moitié plongé dans l'eau, il retint son souffle, en se disant qu'il s'agissait à coup sûr de Sorqan-shira. Du vivant de Yesügeï, cet homme venait souvent leur rendre visite, mais comme il était toujours bourru et renfrogné, les enfants ne l'aimaient guère.

Temüjin resta encore longtemps caché à cet endroit. Puis quand il sentit que ses poursuivants s'étaient éloignés, il sortit péniblement de l'eau, les épaules toujours chargées du même fardeau. Ses deux bras ligotés et maintenus depuis des heures à l'horizontale étaient complètement engourdis. Il comprit qu'ainsi entravé, toute fuite lui était impossible. Il ne pourrait pas descendre le fleuve Onon à la nage, et même s'il marchait toute la nuit, l'aube le surprendrait avant qu'il n'ait distancé ses poursuivants.

Il se demanda si la meilleure solution ne serait pas de se réfugier dans la tente de Sorqan-shira, qui avait fait mine de ne pas le voir. L'entreprise était quelque peu risquée, mais une fois sa décision prise, Temüjin se mit en route vers le campement Tayichi'ut, en prenant garde de ne pas se faire remarquer.

Du temps où Yesügeï était au pouvoir, Sorqan-shira et sa famille vivaient de la fabrication du lait fermenté de jument, et Temüjin se souvenait qu'ils passaient alors la nuit à transvaser le lait cru dans de grandes jarres pour le baratter. Sûr qu'à présent encore ils exerçaient le même métier, l'adolescent erra à l'aveuglette dans le campement endormi en se guidant sur le bruit du barattage. C'est ainsi qu'il finit par découvrir la tente de Sorqan-shira.

Celui-ci, à moitié nu et aidé de ses deux fils, Chimbeï, qui avait le même âge que Temüjin, et Chila'un, de deux ans plus jeune, brassait avec une batte le liquide contenu dans les jarres. Quand Temüjin pénétra dans la tente, Sorqan-shira, au comble de l'étonnement, s'écria : « Pourquoi es-tu revenu ici ? Je t'avais pourtant dit d'aller vite rejoindre ta mère et tes frères ! » L'embarras transparaissait sur son visage. Alors l'aîné des frères, Chimbeï, qui avait une grosse tête par rapport à sa petite taille, dit d'un ton posé, comme s'il raisonnait son père : « De toute façon, maintenant qu'il est là, on ne peut rien y changer. La seule chose à faire, c'est de l'aider ! »

Alors son frère Chila'un, les yeux écarquillés, s'approcha de Temüjin en disant : « Quand j'étais petit, il m'a donné un onglon de cerf », mais avec son regard vague qui louchait, on ne savait pas à qui il s'adressait. Il n'avait que deux ans de moins que Temüjin mais lui arrivait à peine à l'épaule, car il était de petite taille, comme son frère.

Temüjin ne comprit pas tout de suite pourquoi Chila'un s'était approché de lui. Mais bientôt il sentit qu'un de ses bras se libérait de ses entraves. Tandis que le garçon délivrait l'adolescent de ses liens, Sorqan-shira, l'air sévère, restait figé près des jarres.

Chimbeï jeta au feu le carcan qui emprisonnait Temüjin. Alors apparut soudain une petite fille d'une dizaine d'années, nommée Qada'an. Elle était, comme ses frères, de très petite taille.

« Tu es une enfant intelligente. Ne souffle mot de cette histoire à quiconque ! Je te charge de veiller sur le fils du grand chef Yesügeï ! » dit à la fillette au visage candide Sorqan-shira, de l'air résigné de celui qui ne peut pas faire autrement. Qada'an apporta aussitôt de la nourriture à Temüjin, et sans dire un mot l'invita à la suivre. Une fois à l'extérieur, elle le mena derrière la tente, vers une charrette pleine à ras bords de laine de mouton, qu'elle lui montra du doigt. Comme l'avait dit son père, elle avait l'air effectivement très éveillée.

Temüjin s'enfonça sur-le-champ dans l'amas de laine, ne laissant que son visage et ses bras exposés à l'air de la nuit. Puis, quand il eut fini de manger, il s'enfouit tout entier dans la laine, afin de passer inaperçu. Aussitôt, une chaleur suffocante l'envahit, et l'épuisement le fit tomber dans un profond sommeil.

Temüjin resta caché sous la laine toute la journée du lendemain. Une fois la nuit venue, sur un signe de Chimbeï, il se glissa hors de la charrette. Une jument rouanne à la crinière noire avait été préparée pour lui.

Elle n'était pas sellée, mais à ses flancs pendaient de grandes sacoches pleines de viande d'agneau grillée.

« Cette jument est stérile, ce n'est pas la peine de nous la rendre », dit Chimbeï, et il donna à Temüjin un arc et deux flèches. Au moment où l'adolescent s'apprêtait à partir, Sorqan-shira sortit de la tente et lui dit : « Tu nous as mis en danger, moi et ma famille. Petit imprudent, quoi qu'il arrive, pas un mot à notre sujet ! Va-t'en vite ! »

Tant qu'il fut dans le village, Temüjin maintint prudemment son cheval au pas, mais à peine au-dehors, il lui laissa la bride sur le cou. Il avait vraiment échappé de justesse à la mort, mais loin de se féliciter de cette chance, il ne cessait, en galopant, de se dire qu'il ne devait pas être si difficile de rallier à lui les Borjigin, comme l'avait fait son père auparavant.

Les jours suivants, Temüjin parcourut toute la zone qui bordait au nord le pied du mont Burqan, à la recherche de sa mère, de ses frères et de sa sœur. Sachant que ceux-ci n'étaient pas retenus prisonniers au campement Tayichi'ut, il était persuadé qu'ils devaient se cacher quelque part dans cette région.

Un jour, en longeant l'Onon vers l'amont, Temüjin dépassa le confluent de ce fleuve et de la rivière Kimurqa, et se mit à gravir la colline du Qorchuqi, qui fait suite au mont Beder. Il aperçut alors, au pied du versant sud de cette colline, une petite tente. Il s'en approcha et, jetant un coup d'œil à l'intérieur, y découvrit Höelün, Temüge et Temülün. Qasar, Belgüteï et Qachi'un étaient partis depuis le matin dans la montagne pour chercher de la nourriture. Les huit chevaux qui constituaient le seul bien de la famille étaient attachés non loin de là.

Le lendemain, ils démontèrent la tente et partirent s'installer à trois jours de marche de là, au pied du mont Qara-jirügen, sur les rives d'un lac aux eaux limpides. Ce lieu, situé dans un coin des hauts plateaux, près du ours de la rivière Senggür, était le refuge idéal pour des gens démunis de tout, comme l'étaient Höelün et ses enfants : lièvres et mulots y pullulaient, le lac et la rivière étaient pleins de poissons.

Là, Temüjin dut, à partir de rien, réorganiser leur vie. Chaque jour, il allait avec Qasar et Belgüteï dénicher des marmottes, dont ils mangeaient la chair et gardaient la fourrure pour s'en faire des vêtements. Quand ils en avaient amassé en grande quantité, ils s'en servaient aussi pour la troquer contre des moutons.

Au bout de trois mois de cette nouvelle existence, un soir que Temüjin et ses frères regagnaient la tente avec l'alezan à la queue coupée chargé des marmottes qu'ils avaient chassées ce jour-là, ils virent que leurs huit chevaux avaient été volés. Höelün et les plus jeunes enfants, partis dans la montagne en quête de nourriture, ne s'étaient aperçus de rien.

« Je vais poursuivre les voleurs », dit Belgüteï. On ne pouvait pas leur donner la chasse à plusieurs, car il ne restait que le seul alezan.

« Tu n'en es pas capable. C'est moi qui irai ! » dit Qasar. Dans les travaux de force, il ne valait pas Belgüteï, mais était plus habile que lui pour mener les chevaux.

« Tu n'en es pas capable. C'est moi qui irai ! » dit cette fois Temüjin, reprenant les paroles de son frère. Puis il chargea le cheval de vivres, saisit son arc et ses flèches, et sautant en selle, partit aussitôt.

Temüjin galopa toute la nuit, et le lendemain sillonna les hauts plateaux à la recherche du moindre campement. Quoi qu'il advienne, il lui fallait absolument récupérer les huit chevaux. Car ils représentaient l'unique bien de sa famille. Temüjin battit ainsi la région trois jours durant. Au matin du quatrième, il rencontra dans une prairie un garçon en train de traire une jument. Il lui demanda s'il n'avait pas aperçu huit chevaux pommelés.

Le garçon lui répondit : « Ce matin, avant le lever du soleil, j'ai vu huit chevaux passer en galopant sur ce chemin. S'ils t'ont été volés, il faut les récupérer ! J'y vais avec toi ! »

Le garçon amena alors un cheval noir qu'il proposa à Temüjin pour remplacer le sien, et enfourcha pour sa part une monture isabelle qui semblait très rapide. Il montrait dans tous ses actes l'assurance d'un adulte et se joignit à Temüjin sans rien dire à sa famille.

Jamais jusqu'alors l'adolescent n'avait rencontré de garçon aussi débrouillard que celui-là. Il s'était préparé en un clin d'œil, mais n'avait oublié ni son arc, ni ses flèches, ni ses pierres à feu, et avait même chargé sur son cheval deux sacs de peau pleins de provisions. Comme ces sacs n'avaient pas de fermeture, en cours de route il en fabriqua adroitement avec des herbes qu'il avait tressées. C'était un vrai plaisir de voir sa dextérité. Ce garçon, fils d'un chef de petit campement nommé Naqu-bayan (Naqu l'Ancien), s'appelait Bo'orchu.

Lui et Temüjin chevauchèrent durant trois jours. Le soir du quatrième, ils parvinrent à un campement Tayichi'ut. Ils aperçurent dans un enclos, attachés, les huit chevaux qu'ils recherchaient. Ils attendirent la nuit pour les faire sortir, et les poussant devant eux, prirent le chemin du retour.

A l'aube, ils virent s'approcher plus de dix cavaliers lancés à leur poursuite. Bo'orchu dit alors : « Ami, enfuis-toi vite avec les chevaux ! Je resterai ici pour combattre ! » Temüjin répondit : « Comment pourrais-je te faire courir un tel risque ? C'est moi qui combattrai ! »

A peine avait-il prononcé ces mots que, tourné vers ses poursuivants, il décochait une flèche. Elle alla se planter dans la poitrine du premier cavalier qui, montant un cheval blanc, s'apprêtait à lui lancer une corde à nœud coulant pour l'attraper. Laissant derrière eux les autres poursuivants qui accouraient vers l'homme tombé à terre, Temüjin et Bo'orchu s'empressèrent de déguerpir. Les hommes renoncèrent à les pourchasser plus avant.

Une fois parvenu au campement de Naqu-bayan, Temüjin y passa une nuit, puis reprit sa route après avoir remercié Bo'orchu de sa peine. Il était heureux d'avoir récupéré les huit chevaux, mais bien plus encore de se dire qu'il y avait en ce monde un être capable de s'exposer pour lui sans rien attendre en retour. Et en outre, c'était un garçon de son âge. Jamais jusqu'alors Temüjin n'avait imaginé que pût exister un être pareil.

Après avoir regagné son campement, Temüjin continua de songer à l'adolescent. Bo'orchu ! Bien sûr, il n'était ni borjigin ni tayichi'ut, mais faisait pourtant partie des Mongols. Et s'il y avait un homme dans les veines duquel le sang du Loup bleu venu de l'ouest coulait en abondance, c'était bien lui ! D'ailleurs, il avait, dans ses membres nerveux, quelque chose qui rappelait le loup. Ni très grand, ni très robuste, il était plutôt efflanqué, mais avec un corps parfaitement musclé, sans une once de graisse, un corps qui semblait prêt à tout instant à se jeter dans l'action.

Cette année-là, Naqu-bayan envoya dix moutons à Temüjin, comme pour exprimer sa joie de savoir que Bo'orchu, son fils unique, s'était fait un ami. Temüjin et ses frères passèrent l'automne à construire un enclos près de leur campement.

L'année suivante, Temüjin eut dix-sept ans. Sa mère lui suggéra de se rendre au campement Onggirat pour y chercher la jeune Börte, qui lui avait été promise. Ce n'était pas la première fois que Höelün lui faisait cette proposition, mais jusque-là l'adolescent l'avait toujours repoussée. Car pour lui, Börte ne représentait qu'une bouche de plus à nourrir, alors qu'ils vivaient toujours dans la même pauvreté, isolés et sans appui.

Mais à présent, il s'était mis à voir les choses un peu différemment, se demandant s'il ne valait pas mieux adjoindre à sa famille ne serait-ce qu'une seule personne. Etendre ainsi son campement devait lui donner plus de puissance, ce qui ne manquerait pas, dans leur infortune, d'ébranler les Borjigin. D'ailleurs, peut-être se souvenaient-ils du temps où ils étaient unis autour de Yesügeï-khan, peut-être avaient-ils déjà la nostalgie de cette époque-là ? Temüjin ne regrettait pas d'avoir été attaqué par les Tayichi'ut et emmené prisonnier à leur campement, puisqu'il avait pu ainsi se rendre compte de tout cela. Sorqan-shira et ses trois enfants ne lui avaient-ils pas marqué de la sympathie ? Il était probable que tous les Borjigin partageaient le même sentiment à son égard.

Temüjin décida, suivant les conseils de sa mère, d'accueillir Börte dans sa famille. Et d'accepter aussi sans réserve dans son campement les quelques Onggirat qu'elle ne manquerait pas d'emmener à sa suite, fussent-ils des vieillards ou des serfs.

Une fois sa décision prise, Temüjin, en compagnie de son frère Belgüteï, se mit en route pour le campement Onggirat. Pendant plusieurs jours, ils longèrent vers l'aval le cours du fleuve Kerülen. Le paysage qui se déployait devant leurs yeux n'était pas nouveau pour Temüjin. Mais Belgüteï, lui, devant les hauts plateaux, les forêts, les gorges, les prairies, allait de découverte en découverte. Et un soir qu'ils bivouaquaient, saisi d'une excitation inhabituelle – car il était très taciturne –, il ne cessa de bavarder : il s'étonnait de ce que la terre soit si vaste, trouvait curieux de ne voir aucun signe d'habitation dans ces régions, se demandait ce qui empêchait les populations nomades de couvrir l'ensemble de ce territoire de campements innombrables...

Temüjin, en silence, écoutait comme une agréable musique ce flot de paroles, si inattendu de la part de son demi-frère. Belgüteï avait parfaitement raison. Temüjin songea à l'immensité des hauts plateaux mongols, qu'ils parcouraient à cheval depuis des jours et des jours. Ils regorgeaient de riches pâturages encore inexploités. Et de prairies propices à l'installation d'un campement, de lacs et de rivières sur les berges desquels il ferait bon vivre. Pourquoi donc personne n'y avait-il jamais dressé sa tente ? Pour Temüjin, il n'y avait qu'une seule raison à cela : il fallait, à cause des luttes qui opposaient les diverses tribus nomades, maintenir entre leurs campements une distance de plusieurs jours de chevauchée. Le périmètre dans lequel évoluait chacune d'elles était tacitement fixé comme s'il avait été délimité de toute éternité par les dieux. La tribu ne songeait pas à en sortir, et si elle le faisait, envahissant ainsi la zone neutre entre deux campements, cela provoquait immédiatement une attaque du peuple rival, qui se sentait menacé par cet empiètement.

Si les tribus et les clans disséminés sur les hauts plateaux renonçaient à leur inimitié pour défricher en toute liberté de nouveaux herbages, la vie des populations nomades en serait radicalement changée. Et où que l'on voyage dans cette immense étendue, on apercevrait partout des tentes et de grands troupeaux de moutons et de chevaux. Les tentes couvriraient les hauts plateaux à perte de vue, et les troupeaux, pareils aux nuages qui traversent le ciel, se déplaceraient tranquillement à flanc de coteau et dans les vallées. C'était une vision merveilleuse, propre à susciter l'enthousiasme. Cela arriverait peut-être un jour, ce n'était pas totalement impossible, à condition de vaincre les Tayichi'ut et de soumettre les Tatars.

Quand ils parvinrent au campement Onggirat, Deïsechen, au comble de la joie, les fit entrer dans sa tente. Ayant appris par ouï-dire que Temüjin avait été en butte à l'hostilité des Tayichi'ut, il se demandait s'il était encore en vie, et en voyant soudain apparaître devant lui ce garçon méconnaissable tant il avait grandi et forci en quatre ans, il n'en crut pas ses yeux.

Ce soir-là, un superbe banquet eut lieu sous la tente de Deï-sechen.

« Le fils de l'ancien khan des Mongols a triomphé d'incroyables coups du sort, et le voici à présent revenu parmi nous, en pleine force de l'âge, pour prendre ma fille comme épouse, selon notre promesse d'autrefois. Je ne trahirai pas cette promesse. Je donnerai ma fille Börte à ce jeune homme invulnérable. Et avec elle j'enverrai vers l'ouest, au campement Borjigin, un groupe d'hommes et de femmes. Et là, ils édifieront quelques tentes. Sinon ma Börte se sentirait trop seule. »

Deï-sechen s'adressa aux gens de son campement avec des accents d'une éloquence particulière, qui sonnèrent étrangement aux oreilles de Temüjin et de son frère. Le banquet se poursuivit fort avant dans la nuit. Depuis son arrivée, Temüjin n'avait pas encore rencontré Börte qui ne se montra pas, même durant le festin.

Une fois celui-ci terminé, on mena Temüjin vers une autre tente. Quand il y entra, il aperçut, dans la lueur des torches, Börte revêtue d'habits splendides, assise dignement sur une chaise de style kin. Les quatre années écoulées l'avaient elle aussi métamorphosée. Elle était, contrairement aux femmes borjigin, de haute stature, avait des formes opulentes, et il sembla à Temüjin que tout son corps scintillait. D'ailleurs, il y avait du brillant dans ses cheveux aux reflets légèrement bruns, de l'éclat sur la peau blanche de son visage et de sa nuque. Et ce n'était pas seulement dû aux jeux de lumière des lampes alimentées de graisse de mouton.

Jusque-là, Temüjin n'avait jamais considéré les femmes comme égales aux hommes, à cause de leur manque de force physique, de leurs capacités plus restreintes dans tous les domaines. Mais à présent, en voyant Börte, il était saisi d'un sentiment étrange, qui bouleversait ses convictions. Le sentiment de découvrir en elle ce que peut être une véritable femme. Figé près de l'entrée il restait là à contempler Börte, le cœur envahi d'un trouble singulier, inconnu de lui jusqu'alors. Cette femme était belle, mais sans aucune fragilité, et son corps, malgré sa souplesse, n'était nullement inférieur à celui d'un homme.

Enfin Börte se leva de sa chaise. Les colliers bleus qui pendaient sur sa poitrine oscillèrent avec un léger tintement. Puis elle resta là, silencieuse et calme, pour s'exposer tout entière aux regards de celui qui allait devenir son mari. Et il y avait, dans ce corps épanoui, de la dignité et de la grandeur.

Temüjin voulut s'approcher d'elle, mais quelque chose le retint. Pour la première fois, il se sentait freiné dans un de ses élans. Qu'est-ce qui pouvait bien l'arrêter ainsi, lui qui n'avait jamais connu ni peur ni hésitation ? Quel était donc cet être à la beauté rayonnante qui se trouvait devant lui ?

Börte, d'un mouvement presque imperceptible, fit un ou deux pas vers Temüjin, en prononçant quelques phrases brèves. Mais celui-ci n'était pas en état d'en saisir le sens. A mesure que la jeune fille avançait, il reculait d'autant, si bien que la distance entre eux deux restait exactement la même qu'au moment où il était entré dans la tente. Temüjin vit bouger de nouveau les lèvres de Börte. Et cette fois, il s'entendit clairement appeler par son nom.

« Temüjin ! Mon père a dit que tu avais la vigueur d'un loup. Je te salue donc, jeune loup vigoureux ! »

Le jeune homme restait silencieux. Il ne trouvait pas les mots qu'il fallait dire. Enfin, comme s'il affrontait un ennemi redoutable, il lança avec rudesse : « Je suis mongol. Ainsi que l'a dit ton père, en moi coule le sang d'un loup. Comme en tous les Mongols ! »

Börte répondit alors : « Moi je suis onggirat. Dans mes veines ne coule pas le sang d'un loup. Et pourtant, je suis capable de le transmettre en donnant naissance à une nombreuse descendance. Mon père m'a dit de mettre au monde une multitude d'enfants-loups. Pour déchiqueter les Tayichi'ut, et les Tatars, et même nous, les Onggirat, jusqu'au dernier ! »

Les paroles de Börte résonnaient aux oreilles de Temüjin comme un oracle du ciel. Ce discours n'était pas de ceux auxquels on pouvait s'attendre de la part d'un être humain, encore moins d'une très jeune fille.

Temüjin se sentit gagné par un courage qui embrasa ses veines. Il fit un pas vers cette fille si belle, que Deïsechen, chef des Onggirat, avec tant d'abnégation, venait de lui offrir.

« Börte ! » s'écria-t-il, poussé par l'amour qu'il sentait jaillir en lui. « Temüjin ! » s'exclama Börte, comme en écho, avec des accents qui lui parurent d'une infinie douceur. Il continua de s'avancer, et cette fois-ci ce fut elle qui recula. Mais à présent Temüjin n'hésitait plus. Il alla droit vers elle pour la prendre dans ses bras.

Temüjin passa trois jours au campement Onggirat, trois jours qui ne furent qu'une suite de festins. Belgüteï, devant ce brusque changement de vie, s'était complètement replié dans sa coquille, et à moins d'y être forcé, n'ouvrait pas la bouche. Sans même parler du faste des banquets, tout, depuis les vêtements des gens du clan jusqu'au moindre objet quotidien, était pour lui source d'émerveillement.

Le quatrième jour, Temüjin et Belgüteï, emmenant avec eux Börte et une suite de trente personnes, quittèrent le campement Onggirat. Le père de Börte, Deï-sechen, et sa mère Chotan se joignirent à eux, pour les accompagner une partie du chemin. Tous formaient un joyeux cortège qui anima le trajet de retour.

Parmi les tribus disséminées sur les hauts plateaux mongols, celle des Onggirat, la plus favorisée géographiquement par les apports de la culture kin, se distinguait par la splendeur de ses tenues de voyage, qui attirait immanquablement de nombreux curieux.

Deï-sechen conseilla donc à Temüjin de passer près des campements des autres tribus, même s'il devait faire pour cela quelque détour. Il pensait en effet qu'il était bon pour le jeune homme, isolé et sans appui, de saisir toutes les occasions de se faire connaître. Temüjin suivit docilement ce conseil.

Quand on parvint aux berges de Kerülen, Deï-sechen se sépara de la troupe pour regagner son campement. Chotan aurait dû elle aussi s'en retourner avec lui, mais ayant du mal à faire ses adieux à sa fille unique, elle continua finalement le voyage jusqu'au campement de Temüjin, situé sur les rives du lac bleu, dans la région du mont Gürelgü. Elle passa là dix jours, avant de repartir pour le pays Onggirat.

L'unique tente de la famille ne suffisant plus à abriter tout le monde, Temüjin s'installa avec Börte dans une nouvelle tente, autour de laquelle on en dressa cinq autres pour les Onggirat qui servaient de suite à sa femme. Ils étaient encore trop peu nombreux pour qu'on puisse parler d'une véritable communauté, mais quand venait la nuit, les feux qui filtraient de chaque tente atténuaient les ténèbres environnantes. Et au lever du jour, des hommes et des femmes, prêts à se mettre au travail, apparaissaient sur chaque seuil.

Une fois habitué au rythme de sa nouvelle vie, Temüjin s'ouvrit à Qasar et Belgüteï de son intention de faire vivre à ses côtés Bo'orchu, qui l'avait aidé à récupérer ses huit chevaux. Il se disait qu'un garçon tel que lui accepterait sans doute cette offre. Qasar et Belgüteï ne trouvèrent évidemment rien à redire à cela. Et ce fut Belgüteï qui partit comme messager auprès de Bo'orchu.

Cinq jours après son départ, au matin, Temüjin vit venir de l'autre côté de la prairie Bo'orchu qui, de front avec Belgüteï, chevauchait une monture isabelle à la silhouette familière sur laquelle était attaché un vêtement de laine bleue. Temüjin, après les salutations d'usage, accueillit dans son modeste campement cet adolescent incroyablement vif. Celui-ci n'avait pas consulté son père Naqu-bayan sur sa décision de rejoindre Temüjin, mais bientôt, comme lancé à sa poursuite, arriva un envoyé de Naqu-bayan qui lui transmit ce message : « Je conçois que la jeunesse vive à sa manière. Si vous souhaitez vivre les uns et les autres en délibérant, et en vous entraidant pour longtemps, Bo'orchu, agis donc comme bon te semble ! » Et suivant de peu le messager, on vit arriver plusieurs dizaines de moutons, offerts en présent par le vieil homme.

Temüjin, en accord avec Qasar, Belgüteï et Bo'orchu, déplaça son campement à mi-hauteur du mont Burqan, dans une prairie en pente douce. L'endroit où ils s'installèrent, entouré de vastes herbages, était favorable à la pâture des bêtes, et mieux protégé des vents et des inondations qui les menaçaient chaque année.

Au centre de ce nouveau campement, Temüjin plaça côte à côte les tentes de Bo'orchu et de Höelün, autour desquelles il fit disposer en cercle toutes les autres.

Puis il eut l'idée de faire venir auprès de lui les deux fils de Sorqan-shira, Chimbeï et Chila'un, qui vivaient dans le campement Tayichi'ut. Il voulait faire des deux garçons, qui l'avaient sauvé en le libérant de ses entraves et en le cachant, ses fidèles compagnons. Pour les avertir, il fallait se rendre chez les Tayichi'ut, entreprise à la fois difficile et périlleuse. Ce fut Qasar qui s'en chargea. Et il s'en tira à merveille, ramenant avec lui, montés sur des chevaux robustes, les deux garçons de petite taille, l'un avec sa grosse tête, l'autre avec ses yeux louches.

Temüjin accueillit les deux garçons à leur descente de cheval par ces mots : « Vous avez pris une grande décision ! Votre père a dû y faire obstacle…

— Notre père a hoché la tête je ne sais combien de fois en continuant de baratter le lait de jument dans les jarres. Mais moi je lui ai dit : "Maintenant que le messager est là, on ne peut faire autrement que de le suivre." Et puis je suis parti avec Qasar, et me voilà ! » répondit Chimbeï, sans expliquer ni justifier son acte. Son attitude était celle d'un garçon prêt à risquer sa vie en n'importe quelle circonstance pour qui faisait appel à lui en le traitant en homme. Voilà pourquoi il avait jadis sauvé la vie de Temüjin, pourquoi à présent il avait tout bravé pour le rejoindre.

« Et toi, Chila'un ? »

Comme Temüjin l'interpellait ainsi, le plus jeune frère, tournant vers lui ses yeux louches, répondit ingénument : « Quand j'étais petit, tu m'as donné un onglon de cerf. » Ainsi, en souvenir de ce simple cadeau, Chila'un avait autrefois libéré Temüjin de ses entraves, et maintenant, pour lui, il venait d'abandonner sa famille. Et nul doute qu'à l'avenir, quelles que soient les exigences de Temüjin, il y répondrait sans la moindre hésitation. Temüjin de son côté, devant le dévouement des deux garçons, se jura bien, dans le secret de son cœur, de tout mettre en œuvre pour les récompenser.

Peu à peu, des colporteurs, venus d'autres régions, prirent l'habitude de passer par le campement de Temüjin. Ils étaient loin d'être nombreux, mais grâce à eux, la vie des gens du clan se fit plus facile et surtout, toutes sortes de nouvelles sur les autres tribus mongoles parvenaient aux oreilles de Temüjin.

Ainsi, il apprit que le chef le plus puissant des hauts plateaux était celui des Kereyit, To'oril-khan, qui soumettait les hommes de son peuple à un entraînement constant au combat. Autrefois, Temüjin avait vu chez les Onggirat, dans le pays natal de Börte, une poignée de jeunes gens s'entraîner régulièrement comme soldats. Mais on disait que chez les Kereyit, il s'agissait de trente mille hommes rompus à l'exercice : en temps de paix, ils s'occupaient des moutons et des chevaux, mais au moindre incident troquaient immédiatement leurs vêtements de bergers contre des habits de guerre, et munis de leurs armes, se regroupaient en unités bien définies. Temüjin avait été impressionné par la façon dont les Onggirat s'étaient organisés pour protéger leurs tentes et leurs pâturages, mais le système des Kereyit semblait incomparablement supérieur. Temüjin entendait de toutes parts vanter la renommée de To'oril-khan. Et il apprit que celui-ci ambitionnait de soumettre à lui toutes les tribus mongoles, pour dominer les hauts plateaux.

Il décida donc d'aller rendre visite à cet homme. Nouer des relations avec lui ne pouvait que lui être utile. Et après tout, Temüjin était maintenant à la tête d'un campement, si modeste fût-il. S'il demandait l'aide de To'oril-khan en respectant les formes, il était impensable que celui-ci le dédaigne. D'ailleurs, autrefois, To'oril-khan et son père Yesügeï avaient été amis. Et même si, vers la fin de sa vie, Yesügeï, absorbé par les affaires à régler dans sa tribu, n'avait plus eu le temps de cultiver cette amitié, le serment qu'il avait échangé avec To'oril-khan dans sa jeunesse devait conserver sa valeur encore aujourd'hui.

Temüjin s'ouvrit à son entourage de son intention d'aller saluer le chef des Kereyit. Il en parla évidemment à Qasar et Belgüteï, mais aussi à Bo'orchu, Chimbeï et Chila'un, et consulta également sa mère et sa femme. Aucun d'entre eux ne fit la moindre objection.

Höelün suggéra qu'il serait bon d'offrir en présent à To'oril-khan ce qu'ils possédaient de plus précieux. Mais à part les moutons et les chevaux, rien dans le campement de Temüjin n'avait de véritable valeur. Börte, qui s'était tue jusqu'alors, dit : « On pourrait lui donner la pelisse de zibeline noire que ma mère a offerte pour nos noces. » Temüjin acquiesça immédiatement. Cette pelisse, à elle seule, équivalait à l'ensemble de leurs richesses.

Et Temüjin, emportant la pelisse, partit avec Qasar et Belgüteï rendre visite à To'oril-khan, au campement Kereyit, situé en plein bois sur les rives du fleuve Toula. Dans le village des Kereyit, bien plus modeste que celui des Onggirat, régnait une atmosphère austère, signe d'une relative pauvreté. Car si les moutons et les chevaux étaient assez nombreux pour couvrir de vastes prairies, le nombre de bouches à nourrir était lui aussi considérable. Et Temüjin crut comprendre pourquoi, malgré l'abondante population et les forces parfaitement entraînées dont il disposait, To'oril-khan ne cherchait pas à engager les hostilités avec d'autres tribus.

Temüjin et ses frères arrivèrent enfin auprès de To'oril-khan, assis au fond de sa vaste tente. C'était un homme d'une cinquantaine d'années, au corps mince et élancé, au front sévère, dont les yeux brillaient d'un éclat froid.

« Mon père Yesügeï t'appelait son *anda*[1]. Tu es donc pour nous comme un père. Laisse-moi t'offrir, à ce titre, la pelisse de zibeline que la mère de ma femme destinait à mon père », dit Temüjin, en posant le cadeau de noces devant To'oril-khan. Celui-ci en fut transporté de joie. Jamais il n'avait dû encore recevoir, de quiconque, un aussi somptueux présent. Mais il parla d'un ton sévère qui contrastait avec cette joie.

« Petits blancs-becs sans père, au cœur prodigue ! dit To'oril-khan qui n'avait pas l'air de considérer Temüjin et ses frères comme des hommes à part entière. En retour de cette pelisse de zibeline noire, un jour, quand le moment sera venu, je ramènerai auprès de vous le peuple qui vous a délaissés. Une fois que j'ai parlé, jamais je ne me dédis. Mais avant cela, il vous faudra peiner encore, jeunes coqs ! Il vous faudra grandir encore, petits gringalets ! »

Temüjin et ses frères quittèrent donc le campement Kereyit sans avoir été reconnus comme des adultes. Cependant, la personnalité de To'oril-khan n'avait pas

---

1. En mongol dans le texte, « frère juré ». Le serment d'*anda,* passé entre deux chefs de clans d'origine différente, permettait de conclure des alliances politiques. Cette relation en usage chez les nomades avait un effet aussi puissant, sinon plus, que la parenté par le sang.

déplu à l'adolescent. Quoi d'étonnant que, pour un homme comme lui, capable de mobiliser en un clin d'œil une force de trente mille hommes, Temüjin avec ses dix-huit ans fasse, ainsi que ses frères, figure de blanc-bec, de jeune coq et de gringalet ?

Les trois frères, traversant à cheval la Forêt noire où se trouvait le campement de To'oril-khan, croisèrent un groupe de jeunes Kereyit aux visages fermés occupés à des travaux de déboisement, dans une atmosphère austère, qui avait quelque chose de glacial. Tous avaient, comme leur chef To'oril-khan, le front sévère et le regard froid. Il sembla à Temüjin que les gens de cette tribu possédaient un flegme naturel.

De retour à son campement, Temüjin se dit que les hommes de son clan feraient bien d'acquérir l'impassibilité qu'il avait observée chez les jeunes Kereyit. Et il fut le premier, après avoir travaillé du matin au soir dans les pâturages, à s'entraîner à la tombée de la nuit, montant à cheval, tirant à l'arc, maniant le sabre et la lance, imité en cela par Qasar et Belgüteï, ainsi que par Qachi'un et Temüge qui n'étaient pas loin à présent d'être des hommes. Bo'orchu, Chimbeï, Chila'un et même les Onggirat, qui étaient une dizaine, suivaient également son exemple.

Personne n'égalait Qasar pour l'équitation, Bo'orchu pour le tir à l'arc à cheval, Belgüteï était la plus fine lame, Chila'un le Louche le meilleur archer. Quant à Chimbeï, s'il ne se distinguait pas dans les arts militaires, il faisait preuve en revanche de dons exceptionnels pour poursuivre les fuyards ou repérer les mouvements des autres tribus.

Höelün, qui côtoyait quotidiennement Temüjin et ses jeunes compagnons, déplorait qu'aucun d'entre eux ne montrât de dispositions particulières pour régler dans les moindres détails les problèmes domestiques. A cette insatisfaction venait s'en ajouter une autre : Börte n'avait pas encore d'enfant. Pour Höelün, une femme sans enfants n'était pas une femme. Devant ce reproche, Börte avait envie de se faire toute petite. En effet, comme l'avait dit son père Deï-sechen, il lui fallait, et elle le désirait d'ailleurs, mettre au monde une multitude d'enfants-loups pour déchiqueter les Tayichi'ut, et les Tatars, et même les Onggirat, jusqu'au dernier.

La première de ces deux préoccupations trouva bientôt sa solution. Un jour, un vieillard nommé Jarchi'udeï, portant sur l'épaule son soufflet de forgeron, pénétra dans le campement, amenant avec lui un jeune homme. Höelün connaissait ce vieillard, dont Temüjin gardait aussi un vague souvenir : quand il avait cinq ou six ans, l'homme – allez savoir pourquoi – avait quitté le campement pour s'enfoncer au cœur du massif du Burqan où il avait construit une cabane et vécu en ermite jusqu'à ce jour.

Le vieillard, traînant le jeune homme devant Temüjin, dit à celui-ci : « Quand tu es né, je t'ai offert des langes en fourrure. Et je t'ai offert aussi ce garçon, Jelme. Depuis, il t'est destiné comme le serviteur au maître. Mais en ce temps-là, comme il n'avait que trois ans, je l'ai gardé avec moi et l'ai élevé jusqu'à ce jour. A présent, Jelme est devenu un homme. Utilise-le à ta guise, qu'il selle ton cheval, qu'il ouvre ta porte ! »

Et désormais, Jelme fit partie du campement de Temüjin. Ce jeune homme, de trois ans plus âgé que lui, avait la peau tannée, l'air tout à fait ordinaire, mais il était d'une simplicité et d'une fidélité exemplaires, et acceptait toutes les tâches sans rechigner. Et comme sous des dehors discrets il cachait un cœur tendre, et qu'il se préoccupait même des serfs, il devint bientôt le personnage indispensable qu'avait attendu Höelün.

Jour après jour, dans le campement de Temüjin, la vie s'organisait. Mais il restait au jeune chef encore bien des tâches à accomplir pour doter son clan de richesses égales à celles de la tribu Onggirat d'où venait sa femme, et de forces armées comparables à celles que commandait le chef kereyit au regard froid.

Jusqu'à l'âge de vingt-quatre ans, Temüjin fit en sorte d'augmenter chaque année, de quelques unités, le nombre des tentes de son campement. Sa femme Börte ne lui avait toujours pas donné d'enfants, mais à part cela il était plutôt satisfait de la vie qu'il menait. Il n'avait pas encore réalisé le désir, partagé avec sa mère et ses frères, d'écraser les Tayichi'ut et les Tatars. Mais il savait à présent que ce n'était pas le genre d'ambition réalisable du jour au lendemain, surtout lorsque, comme lui, on avait à peine dépassé les vingt ans. Temüjin était jeune, jeunes aussi ses compagnons.

A présent, la vie de Temüjin n'était plus, comme à l'époque de son mariage avec Börte, exposée au risque angoissant d'une attaque par surprise de l'ennemi. Maintenant que les fils de Yesügeï avaient grandi, les Tayichi'ut, apparemment, ne songeaient plus à les supprimer, ou du moins, s'ils y songeaient encore, ne pouvaient plus espérer y parvenir aussi facilement.

Mais Temüjin fut frappé par un coup tout à fait imprévisible du sort. Un matin, aux approches de l'hiver, si rude sur les hauts plateaux, des cris éclatèrent sous la tente de Höelün. « Eveillez-vous vite ! J'entends au loin des bruits de chevauchée, des clameurs d'hommes qui chargent ! Voilà sans doute les Tayichi'ut ! » C'était Qo'aqchin, la vieille servante de Höelün. Celle-ci se leva d'un bond.

L'affolement se propagea immédiatement de tente en tente, jetant dehors l'ensemble des habitants du campement. Au moment où Temüjin apparut sur la place, tous étaient déjà là. Le jour n'était pas encore tout à fait levé, et dans les ténèbres enveloppantes d'avant l'aube, on entendait, vibrations menaçantes dans l'air glacial, s'enfler les roulements de sabots, s'exacerber les hurlements et les clameurs.

Temüjin ordonna à tous de sauter à cheval et de fuir vers le mont Burqan. En effet, il ignorait les effectifs des troupes ennemies, et d'ailleurs affronter un assaut dans le campement même tournerait à son désavantage. Tirant son cheval par la bride, il veilla à ce que tout le monde soit prêt à partir. Höelün se mit en selle, ainsi que Qasar et Temüge. Belgüteï, Bo'orchu et Jelme chaussèrent leurs étriers. Höelün prit Temülün avec elle. Börte, elle aussi, monta sur un cheval dont Qo'aqchin saisit les rênes. Tous, hommes et femmes, enfourchèrent une monture. Ceux qui n'en avaient pas s'agrippèrent à la bride des autres chevaux.

Jelme prit la tête du groupe, tandis que Temüjin, comme s'il poussait devant lui un troupeau de moutons, se plaçait en queue. Bo'orchu, Qasar et Belgüteï partirent au galop vers les assaillants pour vérifier qui ils étaient et évaluer leur nombre.

La panique commença au moment où les fugitifs allaient franchir les clôtures entourant le campement. Car à flanc de coteau, sur la droite, surgissaient les ombres noires de quelques cavaliers. Temüjin, confiant l'ensemble du groupe à Jelme, fit immédiatement volte-face pour rejoindre Bo'orchu, Qasar et Belgüteï. Ceux-ci galopaient de l'autre côté de l'enceinte du campement, en direction de l'ennemi. Temüjin, franchissant les clôtures, se lança ventre à terre à leur suite.

Dès qu'il les eut rejoints, ils se retranchèrent derrière un bouquet d'arbres sur la pente, prêts à affronter l'ennemi. Le groupe des assaillants, sans être très nombreux, comptait pourtant une trentaine ou une quarantaine de cavaliers. Mais ils restaient en bas du coteau, galopant en désordre tantôt vers l'est, tantôt vers l'ouest, au gré de leur fantaisie, aurait-on dit, et ne tentèrent aucune attaque de front. De temps en temps, comme par acquit de conscience, ils lâchaient quelques flèches en direction de Temüjin. Et toutes ces silhouettes, par leur indécision même, avaient quelque chose d'inquiétant, comme si elles avaient jailli d'un théâtre d'ombres.

Sur ces entrefaites, alors que les tirs ennemis se faisaient enfin plus nourris, une clameur s'éleva soudain de la direction opposée, vers le nord où s'enfuyaient les femmes et les enfants. Temüjin et ses trois compagnons regagnèrent aussitôt le campement. Au moment même où ils y pénétraient, le groupe des fugitifs refluait dans le plus grand désordre derrière les clôtures. On entendait, parmi le piétinement des sabots, les hurlements et les clameurs, Jelme qui s'époumonait à s'en briser la voix.

Temüjin, lui donnant l'ordre de faire passer tout le monde par la sortie de derrière, se dirigea à l'opposé vers la clôture nord. Les flèches n'arrêtaient pas de pleuvoir. Temüjin, Belgüteï, Qasar et Bo'orchu, se protégeant derrière des tentes, se mirent à riposter à cette volée de flèches. Le terrain à l'extérieur de l'enceinte formait à cet endroit une pente abrupte qui empêchait de suivre la progression des ennemis. Bientôt pourtant, on commença à distinguer par intermittence les silhouettes de quelques cavaliers. Mais ils n'avaient pas l'air résolus à pénétrer dans le campement. Temüjin et ses compagnons défendirent leur position en échangeant des flèches avec l'ennemi qui, tout en assiégeant le campement, ne se décidait pas à donner l'assaut. Ils combattirent ainsi suffisamment longtemps pour permettre à Jelme de conduire femmes et enfants à quelque distance de là.

Bo'orchu, s'approchant à cheval, cria : « Ce sont les Merkit ! » C'est alors seulement que Temüjin comprit qu'il n'avait pas affaire, comme il l'avait cru, à des Tayichi'ut.

Voyant bientôt que les flèches ennemies ne venaient plus seulement du nord et de l'est mais de toutes les directions, Temüjin ordonna à ses trois compagnons d'abandonner le camp pour se réfugier dans la montagne. Il était à la fois vain et dangereux de résister plus longtemps. Bo'orchu, prenant la tête de la file, se dirigea vers la sortie de derrière, suivi de Temüjin, Qasar et Belgüteï. Une fois hors de l'enceinte, ils ne virent plus trace des autres fugitifs. Conduits par Jelme, ceux-ci avaient dû se réfugier en lieu sûr.

« Dispersons-nous ! » hurla alors Qasar, et chacun lança son cheval dans une direction différente. Temüjin galopa droit devant lui, vers l'ouest, à travers la steppe, puis modifiant soudain sa course, se mit à gravir un vaste terrain en pente douce, au pied du mont Burqan. Plus une seule flèche ne parvenait jusqu'à lui. Il apercevait, à peine plus gros que des fourmis, Qasar et Belgüteï qui chevauchaient à flanc de pente, en route vers le sommet. Seul Bo'orchu demeurait invisible, ce qui inquiéta Temüjin un instant. Mais bientôt sa petite silhouette d'habile cavalier apparut là où personne ne l'aurait attendue.

L'après-midi de ce jour, Temüjin, Qasar, Belgüteï et même Bo'orchu finirent par se retrouver. Et le soir, ils parvinrent à rejoindre le groupe des femmes et des enfants conduit par Jelme.

Celui-ci, dès qu'il les vit arriver, leur demanda : « Avez-vous vu Börte ? » Et il leur raconta qu'à peine sortie du campement par-derrière, elle avait été contrainte d'abandonner son cheval, qui était blessé. Elle était alors montée dans une charrette noire posée à côté du râtelier à foin, et à laquelle la vieille servante Qo'aqchin avait attelé un bœuf aux reins mouchetés. Distancée par le groupe, elle s'était éloignée du campement en passant à travers champs, pour échapper au regard des assaillants.

Dès qu'il eut fixé l'emplacement du bivouac, Temüjin passa plusieurs jours à battre à cheval les bois, les prairies, les pentes rocheuses du mont Burqan, à la recherche de Börte. Mais toutes ses tentatives restèrent vaines.

Au quatrième jour, il envoya Bo'orchu, Belgüteï et Jelme en éclaireurs au pied de la montagne. Quand il apprit qu'il ne restait plus là un seul Merkit, il descendit le mont Burqan avec toute sa tribu. Plus tard, il sut que la troupe qui l'avait attaqué était menée par trois chefs merkit de familles différentes. Mais il ignorait toujours ce qu'il était advenu de Börte et de la vieille servante. Ce n'est qu'au bout d'un mois environ qu'il apprit que les deux femmes, capturées par les Merkit, avaient été emmenées dans leur campement où elles étaient encore retenues.

Quand il songeait au sort de Börte, Temüjin avait l'impression de devenir fou. Mais en même temps, comment ne pas se réjouir à l'idée qu'à part elle et Qo'aqchin, tous avaient pu rejoindre le campement sains et saufs ? Temüjin, estimant qu'il devait cette heureuse fortune à la protection divine du mont Burqan au cœur duquel ils s'étaient réfugiés, décida de lui rendre grâce par une cérémonie.

Il réunit les gens du campement devant sa tente, dont toute chaleur semblait s'être retirée depuis l'enlèvement de Börte, et y fit dresser un autel. Puis il s'adressa à tous en ces termes : « C'est grâce à la bienveillance du souverain mont Burqan que nous avons pu échapper aux Merkit. Grâce à lui que nos vies insignifiantes de fourmis et de poux ont été sauvées. Chaque matin célébrons le Burqan ! Chaque jour invoquons-le ! Et qu'il en soit ainsi pour nous, Borjigin, de génération en génération ! »

Puis Temüjin, tourné vers la montagne, accrocha sa ceinture à son cou, prit son bonnet dans une main[1], et l'autre posée sur la poitrine, s'agenouilla et répandit du lait de jument fermenté sur le sol. Et il répéta neuf fois ces libations accompagnées de prières.

Vinrent alors pour Temüjin des jours de tourment. Depuis l'enlèvement de Börte, il avait l'impression que la nature qui l'entourait avait perdu tout son éclat. Il lui fallait absolument reprendre Börte aux Merkit. Temüjin

---

1. Les Mongols croyaient que la volonté d'un individu résidait dans son bonnet et sa ceinture. Dénouer sa ceinture, ôter son bonnet étaient donc considérés comme des marques de déférence ou de soumission.

disposait bien sûr de fidèles compagnons prêts à sacrifier sans regret leur vie pour lui, mais leur nombre limité – ils étaient à peine une dizaine – faisait d'une offensive contre le vaste campement des Merkit une entreprise par trop hasardeuse.

Chimbeï la Grosse Tête, bien des fois, se porta volontaire pour aller en reconnaissance jusqu'au campement Merkit, mais à son retour, son rapport était toujours le même : « Ils ont posté cinquante sentinelles autour du village. Même une souris n'arriverait pas à se glisser dans le campement sans se faire repérer. »

Les Merkit, craignant la vengeance de Temüjin, ne relâchaient pas un seul instant leur vigilance.

Chimbeï, mettant un point d'honneur à accomplir sa mission, repartait tous les deux ou trois jours espionner le campement. Il en ramenait tous les détails qu'il avait pu glaner. Et Temüjin était ainsi tenu au courant même des moindres fluctuations du nombre des chevaux.

Mais il apprit surtout une nouvelle d'importance : l'attaque par surprise des Merkit n'avait rien eu d'improvisé. Autrefois, Yesügeï avait enlevé Höelün à un jeune Merkit, et maintenant, plus de vingt ans après, les gens de cette tribu n'avaient toujours pas oublié. Et ils avaient eu l'idée, en guise de représailles, de s'attaquer à la jeune femme de Temüjin. Ce plan, ils l'avaient conçu quand ils avaient appris l'arrivée de Börte au campement de Temüjin, et depuis lors ils avaient sans cesse guetté l'occasion de le réaliser.

Plusieurs mois s'étaient écoulés depuis l'enlèvement de Börte. Au printemps de l'année suivante, Temüjin eut vingt-cinq ans. Comme l'avaient fait les Merkit, il passait son temps à chercher l'occasion de la riposte. Mais lui, contrairement à eux, n'aurait pas la patience d'attendre plus de vingt ans. Il profiterait de la moindre négligence de ses adversaires pour se venger sur-le-champ.

Temüjin s'efforçait de ne plus penser aux cheveux lustrés de Börte, ni à sa nuque blanche. Car de tels souvenirs faisaient naître en lui une fureur qui le déchirait, qui le mettait au supplice.

Lorsque Chimbeï revenait au campement après ses expéditions chez les Merkit, Temüjin se contentait d'écouter son récit, sans jamais prendre l'initiative de le questionner. Lui, déjà si taciturne d'ordinaire, était devenu encore plus silencieux, et se cuirassait derrière un visage inexpressif qui interdisait de lire dans le secret de son cœur.

Une fois pourtant, il fit exception à cette règle. Après avoir écouté jusqu'au bout le rapport de Chimbeï, il remua imperceptiblement les lèvres. Chimbeï, n'ayant pas saisi les paroles de Temüjin, le pria de les lui répéter. Celui-ci demanda alors, dans un murmure à peine audible : « Que devient Börte ? »

Son compagnon resta un instant sans répondre. Temüjin reprit alors à voix basse, mais plus nettement qu'auparavant, sans lâcher Chimbeï du regard : « Que devient Börte ? »

Celui-ci, ne pouvant plus se dérober, répondit laconiquement : « Elle est devenue la femme d'un jeune Merkit nommé Chilger. » A ces mots, Temüjin changea soudain de couleur et, tournant le dos à Chimbeï, s'éloigna.

Ce fut la seule fois que le sort de Börte fut évoqué par Temüjin et Chimbeï. Ensuite, Temüjin devint plus taciturne encore et montra en toutes circonstances un visage fermé, que jamais n'adoucissait un sourire.

Depuis l'enlèvement de Börte, une sorte de tabou pesait sur le nom de la jeune femme, au point que personne dans le village, ni Höelün, ni Qasar, ni sa sœur cadette Temülün, et encore moins les servantes, n'osait plus le prononcer.

Environ un mois après avoir acculé Chimbeï à lui répondre à propos de Börte, Temüjin s'ouvrit à Qasar, Belgüteï et Bo'orchu du plan qu'il avait mûri pendant des jours et des nuits : il s'agissait de partir à l'assaut du campement Merkit pour récupérer Börte. Tous les hommes, sans exception, participeraient à cette attaque, la garde du village étant confiée aux femmes. Jamais jusqu'alors, dans aucune tribu, on n'avait laissé seules dans un campement des femmes sans défense. Or cette fois, l'idée de Temüjin était de leur confier des armes pour qu'elles puissent protéger le village en l'absence des hommes, qu'il voulait tous associer à son offensive.

Qasar, Belgüteï et Bo'orchu approuvèrent ce plan. Ils savaient bien que la décision de Temüjin était déjà prise et que, téméraire ou non, il ne leur restait plus qu'à l'exécuter. Le village ne comptait qu'une trentaine d'hommes, y compris les vieillards.

Temüjin fixa l'attaque à vingt jours de là, choisissant, en lune décroissante, la nuit la plus sombre. Le campement Merkit se trouvait au sud du lac Baïkal, non loin du confluent des fleuves Orkhon et Selengga. Il fallait, pour arriver jusque-là sans forcer l'allure, quelques jours de chevauchée, par un chemin que Chimbeï connaissait parfaitement pour l'avoir parcouru bien des fois.

Durant la période qui précéda l'attaque, la dizaine de femmes du village, à commencer par Höelün et Temülün, qui avait dix-sept ans, s'exerça chaque jour, les armes à la main, à défendre le campement. Quant à Temüjin, abandonnant à Bo'orchu la conduite de cet entraînement, il décida de se rendre en compagnie de Qasar et de Belgüteï au campement Kereyit, auprès de To'oril-khan, en emmenant avec lui quelques chevaux non sellés. Il projetait d'emprunter au chef kereyit des armes de qualité pour compenser ainsi le nombre limité des effectifs de sa troupe. Car s'il possédait des chevaux exceptionnels, capables d'affronter n'importe quelle bataille, il ne pouvait pas en dire autant de son armement, d'ailleurs insuffisant puisqu'il allait en laisser une partie aux femmes du campement. Et puis il voulait doter ses jeunes compagnons, prêts à vendre chèrement leur vie pour lui, d'un équipement à la mesure de leur hardiesse.

Temüjin et ses frères, longeant pendant plusieurs jours le fleuve Orkhon vers l'amont, parvinrent au campement des Kereyit, en plein cœur de la Forêt noire, sur les berges de la Toula.

Arrivé devant To'oril-khan, qui avait toujours le même regard froid, le même front sévère, Temüjin lui raconta sans détours tous les détails de l'affaire. Le chef kereyit considéra d'abord ses trois visiteurs en silence. Mais après quelques instants de réflexion, il changea soudain d'expression et dit : « Fils du défunt Yesügeï ! As-tu oublié ma promesse d'autrefois ? Ne t'avais-je pas dit qu'en retour de la pelisse de zibeline noire, je rassemblerais ton peuple dispersé ? Il semble bien que le moment soit venu ! Pour toi, fils du défunt Yesügeï, je déploierai mon armée. Je la déploierai pour massacrer jusqu'au dernier les maudits Merkit qui rôdent au sud du lac Baïkal, et leur reprendre ton épouse Börte ! »

To'oril-khan fit alors une pause. Puis, les yeux brillants d'un éclat encore plus froid qu'à l'ordinaire, il poursuivit lentement : « Jeunes coqs qui commencez enfin à grandir ! Voici pour moi le moment de vous payer de retour ! Je me mettrai en route à la tête d'une armée de vingt mille hommes, qui formera l'aile droite. Quant à vous, rendez-vous auprès de Jamuqa, chef des Jadarat, établi dans la région de Qorqonaq, et transmettez-lui mes paroles : "Pour les rejetons de Yesügeï, To'oril-khan est prêt à lever une armée de vingt mille hommes, afin d'exterminer les maudits Merkit. Toi, Jamuqa, mobilise tes cavaliers pour former l'aile gauche. A toi de fixer le moment et le lieu où nous nous retrouverons !" »

Temüjin, abasourdi, ne quittait pas des yeux le visage de To'oril-khan. Jamais jusqu'alors il n'avait vu un homme prendre si vite une aussi grave décision. Et il y avait dans la froideur de cette physionomie quelque chose qui s'accordait bien avec l'aisance d'une telle résolution.

Temüjin, en sortant de la tente de To'oril-khan, régla la question de l'emprunt des armes qui l'avait amené, puis repartit immédiatement, à bride abattue, vers son campement. Les trois frères s'arrêtèrent à peine en cours de route.

Dès leur arrivée, Qasar et Belgüteï, laissant Temüjin au campement, chargèrent leurs chevaux de sacs de nourriture et repartirent rendre visite à Jamuqa.

Celui-ci, descendant d'un frère de Qabul, premier khan mongol, faisait partie à ce titre du clan des Borjigin. Il avait environ cinq ans de plus que Temüjin, qui le connaissait pour l'avoir rencontré une seule fois quand il avait six ou sept ans : il avait joué avec Jamuqa un jour où l'adolescent était venu avec son père au campement de Yesügeï. Et aujourd'hui encore, il gardait à l'esprit le souvenir de ce garçon joufflu, au caractère liant et affable. Etonnamment précoce pour son âge, il avait surpris même les adultes par la maturité de ses propos.

Par la suite, la famille de Jamuqa, s'éloignant des Tayichi'ut et des Borjigin auxquels elle était pourtant unie par les liens du sang, avait pris son indépendance et choisi le nom de « clan Jadaran ». Celui-ci, depuis que Jamuqa en était le chef, avait connu une extension fulgurante, au point de devenir la première puissance mongole, dépassant même les Tayichi'ut. Toutes ces nouvelles étaient depuis longtemps parvenues aux oreilles de Temüjin et des siens. Et ils savaient que Jamuqa, ayant conclu un pacte d'amitié avec To'oril-khan, était le bras droit de celui-ci.

Qasar et Belgüteï, partis en messagers auprès de Jamuqa, revinrent recrus de fatigue au matin du cinquième jour et, se présentant devant Temüjin, lui racontèrent leur rencontre avec le chef des Jadarat.

« Il a dit qu'il était peiné d'apprendre l'attaque des Merkit contre nous. Et qu'il se réjouissait de pouvoir nous venir en aide en mobilisant ses troupes comme le demande To'oril-khan. Il a dit aussi que c'était le moment de rallier les berges du fleuve Kilqo, d'y construire des radeaux avec des joncs, pour atteindre la plaine où campent les Merkit, pénétrer par le trou à fumée dans leurs tentes, et en jeter bas les armatures. Et encore, qu'il fallait capturer les femmes et les enfants, massacrer les hommes jusqu'au dernier et ne laisser que le vide. »

Qasar avait parlé sans reprendre haleine. Belgüteï le relaya aussitôt : « Jamuqa a dit : "Pour marquer l'ouverture des hostilités, je répandrai du lait fermenté sur le sol ! Je battrai mon tambour tendu de peau de taureau noir ! Vêtu de ma cuirasse, j'enfourcherai mon coursier noir ! Je saisirai ma lance d'acier, j'encocherai mes flèches en écorce d'amandier ! To'oril-khan, j'attendrai ton armée dans dix jours, à la nuit tombante, à Botoqanbo'orji. J'aurai avec moi vingt mille hommes. Même si la bise souffle, sois exact à notre rendez-vous ! Même si la terre tremble, sois fidèle à nos retrouvailles, ô mon *anda* !" »

Bo'orchu fut dépêché auprès de To'oril-khan, au cœur de la Forêt noire, pour lui transmettre les paroles de Jamuqa.

Jamais Temüjin n'aurait osé espérer que les choses se dérouleraient ainsi. Qu'on pût mobiliser pour lui quarante mille hommes lui faisait l'effet d'un rêve. Les deux armées, encadrant sa troupe, allaient s'ébranler, implacables, vers le campement Merkit, au confluent des fleuves Orkhon et Selengga.

Temüjin, au jour dit, rallia l'endroit de la rencontre avec trente hommes, effectif dérisoire par rapport aux forces de Jamuqa et de To'oril-khan. Les vingt mille hommes de Jamuqa se trouvaient déjà sur place, mais To'oril-khan, malgré sa promesse formelle, ne les rejoignit avec son armée que trois jours plus tard.

Temüjin n'avait pas revu Jamuqa depuis plus de dix ans, mais celui-ci avait gardé quelque chose de l'adolescent d'autrefois. Contrairement à To'oril-khan, un sourire doux flottait constamment sur son visage, et l'on sentait, dans son physique corpulent, l'énergie bouillonnante d'un homme au seuil de la maturité. Temüjin se demanda comment l'impétueux appel aux armes que lui avaient transmis Qasar et Belgüteï avait pu sortir de la bouche d'un être aussi affable.

L'attaque du territoire Merkit commença le lendemain à l'aube. Les quarante mille soldats franchirent le fleuve Orkhon dans des radeaux de jonc puis, rangés en ordre de bataille, déferlèrent comme un raz de marée sur la plaine située dans la zone d'influence des Merkit, engloutissant l'un après l'autre tous les petits villages.

Les Merkit levèrent une troupe de dix mille hommes, qu'ils déployèrent autour de leur campement. Mais en un jour à peine les jeux étaient faits. Temüjin, à la tête des quelques centaines de soldats que lui avait confiés To'oril-khan, se lança à la poursuite des Merkit qui, désertant le front, s'étaient réfugiés dans leur village. Renonçant à continuer le combat, ils s'étaient dissimulés çà et là. Temüjin fouilla leurs tentes une à une.

Il ne fut pas long à découvrir Börte et la vieille Qo'aqchin. Ignorant que cette offensive qui les avait surprises était une opération montée par Temüjin pour les libérer, les deux femmes, fuyant le danger, s'étaient cachées au fond d'une tente. Quand elle vit entrer Temüjin, Börte poussa un faible cri d'étonnement.

Temüjin, sans lui adresser un seul mot, la confia à son frère Qasar, et s'en retourna immédiatement vers la plaine où se trouvaient To'oril-khan et Jamuqa. Il exprima sa profonde reconnaissance aux deux hommes qui avaient tout mis en œuvre pour l'aider.

To'oril-khan et Jamuqa installèrent chacun, à environ une lieue de là, un cantonnement pour leurs troupes. Ni l'un ni l'autre n'avait l'air décidé à s'en aller. Cette attitude contrastait avec celle qu'ils avaient montrée avant la bataille : Temüjin avait l'impression que les deux hommes, restant dans l'expectative, s'observaient mutuellement.

Entre-temps, les Merkit se faisaient massacrer. Aucun homme, quel que fût son âge, n'échappa à la tuerie : tous les jours, on voyait passer dans les prairies des colonnes entières de Merkit, traînés vers le lieu de l'exécution. Quant aux femmes, elles furent rassemblées sur un terrain plat, à mi-chemin des cantonnements de To'oril-khan et de Jamuqa, avec tous les biens domestiques, dont on fit d'énormes tas. Moutons et chevaux furent regroupés en un même endroit.

Temüjin et ses compagnons s'installèrent dans trois tentes, montées aux abords du campement Merkit désormais vide. L'odeur tenace des cadavres s'insinuait nuit et jour jusque dans leur cantonnement.

Un jour, To'oril-khan fit savoir à Temüjin qu'il l'attendait pour le partage du butin et des femmes. Mais celui-ci considérait qu'il n'avait pas à prendre part à cette distribution, et d'ailleurs il n'en éprouvait pas le désir. Arrivé auprès de To'oril-khan, il lui exprima son sentiment à ce sujet, mais le vieux chef kereyit ne l'entendait pas ainsi, et Jamuqa était bien d'accord avec lui : bien sûr, c'étaient eux deux qui avaient mobilisé les armées, mais Temüjin avait activement participé au combat, ce qui lui donnait droit à sa part. Cependant Temüjin, insensible aux arguments des deux hommes, s'obstina dans son refus.

Les milliers de femmes et les pièces du butin furent réparties équitablement en présence de la foule grouillante des soldats, et transportées dans les cantonnements de To'oril-khan et de Jamuqa. On fit aussi deux parts égales des troupeaux de moutons et de chevaux qui couvraient les pâturages, à environ une demi-lieue de là. Cependant certaines choses, les prairies et les champs, les montagnes, les vallées, étaient impossibles à partager. Toute cette région était fort éloignée du pays des Kereyit, comme de celui de Jamuqa. Le petit campement de Temüjin, en revanche, en était beaucoup plus proche.

Temüjin se dit qu'il voudrait bien, après le départ des deux chefs, prendre possession de ce vaste territoire. Bien sûr, dans l'immédiat, il n'avait pas les moyens de l'exploiter, mais il suffisait que les foyers de son clan soient plus nombreux, et il pourrait alors les disséminer aux quatre coins de ce haut plateau.

Temüjin avait déjà renvoyé dans son campement, gardé uniquement par les femmes, la moitié de ses quelque trente hommes, avec Bo'orchu à leur tête. Il pouvait donc se permettre de rester aux alentours du campement Merkit désert aussi longtemps qu'il le voulait. Qasar et Belgüteï commençaient à trouver le temps long, mais Temüjin ne se décidait pas à s'en aller. Partir avant que To'oril-khan et Jamuqa ne lèvent le camp aurait été irrespectueux. Une autre chose aussi le laissait irrésolu.

Que faire de Börte ? Il ne l'avait vue qu'une seule fois, au moment où il l'avait retrouvée. Et depuis, il ne cessait de songer à elle. Mais l'image qui le hantait différait quelque peu de celle qui, dans son campement au pied du mont Burqan, avait occupé ses pensées. Börte était enveloppée dans un vêtement bleu, ses cheveux qui tiraient sur le brun et sa peau blanche brillaient toujours du même éclat, mais quelque chose dans son corps avait changé. Sa robe avait une ampleur inhabituelle. Malgré l'égarement de cette nuit de carnage, Temüjin savait qu'il n'avait pas rêvé : Börte était enceinte.

Temüjin, depuis qu'il l'avait confiée à Qasar, n'avait posé aucune question à son frère sur l'état de Börte. Et celui-ci, tout en prenant soin de sa belle-sœur, ne faisait jamais allusion à elle. Ce silence ne faisait que confirmer Temüjin dans l'idée que ses yeux ne l'avaient pas trompé.

Un jour, Temüjin interpella Chimbeï qui venait d'entrer dans sa tente, pour l'interroger. Mais à l'instant même où il le dévisageait, sa décision fut prise. A quoi bon lui demander son opinion, puisqu'après tout, comme l'aurait sans doute dit son compagnon, il s'agissait d'une chose à laquelle on ne pouvait plus rien changer. Une chose que Börte n'avait ni souhaitée, ni recherchée.

« Dis à Qasar de m'amener Börte ! » ordonna Temüjin à Chimbeï. Celui-ci s'en alla immédiatement. Bientôt entra Qasar qui, l'air tendu, se borna à lancer : « Tu trouveras Börte à deux tentes d'ici ! »

Temüjin, sentant quelque chose d'étrange dans les paroles de Qasar, sortit pour se rendre dans la tente où demeurait Börte. Elle était étendue sur un lit, baignant dans les rayons obliques que versait le trou à fumée. Temüjin aperçut immédiatement, à ses côtés, un nouveau-né. Il vit aussi la vieille Qo'aqchin, penchée attentivement sur l'enfant.

Temüjin s'approcha du lit. Börte, l'air affaibli, leva les yeux vers lui. Comme il gardait le silence, elle lui désigna l'enfant du regard et, ébauchant un pauvre sourire, prononça quelques mots.

« Donne-lui un nom » : telle est la phrase que Temüjin entendit.

« Est-ce à moi de lui en donner un ? »

A cette question, Börte répondit d'un ton clair et sans réplique : « Mais puisque c'est ton enfant ! »

Temüjin s'indigna : « Qu'est-ce qui prouve qu'il est vraiment de moi ? » « Et qu'est-ce qui prouve qu'il n'est pas de toi ? » dit Börte avec l'énergie du désespoir. Temüjin, sans même s'en rendre compte, s'était mis à arpenter fébrilement la tente. Dans l'état où il se trouvait, il ne pouvait rester en place. Trop de pensées l'assaillaient à la fois.

« Comment prouver que l'enfant n'est pas de toi ? Je n'en sais rien, et toi non plus ! »

La voix de Börte continuait de résonner aux oreilles de Temüjin. Mais il n'était pas en mesure de l'entendre. Il n'était pas prêt pour cela.

Incapable de maîtriser la confusion de son esprit, Temüjin arrêta son va-et-vient et dit d'une voix un peu sèche : « Jöchi !

« — Jöchi ? » reprit Börte en écho. Dans leur langue, ce mot signifiait « l'hôte ». Ce nom, jailli de son cœur en plein désarroi, Temüjin l'avait choisi pour l'enfant que Börte venait de mettre au monde, mais aussi et surtout pour l'être qui, comme lui, ignorait l'identité de son père.

En nommant ainsi cet enfant, il marquait sa volonté d'innocenter Börte, et sa détermination d'accueillir définitivement parmi les siens, comme un hôte, le nouveau-né, malgré les doutes qui planaient sur ses origines.

Temüjin resta longtemps penché sur le visage de l'enfant qui reposait à côté de Börte. La même obsession qui l'avait hanté pendant des années – était-il de sang mongol ? – marquerait aussi, à l'avenir, le destin de cet enfant. Un destin qui lui imposait, tout comme à Temüjin, de devenir un loup pour prouver son identité de Mongol, ou du moins, d'être tout entier tendu vers ce but.

« Quoi qu'il arrive, je deviendrai loup ! Et toi aussi, un jour, tu le seras ! » : ce furent les premiers mots que Temüjin, du fond de son cœur, adressa secrètement à Jöchi. Et il y avait là l'expression d'une affection profonde, celle que tout père peut concevoir pour son fils.

Börte gardait le silence, ne laissant rien transparaître de ses sentiments à l'égard du choix de ce prénom. Etait-elle comblée ? Insatisfaite ? Il était impossible de lire sur ses traits les mouvements de son cœur. Enfin, elle tourna doucement la tête vers Temüjin. Son visage, à l'air encore affaibli, rayonnait pourtant d'une étonnante sérénité. Et ses yeux débordaient de larmes qui s'écoulaient sur ses joues, laissant deux traces rectilignes sur ce visage limpide.

Temüjin, se détournant de l'enfant, baissa les yeux vers celle qu'il avait recherchée si longtemps, et lui adressa enfin quelques mots pleins de tendresse : « Dépêchons un messager auprès des Onggirat ! Comme ton père et ta mère vont être heureux ! »

Cependant, il conçut ce jour-là, à l'égard des femmes en général, un sentiment qui allait rester toute sa vie profondément ancré en lui, comme une véritable idée fixe. Il pouvait reconnaître la beauté, l'amour, la sincérité d'une femme, mais était désormais incapable de croire qu'elles étaient choses immuables. Toutes les qualités, quand elles s'incarnaient en une femme, ne pouvaient être qu'éphémères. Ni Börte ni Höelün n'échappaient à cette règle. Il y avait dans leur passivité une force latente leur permettant de donner la vie, à tout moment, à des « hôtes ». Börte et Höelün étaient capables de mettre au monde des loups de race mongole, mais aussi bien des Merkit, des Tatars, des Kereyit. Elles étaient des réceptacles étonnamment prodigues, et accueillants pour la semence de toutes les tribus. Comment accepter qu'une femme qu'on aime et qui vous aime puisse donner naissance à l'enfant d'un ennemi ?

Temüjin se fiait à la loyauté, au courage, à l'esprit de sacrifice de ses hommes, mais il ne pouvait accorder le même crédit aux femmes : il n'y avait pas en elles de fondements assez solides pour cela. Les femmes, c'était à partir du moment où elles étaient à vous, et seulement pendant ce temps-là, que leur beauté, leur amour, leur fidélité vous étaient acquis. Les hommes des autres tribus, on pouvait en faire des serfs pour toujours, en les soumettant par la force, en se les attachant. Mais avec les femmes, quelque chose vous échappait : en dehors des étreintes, où on les possédait tout entières, on n'avait aucune prise sur elles.

Temüjin décida que Börte serait désormais sienne, à jamais. Et pour cela, il lui fallait devenir assez puissant pour que personne ne puisse plus la lui enlever.

« Dorénavant, je ne te laisserai plus seule un instant. Pour que rien n'entache plus ta beauté ni ta fidélité. »

Temüjin ne déclara pas à Börte qu'il l'aimait, ou que son affection pour elle n'avait pas changé : de tels mots lui semblaient sans valeur et sans force. Il se borna à lui affirmer sa volonté de l'avoir toute à lui : c'était là sa manière de lui manifester son amour.

Chapitre III

To'oril-khan et Jamuqa laissèrent encore pendant près d'un mois leurs troupes cantonnées dans la région. A présent que les femmes et les biens avaient été répartis équitablement, rien ne justifiait plus leur présence en cet endroit. Pourtant chacun semblait répugner à lever le camp le premier. Temüjin avait d'abord trouvé étrange cette irrésolution, mais à bien y réfléchir, elle répondait à une règle liée à la pratique de la guerre : partir avant l'autre c'était, si celui-ci nourrissait la moindre intention malveillante, s'exposer au risque d'être attaqué par-derrière. Il était clair que chacun voulait éviter de se mettre dans cette situation périlleuse.

Temüjin tira une grande leçon de l'attitude des deux hommes : To'oril-khan et Jamuqa, en tant qu'*anda,* s'étaient juré fidélité à la vie et à la mort, mais cette façon qu'ils avaient de temporiser prouvait qu'il ne se faisaient aucunement confiance. Temüjin comprit aussi que si To'oril-khan avait mobilisé son armée, ce n'était certainement pas avec le sentiment paternel de tirer le fils de Yesügeï d'un mauvais pas. Il avait décidé instantanément de lever ses troupes quand Temüjin lui avait demandé des armes pour attaquer les Merkit, parce qu'il avait découvert là l'occasion rêvée de passer lui-même à l'action. Sans doute guettait-il depuis longtemps le moment d'exterminer ce peuple. Il ne lui manquait qu'un prétexte lui permettant de justifier cette intervention. Or les Merkit, en assaillant le campement sans défense de Temüjin et en enlevant Börte, avaient commis un acte indigne, au regard duquel une offensive destinée à rendre la jeune femme à Temüjin n'avait rien de condamnable. En outre, si To'oril-khan avait recherché l'appui de Jamuqa, c'était bien sûr pour renforcer la puissance de son armée, mais aussi et surtout parce qu'en s'alliant le jeune chef qui faisait partie, comme Temüjin, du clan Borjigin, il pouvait donner une apparence encore plus légitime à son acte. Quant à Jamuqa, la proposition de To'oril-khan, loin d'être une mauvaise affaire, avait été assez séduisante pour qu'il l'accepte sans hésiter. Temüjin, dans cette opération, avait seulement récupéré Börte, tandis que To'oril-khan et Jamuqa, partageant en deux l'immense fortune d'une autre tribu, en étaient devenus, chacun pour moitié, les détenteurs.

Temüjin se dit qu'il avait tout intérêt à se rallier à l'un ou l'autre des deux hommes. Cela lui semblait le seul moyen d'étendre rapidement l'importance de son campement. Il décida de choisir Jamuqa : il valait mieux en effet, pour se soustraire aux menaces des Tayichi'ut, se mettre sous la protection d'un homme faisant partie du clan Borjigin. D'ailleurs, nombreux étaient les sujets de Yesügeï qui, s'étant rapprochés des Tayichi'ut après la mort de leur chef, avaient ensuite rejoint le campement de Jamuqa. Temüjin se trouverait donc, en quelque sorte, en terrain de connaissance.

Temüjin suggéra à To'oril-khan et à Jamuqa de lever le camp le même jour et de partir dans des directions opposées.

Lui-même se joignit à Jamuqa et à ses hommes qui s'en retournaient vers le Qorqonaq, aux abords du fleuve Onon, tandis que To'oril-khan, contournant le mont Burqan, prenait tranquillement avec son armée le chemin de son campement de la Forêt noire, près de la rivière Toula, tout en s'adonnant à la chasse.

Temüjin, en compagnie de Börte, regagna son village aux flancs du mont Burqan, là où les fleuves Onon et Kerülen prennent leur source. Ils ramenaient avec eux deux petites personnes qui n'étaient pas là au départ : Jöchi et un adorable enfant de cinq ans, nommé Küchü, coiffé d'un bonnet de zibeline et chaussé de bottillons en peau de biche. Temüjin emmena Küchü dans la tente de sa mère pour le lui offrir. Höelün, dont les cinq enfants étaient déjà grands, puisque même Temülün, la cadette, avait dix-sept ans, fut ravie de ce présent. Küchü était le seul à conserver pur, dans ses veines, le sang des Merkit, tous les hommes de sa tribu ayant été massacrés. A cet égard, il représentait un véritable trésor.

Temüjin se déplaça bientôt des flancs du mont Burqan au Qorqonaq, non loin du campement de Jamuqa. Le lendemain de son installation, ils échangè-rent le serment d'*anda*.

La cérémonie eut lieu au Qorqonaq, en haut d'un à-pic bordé d'un côté par des arbres touffus. Temüjin passa à la taille de Jamuqa un ceinturon d'or dont il avait dépouillé un chef ennemi lors de la bataille contre les Merkit, et le fit monter sur un cheval à la crinière noire qu'il avait également enlevé à l'ennemi. Jamuqa offrit de même à Temüjin un ceinturon d'or dérobé à un autre chef merkit, et une monture blanche qui ressemblait à un che-vreau cornu. L'un et l'autre s'interpellèrent à voix forte, au cri de « *anda !* ». Ce cri marqua l'ouverture d'un ban-quet qui réunissait toute la population, et qui se poursui-vit jusqu'à la nuit par de la musique, des chants, et des danses données devant leurs vainqueurs par des jeunes femmes merkit qui avaient perdu dans le massacre un père, un mari, un frère.

Temüjin siégeait à ce banquet aux côtés de Jamuqa, mais il savait bien que le serment qu'ils venaient d'échanger n'avaient pas grande valeur. Tant qu'il en aurait envie, Jamuqa se servirait de lui, puis quand les choses se gâteraient, il n'hésiterait pas à l'abandonner comme un instrument hors d'usage.

A la lumière de la lune qui l'éclairait à demi, le visage doux de Jamuqa, où flottait un perpétuel sourire, prit soudain un relief qu'il n'avait pas au grand jour : quelque chose de si cruel s'y révélait que Temüjin en resta glacé.

Cependant, Temüjin trouvait beaucoup d'avantages à être devenu l'*anda* de Jamuqa et à s'être rapproché de son campement. Il était facile d'écouler la laine, et on pouvait multiplier autant qu'on le voulait le nombre des chevaux et des moutons. Temüjin se réjouissait aussi d'un fait qu'il n'avait pas prévu : l'afflux de plus en plus massif d'anciens Borjigin qui, transfuges du clan Tayichi'ut, venaient à présent le rejoindre. Chaque jour, son campement augmentait de quelques tentes, parfois même une dizaine de familles arrivaient à la fois. Ce mouvement de population était de nature à réveiller l'hostilité des Tayichi'ut. Mais en l'occurrence l'*anda* Jamuqa, par sa seule présence, jouait un rôle modérateur, empêchant le chef tayichi'ut, Tarqutaï, de passer à l'action.

Même à l'intérieur du clan de Jamuqa, la balance commençait à pencher en faveur de Temüjin. La manière qu'avaient les deux chefs de diriger leurs campements respectifs était radicalement différente : si Jamuqa partageait les bénéfices de façon parfaitement égale, Temüjin, lui, avait ébauché un système de répartition proportionnelle aux efforts fournis par chacun, qui avantageait donc ceux qui travaillaient le plus.

Dans le campement de Jamuqa, les oisifs étaient favorisés, au détriment des jeunes gens ardents au travail. Voilà pourquoi augmentait peu à peu le nombre de ceux qui souhaitaient pouvoir aller s'installer auprès de Temüjin.

Cette évolution des choses ne pouvait pas échapper à Jamuqa. Un an et demi après avoir passé serment avec lui, il invita soudain Temüjin à une partie de chasse. Une telle invitation, faite en dehors de la saison de la chasse, semblait bien curieuse. En outre, Temüjin avait flairé depuis quelques jours, dans le campement de son *anda*, une certaine agitation qui devait cacher quelque chose.

Il fit immédiatement part de ses doutes à Qasar, Belgüteï, Bo'orchu et Jelme. Tous s'accordèrent à dire qu'il ne fallait pas accepter l'invitation. Mais les avis divergeaient sur les mesures à prendre : devait-on attendre la réaction de Jamuqa face à ce refus, ou au contraire prendre les devants et dissiper un éventuel malentendu ?

Temüjin fit venir Höelün et Börte pour leur demander leur avis. A peine eut-elle entendu ses explications que Börte, devançant Höelün, prit la parole d'un ton ferme : « Il faut quitter cet endroit cette nuit même ! Demain matin, il sera trop tard ! »

Tous gardèrent le silence. Démonter un campement en plein essor, abandonner les vastes pâturages qu'ils s'étaient évertués à mettre en valeur, n'était pas une décision facile à prendre. Alors Börte, regardant Temüjin bien en face, lui annonça une nouvelle inattendue : « Je suis enceinte. Tu ne veux quand même pas appeler aussi notre second enfant Jöchi ! » A ces mots, la décision de Temüjin fut prise.

Qasar, Belgüteï, Bo'orchu et Jelme se ruèrent hors de la tente de Temüjin. En un instant, tout le campement, qui comptait une centaine de foyers, fut sens dessus dessous. A peine leurs tentes démontées, les gens du clan, s'éloignant du Qorqonaq, prirent par petits groupes la direction du nord, en longeant le fleuve. Entre les chariots venaient se presser des troupeaux de moutons et de chevaux. Ce convoi totalement chaotique finit pourtant par s'étirer longuement, à partir du campement, comme un fil que l'on débobine. Une fois le fil entièrement dévidé, apparut une escorte d'une centaine de cavaliers en armes qui se plaça à la queue du convoi.

Celui-ci chemina longtemps sans la moindre halte. Chaque fois qu'il passait à proximité d'un village,

Chimbeï et Chila'un y pénétraient à cheval pour annoncer à la cantonade que Temüjin déplaçait son campement, incitant ainsi ceux qui le désiraient à se joindre à eux.

Ce n'est qu'en arrivant sur le territoire des Besüt, l'un des clans Tayichi'ut, que Temüjin accorda un court repos au convoi. Quand il pénétra dans leur campement, celui-ci était désert : tous les habitants avaient pris la fuite. Temüjin aperçut devant une tente un petit enfant assis à même le sol.

« Comment t'appelles-tu ? » lui demanda-t-il. Il dut le faire répéter plusieurs fois pour comprendre qu'il se nommait « Kököchü ».

« Qu'est-ce que tu fais là, tout seul ?

— Je garde le campement », répondit Kököchü.

Temüjin prit dans ses bras cet enfant abandonné qui veillait, avec le plus grand sérieux, sur quelques dizaines de tentes, et le confia à Qasar. Il voulait le donner à Höelün.

Le convoi quitta le village alors que commençaient à peine à poindre les lueurs blanchâtres de l'aube. Au lever du jour, on vit que trois jeunes frères du clan Jalayir avaient rejoint la queue de la colonne. La première grande halte eut lieu sur un versant des hauts plateaux. Bientôt se mirent à affluer des gens des petits campements éparpillés dans la région. Certains arrivaient avec leurs tentes montées sur des chariots, d'autre à cheval, au galop, par petits groupes. Il y avait aussi des femmes, des enfants, des vieillards. Dans leur majorité, il s'agissait d'anciens sujets de Yesügeï, qui s'étaient ensuite ralliés aux Tayichi'ut.

Le convoi, ayant repris sa route, bivouaqua ce soir-là sur les berges d'un petit lac. Là, environ trois cents personnes vinrent encore grossir ses rangs. D'après Bo'orchu, ce nouveau groupe comprenait des gens des diverses tribus de la région, à commencer par les Jalayir : Tarqut, Mongut-kiyan, Barula, Mangqut, Arulat, Besüt,

Süldüs, Qongqotan, Negteï, Olqunu'ut, Ikires, Noyakin, Oronar, Ba'arin, tous les clans étaient représentés.

Temüjin, à la tête du convoi enrichi de ces nouveaux arrivants, prit le lendemain la direction de la rivière Kimurqa. Ce jour-là, au fur et à mesure de sa progression, la caravane s'enfla encore. Pour la rejoindre, le jeune frère de Bo'orchu, Ögölen-cherbi, avait quitté le clan des Arulat, et les deux frères de Jelme, Cha'urqan et Süböteï, celui des Uriangqan.

L'après-midi, arrivé près des berges de la Kimurqa, Temüjin choisit, pour y installer un campement provisoire, une zone où de petites collines moutonnaient comme des vagues. Cet endroit, qui permettait de se protéger en cas d'offensive des troupes de Jamuqa, était aussi assez propice à la pâture des troupeaux.

Ce jour-là, une fois la caravane installée, on vit arriver sans discontinuer des gens qui avaient déserté le camp de Jamuqa : apparaissant au flanc des collines, plongeant au creux des vallons, ils s'approchaient peu à peu du campement.

Parmi eux se trouvait un vieillard d'une soixantaine d'années qui ne payait guère de mine, un dénommé Qorchi, du clan Ba'arin, qui avait amené avec lui une vingtaine de familles.

Quand il se trouva devant Temüjin, s'exprimant comme s'il faisait un rapport, il lui expliqua la cause de sa venue : « Jusqu'à présent, je ne m'étais jamais éloigné de Jamuqa. Je n'avais aucune raison de le faire. Car il m'a toujours traité avec les plus grands égards. Mais du Ciel est venu un signe qui disait : "Temüjin deviendra roi de tous les Mongols. Rends-toi auprès de lui." Et c'est ce que j'ai fait. »

Qorchi, qui avait l'air d'un gringalet, n'était guère le genre d'homme qu'on a envie d'accueillir à bras ouverts, mais Temüjin l'écouta parler avec une certaine émotion : ce vieillard, et lui seul, l'avait rejoint parce qu'il voyait en lui le futur souverain des hauts plateaux mongols. Les autres s'étaient tous ralliés à Temüjin dans l'espoir d'une vie plus facile et un peu plus heureuse. Mais pas Qorchi. Lui, il était venu poussé par un signe du Ciel.

Temüjin scruta longuement le visage parcheminé du vieillard, éclairé par les lueurs rouges du couchant, et lui dit enfin : « Si vraiment je deviens un jour roi de tous les Mongols, je te ferai chef de dix mille hommes. » Temüjin sentit alors que cet éclat rouge lui resterait à tout jamais en mémoire. Comme les traits baignés de lumière de ce vieil homme envoyé par le Ciel.

Qorchi lui répondit d'un air mécontent : « Qu'y a-t-il de si divertissant à devenir chef de dix mille hommes ? Nomme-moi chef si tu veux, mais laisse-moi aussi choisir à ma guise, parmi les femmes et les filles les plus belles du pays, celles qui me plaisent. Trente me suffiront. Je voudrais avoir trente belles filles à moi.

— Accordé », répliqua Temüjin à l'envoyé du Ciel si porté sur les femmes.

Durant les jours qui suivirent, Temüjin n'eut pas un instant de répit. La population du campement dépassait à présent les trois mille personnes, et les choses n'étaient plus aussi simples à organiser qu'auparavant. Temüjin, nommant Bo'orchu et Jelme à la tête du camp, leur en confia le commandement. L'un et l'autre remplirent parfaitement leur tâche. C'était d'abord Bo'orchu qui arrangeait les choses avec diplomatie. Jelme venait alors après lui pour corriger les écarts, pour combler les manques.

Pendant le mois où la caravane demeura en cet endroit, des groupes de gens des clans Geniges, Jadaran, Saqayit, Jürkin vinrent s'intégrer à elle, permettant ainsi à Temüjin d'étendre son influence. Il réunit autour de lui certains des siens, qui étaient à la tête de bandes dispersées : son oncle Daritaï-otchigin, son cousin germain Quchar, ses autres cousins les frères

Seche-beki et Taichu, et aussi Altan, fils de Qutula-khan, et Eke-cheren, cousin d'Altan.

Quand il fut sûr que Jamuqa ne lancerait plus ses troupes à sa poursuite, Temüjin déplaça son campement des berges de la rivière Kimurqa à la rive nord d'un lac en forme d'étoile de mer, près de la rivière Senggur, qui coule dans le mont Gürelgü. C'était un lieu assez vaste pour accueillir un campement même gigantesque, et des pâturages encore vierges s'étendaient à perte de vue.

Dès qu'il eut choisi cet endroit pour s'y installer, Temüjin, poussé par ceux de sa tribu, se proclama khan des Mongols. C'était en 1189. Il avait vingt-sept ans. Pendant un temps, ce titre avait été porté par Tarqutaï, du clan Tayichi'ut. Mais celui-ci avait dû y renoncer à la suite de l'éloignement d'un grand nombre de ses hommes. Les Tayichi'ut, ainsi que les Jadarat de Jamuqa, à présent ennemi de Temüjin, et quelques autres clans, n'allaient évidemment pas reconnaître le jeune homme comme khan. Mais par le passé, il en avait toujours été ainsi : jamais, que ce soit du temps du premier khan, Qabul, de celui d'Ambaqaï ou de Qutula, puis du père de Temüjin, Yesügeï, les clans mongols n'avaient été complètement unifiés. Temüjin, même une fois devenu khan, allait donc devoir combattre contre des gens de sa propre tribu. Cependant pour lui, l'accession à ce titre représentait un énorme pas en avant, même si elle impliquait la perspective de luttes longues et acharnées contre Tarqutaï et Jamuqa.

Le jour où Temüjin se proclama khan, Qorchi vint le voir et lui dit : « Tu vois bien que la prédiction du Ciel que je t'ai transmise n'était pas un mensonge ! Te voilà devenu khan ! Désormais, il te reste à unifier les clans mongols, à soumettre aussi les nombreuses autres tribus vivant sur notre territoire. Alors viendra le jour où tu régneras, tout-puissant, sur les hauts plateaux. Ce jour-là, n'oublie pas la promesse que tu m'as faite ! »

101

Temüji, comme s'il lui versait en acompte une partie de son dû, lui répondit : « Messager du Ciel ! Je te dispense désormais des affaires domestiques, de la garde des troupeaux et de la participation à la guerre, et je te nomme conseiller auprès de Höelün pour l'éducation de ses fils adoptifs, Küchü et Kököchü », libérant ainsi le vieil oracle de toutes les tâches pour lui attribuer une fonction purement formelle. Ce fut là le premier ordre édicté par le khan Temüjin.

Temüjin s'attacha à doter son campement d'une organisation totalement différente de celle des anciens khans. Il fallait en effet que cette population de nomades, bergers en temps de paix, puisse en cas de besoin se regrouper immédiatement en corps d'armée puissants et efficaces.

Temüjin constitua des unités d'archers et de porteurs de sabres, fonda un système de messagers à cheval, et confia aux hommes compétents la responsabilité des chevaux de guerre, des convois, du ravitaillement, des pâturages. Il plaça ses deux premiers vassaux, Bo'orchu et Jelme, au rang le plus haut après lui dans la hiérarchie du campement. Il éleva également les frères de ceux-ci à des positions importantes.

Le campement avait à présent des dimensions beaucoup plus vastes qu'à l'époque de Yesügeï, le père de Temüjin. Celui-ci disposait donc enfin de moyens suffisants pour s'attaquer aux Tayichi'ut et aux Tatars. Ses frères, Qasar, Belgütei, Qachi'un et Temüge, avaient pris femme et vivaient dans des tentes indépendantes. Sa sœur, Temülün, avait elle aussi été mariée, créant ainsi un nouveau foyer. Tous, en tant que membres de la famille de Temüjin, jouissaient de privilèges particuliers. Höelün, qui approchait de la cinquantaine, se consacrait avec toute la passion d'une femme de cet âge à l'éducation des deux enfants trouvés, Küchü et Kököchü. Qorchi, d'abord promu conseiller d'éducation, vit son rôle légèrement modifié à l'initiative de Höelün.

« Je veux recueillir des enfants d'origines très diverses. Tu peux prendre tout ton temps, mais débrouille-toi pour me trouver des enfants intelligents, abandonnés par les autres tribus. »

Qorchi, mécontent de voir que Höelün n'avait pas recours à lui pour l'éducation de Küchü et Kököchü, éprouva pourtant malgré lui un indéniable intérêt pour la tâche singulière qu'elle lui avait confiée. Et chaque jour, seul homme à rester dans le campement avec les femmes, il ne cessait d'attendre, en regardant passer les nuages, qu'une guerre éclate avec quelque tribu, lui donnant ainsi l'occasion de recueillir d'autres enfants abandonnés.

Temüjin, entouré de quelques serviteurs, vivait avec Börte, son fils aîné Jöchi et le cadet, Jagataï, né depuis qu'il était devenu khan. Pareil en cela à son père Yesügeï, il ne faisait aucune distinction entre ses deux fils, s'interdisant de marquer à l'un ou à l'autre la moindre préférence. Cependant, il se surprenait parfois à considérer Jöchi avec froideur, et sentait bien qu'il ne le regardait pas du même œil que Jagataï.

Cette attitude n'échappait pas à Börte. Et chaque fois qu'elle remarquait ce regard froid, elle adressait au petit Jöchi des paroles destinées en réalité à Temüjin.

« Jöchi ! Quand tu seras grand, n'accepte, à la guerre, que les postes les plus exposés ! Réalise ce qu'aucun autre n'est capable de faire, ce que ni ton grand-père ni ton père n'auront réalisé ! C'est pour cela que tu es venu au monde. C'est pour les Mongols que le Ciel divin t'a accordé de naître dans cette tribu ! »

Quand Börte prononçait ces mots, le sang se retirait de son visage, où seuls alors étincelaient ses yeux magnifiques. Ses paroles avaient exactement le même sens que les premières murmurées par Temüjin à l'adresse de son fils, dans le campement des Merkit : *Deviens loup ! Moi aussi, je le deviendrai !*

Temüjin battait en retraite devant les regards de reproche que lui lançait Börte. *Deviens loup ! Moi aussi, je le deviendrai !* En son for intérieur, il ne cessait de répéter ces mots. Il savait que bien des tâches l'attendaient, des tâches qui passaient avant la préoccupation que Jöchi représentait pour lui. C'était d'abord à lui de devenir un loup. Un loup aux appétits illimités. Et qui, après n'avoir fait qu'une bouchée des Tayichi'ut, aurait encore à entreprendre bien d'autres exploits.

Temüjin, jusqu'à la naissance de Jagataï, avait partagé son lit avec Börte et Jöchi, mais ensuite, il prit son fils aîné avec lui. Le père et l'enfant, pareils à un loup et son louveteau, s'endormaient visage contre visage, sans échanger un seul mot. Jöchi était un enfant étonnamment taciturne, tout comme Temüjin au même âge.

Lorsque Temüjin devint khan des Mongols, il dépêcha Belgüteï chez les Kereyit, auprès de To'oril-khan, pour lui annoncer cette nouvelle. Celui-ci chargea Belgüteï d'un message pour Temüjin : « O mon *anda,* ô mon valeureux fils, ta nomination au rang de khan est un bienfait pour tous les Mongols. Car ils avaient besoin d'un chef exceptionnel. Mais il ne faut pas trahir le serment que tu as passé avec moi ! Il ne faut pas, de toute ta vie, le délier. Car cela signifierait la mort pour le père ou pour le fils ! »

Temüjin dépêcha de même un messager auprès de Jamuqa. Ce fut Qasar qui se chargea de cette mission. Jamuqa, prenant comme interlocuteurs Altan et Quchar qui l'avaient quitté pour se rallier à Temüjin, eut alors ces paroles, bien dignes de lui par leur ironie subtile : « Altan et Quchar ! Pourquoi donc, semant la discorde entre moi et mon *anda* Temüjin, unis pourtant par la tendresse d'un matin de printemps, nous avez-vous séparés ? O traîtres au cœur de fauves, vous avez percé les reins de Temüjin, vous lui avez aiguillonné les côtes ! Mais il n'est plus l'heure de vous poursuivre pour ce crime. Je ne puis que supplier les dieux : qu'ils fassent de vous les fidèles compagnons de mon *anda* ! »

Quatre années, rapides comme l'éclair, s'étaient écoulées depuis l'accession de Temüjin au rang de khan des Mongols. Temüjin était parvenu à faire régner à l'intérieur de son campement une autorité absolue. Il imposait à tous les hommes, après qu'ils avaient terminé les soins aux troupeaux, un entraînement militaire. Durant ces quatre ans, la situation avait quelque peu changé sur les hauts plateaux. Toutes les tribus avaient été assimilées par l'une des quatre forces en présence : celles de To'oril-khan, de Jamuqa, de Temüjin et des Tatars.

Soudain, cette année-là, un matin du début de l'automne, Temüjin apprit que Jamuqa, à la tête de treize tribus réunies en trois unités de dix mille hommes chacune, avait franchi les monts Ala'ut et Turqa'ut, et s'apprêtait à attaquer son campement. Ce furent deux jeunes gens du clan Ikires, Mülke-totaq et Boroldaï, qui vinrent lui apporter cette nouvelle.

Temüjin fit transmettre immédiatement à tous ses partisans l'ordre de se mobiliser, et le soir de ce même jour, quitta son campement à la tête d'effectifs de plus de dix mille hommes, en direction de la vaste plaine de Dalan-baljut. A mesure qu'elle avançait, l'armée augmentait en nombre, et le soir du second jour, quand elle atteignit la plaine, elle comptait trente mille hommes qui prirent position sur le champ de bataille. Les forces en présence étaient donc égales.

L'affrontement débuta le lendemain matin à l'aube. Dès l'ouverture du combat, Temüjin sut qu'il allait perdre. En effet, il se trouvait en position défensive dans cette bataille dont l'ennemi avait pris l'initiative.

Or, comme ses innombrables campagnes allaient le prouver par la suite, Temüjin excellait dans les attaques, mais pas dans la défense. Tous les officiers qu'il avait sous ses ordres, que ce soit Bo'orchu, Jelme, Qasar ou Belgüteï, déployaient une puissance redoutable dans les offensives, mais leur efficacité devenait presque nulle dès qu'ils étaient contraints d'attendre l'assaut de l'ennemi.

Cette première grande bataille qu'il livra constitua donc pour Temüjin une expérience malheureuse. Avant même qu'elle ne débute, il sentit bien que l'ensemble de ses hommes manquait totalement de combativité. S'il s'était agi d'attaquer, cette armée de trente mille loups aurait d'un seul bond franchi toutes les montagnes, toutes les vallées. Mais cette attente interminable les désorientait, les faisant ressembler à des fauves enchaînés. Temüjin, lui aussi, éprouvait le même sentiment d'impuissance.

La bataille débuta dans une sorte de torpeur. Aussitôt, toutes les lignes furent enfoncées par la cavalerie de Jamuqa. Temüjin donna immédiatement à son armée l'ordre de repli général ; les messagers partirent à bride abattue le transmettre aux quatre coins de la vaste plaine.

Temüjin, à la tête de son unité de dix mille hommes, se rua dans un défilé au relief accidenté, le long du fleuve Onon. A présent que l'on battait en retraite, tous, ayant retrouvé leur fougue, réagissaient avec vivacité. Temüjin, curieusement, ne parvenait pas à réaliser sa défaite. Apparemment, il en était de même pour Bo'orchu, Jelme, Qasar et Belgüteï.

Une fois revenu à son campement, Temüjin apprit que Jamuqa avait fait bouillir dans soixante-dix marmites toute la population d'un campement Chinos, et qu'ayant coupé la tête de leur chef, il s'en était retourné en la traînant attachée à la queue de son cheval.

Quelques centaines d'hommes avaient péri dans la bataille, mais étant donné l'ampleur de celle-ci, il s'agissait de pertes minimes. Très peu de temps après la défaite, Temüjin accueillit dans son campement des gens qui avaient abandonné le parti de Jamuqa. Plusieurs clans, au grand complet, vinrent ainsi le rejoindre, et tous maudissaient la cruauté de leur ancien chef.

Parmi ces nouveaux arrivants se trouvait Mönglik, avec ses sept enfants. C'était lui qui autrefois, à la mort de Yesügeï, après être allé chercher Temüjin dans le campement Onggirat et l'avoir remis à Höelün, s'était empressé de passer du côté des Tayichi'ut. Evidemment, si on remuait ainsi le passé, les gens qui revenaient vers Temüjin étaient tous des traîtres, puisqu'ils l'avaient jadis abandonné, lui et sa famille. Mais Temüjin ne mettait pas Mönglik exactement sur le même plan que les autres : la trahison de cet homme en qui il avait placé toute sa confiance l'avait particulièrement marqué.

Pourtant, quand il se trouva face à Mönglik, il s'imposa de réprimer ses sentiments. Mönglik, observant le visage de son chef, s'attendait à ce que celui-ci l'accable d'invectives. Mais aucun reproche ne sortit de la bouche de Temüjin.

Au contraire, il exprima sa joie de voir l'homme en bonne santé et accueillit avec bienveillance ses sept enfants. Ce n'était pas pour Mönglik que Temüjin dispensait ainsi ses bontés. C'était en souvenir de son père, le vieux Charaqa : autrefois, lorsque tous les gens du clan avaient déserté le campement, il avait été le seul à défendre jusqu'au bout la malheureuse famille de Temüjin, ce qui lui avait valu de mourir sous les coups du chef tayichi'ut.

Pour marquer sa reconnaissance au vieux Charaqa, Temüjin se jura de traiter avec égards Mönglik et ses enfants. Appelant Qasar et Belgüteï, il leur ordonna : « Accueillez chaleureusement le fils et les petits-enfants de Charaqa ! »

Jamuqa ne semblait pas avoir plus le sentiment de sa victoire que Temüjin celui de sa défaite. Il s'était contenté de mettre en fuite l'armée de son adversaire, sans pousser plus avant les hostilités. Et sur les hauts plateaux mongols, le pouvoir continua à être divisé en quatre, entre To'oril-khan, Jamuqa, Temüjin et les Tatars. En apparence, tout était calme, et rien ne laissait prévoir une rupture de cet équilibre.

Pendant les trois ans qui suivirent l'affrontement avec Jamuqa, Temüjin consacra toute son énergie à unifier sa tribu. Comme elle rassemblait des gens de tous les clans mongols, les problèmes les plus divers ne cessaient de se succéder. Parmi eux, le plus préoccupant pour Temüjin résultait de l'attitude d'opposition systématique manifestée à son égard par ses deux cousins, les frères Seche-beki et Taichu. Ils avaient formé, sous le nom de « clan Jürkin », un campement indépendant, et même s'ils reconnaissaient Temüjin comme khan, ils ambitionnaient de prendre sa place dès que l'occasion s'y prêterait.

Seche-beki et Taichu n'étaient pas les seuls éléments troubles : le cousin de Temüjin, Quchar, son oncle Daritaï-otchigin, et le fils de Qutula-khan, Altan, étaient à l'affût de la moindre occasion d'étendre leur pouvoir.

Temüjin n'accordait aucune confiance à tous ces gens de sa proche parenté. C'était poussé par eux qu'il avait pu accéder au rang de khan, et il avait donc à leur marquer de la considération en toutes circonstances. Mais il savait bien que le jour viendrait où il lui faudrait les éliminer. Cependant, ce moment était encore loin. En attendant, Temüjin devait éviter de provoquer des remous, afin de maintenir la paix dans sa tribu. Pour l'instant, ces gens-là constituaient une précieuse réserve d'effectifs qu'il lancerait en temps voulu contre les autres tribus. Car il pouvait avoir à tout moment à combattre Jamuqa, ou à violer le serment passé avec To'oril-khan.

Quatre ans après l'affrontement avec Jamuqa, en janvier, Temüjin eut trente-cinq ans. Les jeunes gens qui pendant longtemps avaient partagé avec lui toutes les épreuves étaient eux aussi parvenus à la maturité. Ses frères Qasar et Belgüteï avaient trente-trois ans, les deux plus jeunes, Qachi'un et Temüge, étaient des hommes d'une trentaine d'années, dans la force de l'âge. Bo'orchu, son bras droit, sur lequel il s'appuyait pour tout, avait comme lui trente-cinq ans, et Jelme, son autre loyal compagnon, trente-huit ans.

Lors du banquet de Nouvel An, Temüjin, promenant ses regards sur ses fidèles vassaux alignés devant sa tente, éprouva pour la première fois un sentiment d'intense satisfaction : tous débordaient de vigueur. Il les détaillait un à un, et ne voyait que de robustes Mongols, tels qu'il les avait rêvés depuis son enfance. Non plus dépositaires du sang de l'ancêtre-loup, mais devenus loups bleus eux-mêmes. C'était vrai de Bo'orchu, Jelme, Qasar, Belgüteï, et de Qachi'un et Temüge, et aussi des deux frères Chimbeï la Grosse Tête et Chila'un le Louche, et de tous ceux qui étaient là, sans exception. Ils se muèrent soudain en une horde de loups prêts à partir en chasse : leurs yeux, assez perçants pour voir à des distances sans bornes, brillaient d'un éclat farouche, où se lisait la volonté inflexible de s'approprier tout ce qu'ils désiraient. Leurs corps, bâtis pour l'attaque, étaient merveilleusement constitués. Leurs flancs luisants étaient souples et fermes, leurs quatre membres avaient juste ce qu'il faut de muscles pour fendre les plaines enneigées et le vent de la tempête, et leurs queues au poil coupant étaient assez fournies pour devenir des lames capables de trancher l'air.

Temüjin porta ensuite ses regards sur le groupe des femmes. Höelün, qui avait cinquante-cinq ans, était flanquée des deux adolescents de quinze ans, Küchü, unique rejeton du clan Merkit, et Kököchü, qu'un caprice du destin faisait grandir dans cette tribu malgré sa naissance chez les Tayichi'ut. Jamais Temüjin n'avait vu le visage de sa mère resplendir d'une telle fierté. Höelün avait coutume de répéter à qui voulait l'entendre : « Qui d'autre que moi pourrait être, pour les orphelins, le jour l'œil qui veille, la nuit l'oreille qui écoute ? » et c'était tout à fait exact : elle élevait avec amour, mais fermement, les enfants originaires d'autres tribus.

Aux côtés de sa mère Höelün se trouvait Börte, sa femme, avec leur fils Jöchi, qui venait d'avoir dix ans, et qui lui faisait escorte. Mais aux yeux de tous, c'était elle plutôt qui semblait être au service de l'enfant. Börte, depuis que ce petit « hôte » était arrivé au campement, l'avait élevé sévèrement, avec une passion singulière que Temüjin trouvait parfois inquiétante. Après Jöchi, elle avait mis au monde trois autres garçons : Jagataï, Ögödeï et Tolui, mais lors des cérémonies officielles, elle les confiait à des servantes et se plaçait toujours aux côtés de Jöchi. Il était difficile de savoir s'il deviendrait un jour ce loup que son père et sa mère appelaient de tous leurs vœux, mais une chose était sûre ; ce n'était pas un enfant comme les autres. Il était taciturne au point qu'on aurait pu le croire muet, et ne souriait jamais. Il percevait et distinguait avec une étonnante acuité le murmure du vent à l'extérieur de la tente, le moindre passage d'homme ou de bête.

De même que les hommes alignés là lui étaient apparus sous la forme de loups, Temüjin voyait à présent Höelün et Börte comme des biches blanches. Et pas seulement elles : toutes les femmes qui se tenaient derrière elles étaient des biches qui assistaient au départ à la chasse des loups.

« Cette année, peut-être bien qu'il y aura une bataille, dit le vieux Qorchi.

— Moi aussi, j'ai ce sentiment », répondit Mönglik escorté de ses sept enfants, de vigoureux adolescents.

Qorchi avait à présent dépassé la soixantaine, et Mönglik, la cinquantaine. Ces deux anciens siégeaient toujours aux places d'honneur lors des cérémonies. A supposer qu'il y eût une bataille, elle les opposerait soit à Jamuqa, soit à To'oril-khan. Il était inutile de trouver un prétexte à l'ouverture des hostilités : dès qu'un chef de clan était pris de l'envie de se battre, n'importe quel adversaire devenait immédiatement un ennemi. En l'occurrence, s'il devait y avoir un affrontement, il était plus que probable que ce serait contre Jamuqa, poursuivirent les deux vieillards.

Temüjin, tout comme eux, pressentait que la bande de loups qui se trouvait devant lui aurait sans doute à partir se battre cette année-là. Seulement, lui ne savait pas vraiment contre qui. Il était peu prévisible que Jamuqa vienne lui chercher querelle, ou que To'oril-khan prenne l'initiative d'une attaque. Dans ces conditions, c'était de lui, Temüjin, que tout dépendait. Mais il était incapable de prévoir de quel côté allaient pencher ses désirs.

Le pressentiment de Temüjin se réalisa six mois plus tard, vers la fin de juin. Ayant appris, par un colporteur onggirat venu du pays de Börte, que l'immense armée de l'empire Kin avait franchi la Grande Muraille pour lancer une offensive contre les Tatars, Temüjin décida instantanément d'attaquer lui aussi cette tribu. Les Tatars étaient, tout comme les Kin, les ennemis séculaires des Mongols ; Temüjin n'avait pas oublié les paroles que son père Yesügeï répétait comme un refrain : « Il faut écraser les Tayichi'ut, écraser les Tatars ! » Finalement, il allait procéder dans l'ordre inverse, mais l'essentiel était de saisir le moment propice à l'offensive. S'il la laissait passer, l'occasion de vaincre les Tatars, qui depuis longtemps dominaient le nord-est des hauts plateaux, ne se représenterait peut-être plus. Il s'agissait donc, pour lui, d'une chance exceptionnelle.

Temüjin se comporta alors exactement comme To'oril-khan, dix ans auparavant, l'avait fait au moment où il avait brutalement éliminé les Merkit : cette fois, prenant l'initiative, ce fut lui qui entraîna To'oril-khan dans cette attaque, comme le vieux chef avait autrefois entraîné Jamuqa. Ainsi, il pouvait multiplier ses forces offensives tout en se préservant de la réprobation des autres tribus à son encontre.

Belgüteï se rendit avec un de ses compagnons comme messager auprès de To'oril-khan, dans la Forêt noire. En attendant qu'il revienne, Temüjin prépara ses troupes à partir en campagne. Belgüteï, à son retour, l'informa que To'oril-khan, à la tête de l'armée kereyit au grand complet, s'était déjà mis en route. Temüjin se remémora, avec un élan d'enthousiasme, la promptitude du vieux chef, pareille à celle du vautour fondant sur sa proie.

Les troupes de trente mille hommes menées par Temüjin s'ébranlèrent en direction du nord-est, cheminant jour et nuit à travers les plaines et les steppes des hauts plateaux mongols. Le dixième jour, à proximité du confluent du fleuve Kerülen et de la rivière Ulja, elles firent leur jonction avec l'armée alliée.

Temüjin, après dix ans de séparation, retrouvait To'oril-khan, qui avait à présent dépassé la soixantaine.

« O mon fils ! dit le vieux général, qui avait toujours le même regard froid, le même front sévère. Après avoir vaincu les Tatars, il nous faudra tuer tous leurs hommes, jusqu'au dernier, et nous partager équitablement leurs femmes, leurs trésors, leurs moutons. Tu n'y vois pas d'objection, j'espère ! Je connais l'intarissable haine que vous avez, vous les Mongols, pour l'ennemi tatar !

— Tu as mon accord ! » répondit Temüjin. Les Tatars devaient payer pour tous leurs forfaits. Par leur faute, le sang des ancêtres mongols avait coulé bien des fois. Qutula-khan et ses six frères avaient perdu la vie en combattant contre eux. Ambaqaï-khan, capturé par eux, avait été livré aux Kin. Puis on l'avait cloué à un âne en bois, dépecé encore vivant et haché en menus morceaux. « Vengez-moi, quitte à user pour cela tous vos ongles, à perdre tous vos doigts ! » La voix du vieux Bültechü, qui lui avait raconté cette histoire dans son enfance, résonnait encore aux oreilles de Temüjin.

« O mon *anda* ! poursuivit To'oril-khan, trois jours après avoir achevé le partage du butin, au moment où le soleil se montrera, je lèverai le camp avec mon armée. Toi aussi, tu feras de même !

— Tu as mon accord », répondit Temüjin, et c'est alors seulement que To'oril-khan adressa un sourire à son *anda,* qui pouvait devenir à tout moment son ennemi.

112

Une fois la répartition du butin et les conditions de départ ainsi définies, l'offensive commença. Les Tatars étaient déjà en plein combat contre l'armée supérieurement équipée des Kin. To'oril-khan les attaqua par le nord-ouest, Temüjin par le sud-ouest.

Les Tatars, ainsi assaillis de trois côtés, finirent, au terme d'un combat désespéré de sept jours, par être anéantis. Temüjin avait donné à ses hommes la consigne de n'épargner aucun soldat ennemi. Quand le chef tatar Megüjin-se'ültü, une fois capturé, fut traîné devant lui, il le tua en lui fendant le crâne en deux. Tous les prisonniers furent sabrés. Les femmes, ligotées, furent rassemblées en un même endroit, et divisées en deux groupes, respectivement emmenés aux cantonnements de To'oril-khan et de Temüjin. Quant aux campements tatars, après le pillage, ils furent incendiés de fond en comble.

Le chef de l'armée kin, pour les remercier de leur appui, conféra à To'oril-khan le titre de « roi », et à Temüjin celui de « centenier ». Temüjin accepta sans sourciller ce titre qui pour lui, en l'état actuel des choses, n'avait concrètement aucune valeur. To'oril-khan n'avait pas l'air mécontent, mais son jeune *anda* était traversé par des sentiments contradictoires. Pour lui en effet, l'empire Kin, de l'autre côté de la Grande Muraille, restait lui aussi un ennemi mortel. Et il se dit qu'un jour, les rôles étant inversés, son tour viendrait de rendre ce titre aux Kin. Mais cette idée ne fit que l'effleurer, sans prendre la forme d'une véritable résolution. Car le temps n'était pas encore venu pour lui de se préoccuper de ce qui se passait de l'autre côté de la Grande Muraille.

Les troupes levèrent le camp dans les conditions fixées par l'accord avec To'oril-khan. Son armée et celle de Temüjin étaient suivies de plusieurs centaines de chariots croulant sous le poids de tous les objets pris à l'ennemi. Le butin de Temüjin différait quelque peu de celui du vieux chef : si on pouvait y voir aussi des berceaux d'argent ou de la literie incrustée de grosses pierreries et de coquillages, l'essentiel consistait en chars de guerre, en armes et en cuirasses, véritable inventaire de tout le matériel utilisé non seulement par les Tatars, mais aussi par les Kin. Certains objets avaient été ramassés sur le champ de bataille, d'autres achetés à l'armée kin.

Il y avait aussi dans ce butin une curieuse prise de guerre : il s'agissait d'un orphelin que Qorchi, qui s'était joint à l'armée de Temüjin pour accomplir sa mission, avait récupéré dans un campement tatar. L'enfant portait un plastron de satin tricolore doublé de zibeline et orné d'un anneau d'or. Il était encore à l'âge où l'on parle à peine, mais son visage avait une distinction qui laissait deviner la noblesse de ses origines. Qorchi, en le recueillant, pouvait enfin au bout de quelques années répondre au désir exprimé par Höelün.

L'enfant fut offert à Höelün, qui lui donna le nom de Shi'i-qutuqu et l'accueillit dans sa tente afin de faire, de ce petit milan tatar, un faucon mongol.

Temüjin, rentré triomphalement à son campement, apprit que Seche-beki et son frère Taichu, du clan Jürkin, avaient attaqué un village qui dépendait directement de lui, dépouillant de leurs vêtements plusieurs dizaines d'hommes, et en tuant plus de dix. Lors de l'offensive contre les Tatars, Temüjin avait ordonné aux Jürkin de se mobiliser. Or, non contents de désobéir à cet ordre, ils avaient osé profiter de son absence pour commettre cet acte de violence.

Temüjin lança aussitôt une expédition punitive contre les Jürkin. C'était l'occasion rêvée d'éliminer Seche-beki, Taichu et les autres. Leur méfait était incontestable. Temüjin, sans laisser à ses proches le loisir d'intervenir, assaillit à l'improviste les Jürkin sur les rives du fleuve Kerülen, captura Seche-beki et Taichu, et les décapita. Et il fit transférer les tentes de tous les gens de leur clan dans son propre campement.

Au cours de cette expédition, Qorchi récupéra un autre orphelin, du nom de Boro'ul, qu'il emmena avec lui pour l'offrir à Höelün.

« Les hommes du clan Jürkin étaient, de tous les Mongols, les plus téméraires. Sans doute en sera-t-il de même de Boro'ul », dit Qorchi, qui ajouta : « Jusqu'au jour où Temüjin régnera en seigneur absolu sur les hauts plateaux, avec cet afflux d'enfants, le campement ne risque pas de désemplir ! »

Qorchi se donnait donc avec de plus en plus d'ardeur à sa tâche. Ses paroles ne découragèrent nullement Höelün. Car pour sa part, elle consacrait une incroyable énergie à élever comme de jeunes Mongols tous ces orphelins. Et Küchü, Kököchü, Shi'i-qutuqu et Boro'ul grandissaient sous la même tente comme quatre frères.

Une fois les Tatars anéantis, le pouvoir, sur les hauts plateaux où vivaient deux cent mille nomades, se répartit entre trois tribus distinctes : les Mongols de Temüjin, les Kereyit de To'oril-khan et les Jadarat de Jamuqa. Le conflit entre Jamuqa et les armées coalisées de To'oril-khan et de Temüjin éclata quatre ans après l'offensive contre les Tatars, alors que Temüjin avait trente-neuf ans.

Il s'agissait, pour lui comme pour To'oril-khan, d'une bataille cruciale. Jamuqa avait rallié à lui les clans Qatagin, Salji'ut, Ikires, Qorulas, Naiman, Tayichi'ut et Oirat, et régnait sur les peuples autrefois dominés par les Tatars et les Merkit. En outre, pour des raisons géographiques, la région des Onggirat, le clan d'origine de Börte, faisait aussi partie de son territoire.

Ce fut Jamuqa qui déclencha les hostilités. Ayant eu vent de cette nouvelle, To'oril-khan, sans se donner la peine de vérifier si elle était exacte, mobilisa toute son armée et arriva au campement de Temüjin.

Celui-ci accueillit le vieux général sous sa tente, et tous deux mirent au point la stratégie leur permettant d'affronter les forces imposantes de Jamuqa.

115

« O mon *anda* ! Pour éviter tout litige entre nous, je suggère que nous envoyions chacun en première ligne, en nombre égal, nos troupes les plus puissantes, proposa To'oril-khan.

— J'accepte », répondit Temüjin, et il dépêcha à l'avant-garde trois unités commandées par Altan, Quchar et Daritaï-otchigin. To'oril-khan, de son côté, choisit les unités des trois chefs Senggüm, Jaqa-gambu et Bilge-beki.

Il s'agissait là d'une stratégie bien concertée, mais une fois le combat engagé, To'oril-khan et Temüjin, sans plus tenir compte de leurs pertes respectives, furent bien obligés d'envoyer à tour de rôle en première ligne, selon la nécessité du moment, leurs bataillons les mieux entraînés. Ainsi Temüjin, gardant seulement auprès de lui les troupes de Jelme, lança-t-il successivement dans la mêlée celles de Bo'orchu, de Qasar et de Belgüteï.

La bataille se déroula sur une étendue étonnamment vaste, couvrant les cours inférieurs et supérieurs de plusieurs fleuves : le Selengga, l'Orkhon, l'Orion, le Kerülen. Les messagers ne cessaient, du matin au soir, d'apporter des nouvelles de toutes les zones du front, annonçant qui une victoire, qui une défaite. Le cinquième jour après l'ouverture du combat, la nécessité s'imposa d'une bataille décisive entre les forces en présence. Jamuqa était en train de déplacer le gros de ses troupes vers le cours inférieur du Kerülen.

Quand il apprit cette nouvelle, Temüjin dit à To'oril-khan : « O mon vieux père ! Reste ici ! C'est moi qui irai ! » En effet, il avait le sentiment qu'il ne pouvait pas s'en remettre à To'oril-khan pour cette expédition. Celui-ci avait beau être le seigneur du Gobi et bénéficier d'une longue expérience, il avait tout de même largement dépassé la soixantaine. Cependant, Temüjin n'était pas pour autant persuadé de ses propres chances de victoire. Tant que le combat n'était pas engagé, l'issue en restait incertaine. Quelle qu'en soit l'issue d'ailleurs, les pertes seraient de toute façon considérables. Malgré tout, Temüjin sentait bien qu'à moins de prendre lui-même la tête des opérations, il ne pourrait pas être rassuré.

« Jeune coq ! Quel plaisir éprouves-tu à partir ainsi au massacre ? Jamuqa n'est pas un adversaire pour toi ! C'est moi qui irai ! » répondit To'oril-khan à la proposition de Temüjin. Celui-ci allait insister, mais le vieux chef, le visage mince et blême virant à l'écarlate, se mit à rugir : « Il n'est pas question de perdre cette bataille ! Crois-tu que je peux me fier à un gamin de ton espèce ? Tu prendras l'ennemi par son flanc gauche, pour écraser les Tayichi'ut ! »

Et Temüjin ne put faire autrement que de laisser, dans ce combat difficile dont dépendait leur sort, la direction des opérations à To'oril-khan.

Celui-ci, à la tête d'une armée de dix mille hommes, partit vers le bas Kerülen, tandis que Temüjin, pour attaquer les Tayichi'ut qui couvraient Jamuqa, s'ébranlait lui aussi avec dix mille soldats, en direction du cours moyen du fleuve Onon.

C'était pour lui la première occasion importante de livrer bataille à ses ennemis de toujours. Temüjin divisa son armée en plusieurs bataillons qui, encerclant les positions tayichi'ut, resserrèrent peu à peu leur étau autour d'elles. Le combat dura un jour et une nuit.

Au coucher du soleil, Temüjin fut grièvement blessé à la veine du cou par une flèche ennemie. Le sang jaillissait de cette blessure, mais avec la poursuite de la bataille et la tombée du jour, il fut impossible de la soigner. Plus tard dans la nuit, une fois le combat interrompu, Jelme, collant ses lèvres à la plaie de Temüjin, mit toute son énergie à en aspirer le sang. Et il suçait et crachait, suçait et crachait encore, pour qu'aucune goutte de poison ne reste dans le corps de son chef. A l'aube, la terre tout autour d'eux apparut entièrement teinte de ce sang noirâtre.

Le lendemain arrivèrent au cantonnement de Temüjin deux hommes venant du campement Tayichi'ut encerclé.

Il s'agissait du père de Chimbeï et Chila'un, Sorqan-shira, et d'un jeune homme de vingt-cinq ou vingt-six ans, au visage basané. Comme Temüjin avait autrefois été sauvé par Sorqan-shira, il décida, en signe de reconnaissance, de le protéger. Puis il interrogea le jeune homme : « Dans quelle arme sers-tu ?

— Je suis archer.

— Pourquoi t'es-tu rendu ?

— Je n'avais plus de flèches.

— Sais-tu qui est l'habile archer qui a brisé la mâchoire de mon cheval fauve et m'a blessé à la veine du cou ? »

Le jeune homme, après un instant de réflexion, répondit : « Ce doit être moi. Ce sont certainement des flèches que j'ai tirées du haut de cette crête.

— Maintenant que je sais cela, je ne peux plus te laisser la vie sauve.

— Ce qui est fait est fait ! Tue-moi si tu veux ! » dit le jeune homme. Mais Temüjin n'avait pas envie de le tuer. Il y avait, dans les yeux de ce soldat capable, au mépris de son propre sort, de répondre aussi franchement, un éclat qui l'attirait. Le jeune homme, sans se dérober devant le regard inquisiteur de Temüjin, s'écria : « Tranche-moi vite le cou !

— Ne sois pas si pressé de mourir ! Tu serviras à mes côtés. Et si je t'en donne l'ordre, tu écraseras le roc bleu, tu réduiras en miettes le roc noir ! »

Devant ces paroles, le jeune homme, soutenant toujours le regard de Temüjin, garda le silence.

« Je te donne le nom de Jebe (la Flèche) », dit Temüjin. Le jeune homme, invariablement silencieux, ne cilla pas. Le nom de Jebe convenait à merveille à cet archer exceptionnel, au crâne pointu comme une tête de flèche.

Le soir de ce même jour parvint à Temüjin un courrier lui annonçant que To'oril-khan, après avoir écrasé l'armée ennemie, s'était lancé à la poursuite de Jamuqa en fuite.

Temüjin massacra systématiquement les Tayichi'ut. Il n'était pas parvenu à capturer leur chef, Tarqutaï, et c'était là son seul regret. Mais il avait exterminé tout le clan, pour que plus jamais le nom de Tayichi'ut ne soit prononcé sur les hauts plateaux mongols. Les Tayichi'ut lui étaient en quelque sorte apparentés, dans la mesure où ils avaient avec lui des ancêtres communs, pourtant Temüjin se montra impitoyable. Il y avait parmi les prisonniers un grand nombre de Borjigin qui, dans son enfance, vivaient dans le même campement que lui. Certains lui étaient même proches par le sang. Cependant, il les traita comme ses pires ennemis, sans se laisser fléchir par les arguments ou les supplications.

« Arrachons la vie à tous les Tayichi'ut, jusqu'aux descendants de leurs descendants, et dispersons-les au vent comme de la cendre ! »

Conformément à cet ordre, tous les hommes qui se trouvaient dans le campement Tayichi'ut furent décapités. Quant aux femmes et aux enfants, parqués dans un même endroit, on les força à nettoyer, jour après jour, le lieu de l'exécution. Les seuls dont Temüjin épargna la vie et qu'il accepta dans son campement furent Sorqanshira et le jeune homme qu'il avait nommé Jebe.

Alors que Temüjin finissait de balayer ainsi les Tayichi'ut, des troupes se mirent chaque jour à revenir de différents fronts. Parmi elles se trouvaient celles de Bo'orchu, de Belgüteï et de Qasar, ainsi qu'un certain nombre d'unités de To'oril-khan. Toutes s'étaient signalées par d'éclatants exploits. Enfin, fermant la marche, on vit arriver le vieux chef et ses bataillons qui avaient mis l'armée de Jamuqa en déroute.

Bientôt la plaine où avait eu lieu le carnage, et où flottait encore l'odeur fade du sang, fut recouverte par les régiments de To'oril-khan et de Temüjin. Du haut des collines environnantes, ces troupes innombrables qui s'étendaient à perte de vue sous le ciel bleu faisaient penser au déploiement de quelque somptueux tapis.

Trois jours après le retour triomphal de To'oril-khan, lui et Temüjin se rendirent sous une tente spécialement dressée au pied d'une colline pour qu'ils puissent s'entretenir en privé. Ils étaient l'un et l'autre escortés d'une garde imposante, mais se retirèrent seuls sous la tente.

« Quelle étrange situation ! Etre obligés de nous retrouver ainsi pour nous congratuler de notre victoire commune sur Jamuqa », dit To'oril-khan avec un sourire amer. Temüjin eut le même sourire d'amertume. Le vieux chef avait parfaitement raison. Mais tous deux sentaient bien qu'ils ne pouvaient pas faire autrement.

A présent, les hauts plateaux mongols allaient se trouver sous leur double domination. Il leur fallait donc diviser en deux ce qu'ils partageaient autrefois avec Jamuqa. Celui-ci avait pris la fuite, mais la plus grande partie des peuples sur lesquels il régnait, réduits à l'impuissance, attendaient que l'on décide de leur sort.

D'après l'accord qu'ils avaient passé avant le début des opérations, To'oril-khan et Temüjin devaient se répartir de façon égale tout ce que possédaient les divers clans ralliés à Jamuqa : hommes, femmes, moutons, chevaux, objets de valeur, armes... Mais ce butin, par son ampleur, n'avait aucune commune mesure avec celui qu'ils avaient récupéré après l'anéantissement des Merkit et des Tatars. Car il incluait les biens des grandes tribus : Salji'ut, Ikires, Qorulas, Tayichi'ut, Oirat, Onggirat et Naiman, sans compter ceux de divers petits clans disséminés aux quatre coins des hauts plateaux. Un partage équitable était donc pratiquement impossible.

« Mon fils ! Désignons chacun, un à un, les clans que nous voulons. A toi de commencer ! dit To'oril-khan.

— C'est à toi, mon père, que revient le mérite d'avoir vaincu l'armée de Jamuqa. Exprime ton souhait le premier ! répondit Temüjin, cédant la prérogative à To'oril-khan.

— Les Onggirat », dit immédiatement celui-ci. Il s'agissait de la tribu la plus prospère des hauts plateaux, celle dont Börte était originaire. Temüjin, lui aussi, la désirait plus que tout, mais il ne put que s'incliner. D'ailleurs, le père de Börte, Deï-sechen, était déjà mort.

« Les Tayichi'ut, répliqua Temüjin.

— Les Oirat, continua To'oril-khan.

— Les Salji'ut », riposta Temüjin.

Et c'est ainsi que les deux conquérants, de façon tout à fait approximative, s'attribuèrent un à un les clans disséminés sur les hauts plateaux. A la fin ne resta plus que celui des Naiman, dont la possession ne présentait aucun avantage concret. Il s'agissait d'un peuple tout à fait à part, d'origine turque, qui n'avait jamais cherché à se rallier à Jamuqa, To'oril-khan ou Temüjin. S'il vivait également sur les hauts plateaux, sa position géographique, de l'autre côté du massif de l'Altaï, l'isolait de toutes les tribus mongoles. En outre, il possédait largement de quoi vivre en autarcie, Or, chose curieuse, répondant à la demande de Jamuqa, il lui avait apporté son appui en engageant quelques troupes dans ce conflit.

« Il va falloir, sans trop attendre, lancer nos armées contre les Naiman, dit To'oril-khan.

— A quel moment ? demanda Temüjin.

— Sans doute dans un an. D'ici là, nous avons l'un et l'autre de nombreuses tâches à remplir. » To'oril-khan disait vrai : soumettre tous les clans qu'ils venaient de se partager, cette entreprise, à elle seule, n'allait pas être chose facile.

Une fois terminée la répartition du butin, Temüjin et To'oril-khan, pour respecter les formes, burent en l'honneur de leur triomphe. Ils auraient dû en principe convier tous les généraux à un grand festin, mais avaient senti l'un et l'autre qu'il était plus prudent de s'en abstenir.

Temüjin voulait bien, dans un an, attaquer les Naiman avec To'oril-khan, mais il savait que tôt ou tard, inéluctablement, il aurait à se battre contre le vieux chef. Car il ne pouvait y avoir qu'un seul souverain sur les hauts plateaux. Il n'était pas question de se partager le pouvoir.

Les deux généraux se séparèrent sur la promesse de lever le camp le lendemain matin, au moment précis où le soleil se montrerait à l'horizon. Et ils repartirent chacun vers leur cantonnement, comme ils étaient venus, escortés par leur imposante garde en armes.

Le lendemain à l'aube, les deux armées, quittant le lieu de la bataille, s'ébranlèrent dans des directions opposées. Quand il eut marché pendant environ une heure, Temüjin fut saisi d'une furieuse envie de surprendre les troupes de To'oril-khan. Il se dit qu'en agissant immédiatement, il ne devait pas être si difficile de défaire cette armée qui progressait en colonne : il lui suffisait de diviser en trois ses effectifs de dix mille hommes, pour les lancer dans une attaque de flanc en trois points différents. Mais il repoussa aussitôt cette tentation, et se rendant compte que To'oril-khan, lui aussi, pouvait bien avoir la même idée, il commanda à son armée de se disposer sur-le-champ en ordre de bataille, pour être parée contre un éventuel assaut de To'oril-khan. Et c'est ainsi que ses troupes cheminèrent toute la journée, sans faire la moindre halte. Ce n'est que le soir, en s'arrêtant pour bivouaquer, que Temüjin sentit s'apaiser sa méfiance.

Au bout de plusieurs jours de route, l'armée triomphante regagna le campement. Mais une partie des soldats dut repartir après une seule nuit de repos, afin d'aller mettre en œuvre toutes les mesures qui s'imposaient à l'égard des clans contraints de se soumettre.

Temüjin confia cette tâche à deux jeunes officiers, Sübötéi, le frère cadet de Jelme, et Muqali. L'un et l'autre s'étaient ralliés à lui avec un grand nombre d'autres jeunes gens, après qu'il avait quitté le campement de Jamuqa. A l'époque, c'étaient encore des adolescents, mais à présent Sübötéi avait vingt-huit ans, Muqali trente et un ans.

Durant les combats qui venaient de se dérouler, ils avaient accompli un certain nombre de hauts faits qui avaient favorisé la victoire. Temüjin, pour les récompenser, leur confia donc cette importante mission qui leur conférait, pour la première fois, un grand pouvoir. Tous deux, sans s'accorder le moindre repos, reprirent la route dès le lendemain à la tête de deux mille hommes pour aller occuper les territoires des quelques clans nouvellement conquis.

Au bout d'une quinzaine de jours, ils firent parvenir à Temüjin un groupe de femmes et d'enfants tayichi'ut, et un nombre considérable de moutons et de chevaux. Temüjin donna femmes et enfants comme serfs aux gens de son peuple, utilisa les chevaux pour son armée, et lâcha les moutons dans les pâturages.

Des autres clans conquis arrivèrent uniquement des jeunes gens à incorporer dans l'armée. Les vieillards, les femmes et les enfants, les troupeaux et tous les autres biens avaient été laissés sur place. Temüjin fut satisfait de toutes les initiatives prises par ses jeunes généraux. Süböteï et Muqali remplissaient à présent le rôle qu'avaient assumé autrefois Bo'orchu et Jelme.

Temüjin n'hésitait pas à distinguer un grand nombre de jeunes gens pour les placer à des postes de première importance. Cela permettait à ses anciens et fidèles conseillers, Bo'orchu, Jelme, Qasar et Belgüteï, de se consacrer à des tâches plus décisives et plus complexes. Car diriger un peuple de près de deux cent mille hommes avait de quoi absorber Temüjin et ses plus proches vassaux.

L'année suivante, en 1202, Temüjin eut quarante ans. En plein festin de Nouvel An lui parvint la nouvelle d'une attaque effectuée par les Tatars, qu'il avait auparavant presque anéantis, contre un des clans se trouvant sous sa protection. Temüjin, interrompant aussitôt le banquet, décida de lancer son armée dans une offensive contre les Tatars.

Dès l'automne de l'année précédente, il avait eu vent d'un début d'effervescence chez les survivants des

Tatars, mais avait hésité à prendre l'initiative d'intervenir, de peur de froisser To'oril-khan. Lui et le vieux chef devaient en effet se donner mutuellement leur accord en cas d'importants mouvements de troupes sur les hauts plateaux. Sans avoir pris le moindre engagement à ce sujet, ils se sentaient tenus d'agir ainsi, par une sorte de contrat tacite. Cela s'imposait encore plus dans le cas des Tatars, dont on ignorait à quel camp ils se rattachaient.

Cette fois pourtant, Temüjin élabora son plan de campagne sans tenir compte de To'oril-khan. Il aurait perdu trop de temps à le prévenir, alors qu'il pouvait justement, par une action éclair, soumettre les Tatars et s'approprier leur territoire sans laisser au vieux chef le loisir de s'interposer.

Avant le début des opérations, Temüjin imposa deux directives à ses hommes : l'interdiction de tout acte de pillage individuel et l'obligation, au cas où ils seraient contraints de reculer, de regagner coûte que coûte leurs positions de départ pour y affronter l'ennemi, sans prendre inconsidérément la fuite.

Temüjin, à la tête d'une armée de dix mille hommes composée uniquement de cavaliers, partit à travers les hauts plateaux gelés par l'hiver. Soldats et chevaux fendaient la bise qui les cinglait avec des sifflements de cravaches. Le combat se déroula dans le périmètre inclus entre Dalan-nemürges et les rives du fleuve Ürünggü. En trois jours seulement, tout fut réglé. Durant la bataille, Jebe se distingua par ses exploits. Le jeune homme qui avait brisé la mâchoire du cheval de Temüjin, et blessé celui-ci à la veine du cou, était déjà un archer exceptionnel, mais il se montrait plus doué encore pour les assauts de cavalerie. Rivé à son cheval, le corps dressé sur ses étriers, il chargeait comme la foudre sans même tenir les rênes, en brandissant sa lance, avec une aisance presque surhumaine. C'était toujours à lui d'ouvrir la première brèche dans les lignes ennemies. Et il était pareil à une invincible flèche d'acier.

Il fut décidé que tous les hommes tatars faits prisonniers seraient regroupés au même endroit et exécutés.
Quand il s'agissait des Tatars et des Tayichi'ut, Temüjin
se montrait toujours impitoyable. Or, son demi-frère
Belgüteï commit l'indiscrétion de révéler à l'un des prisonniers le sort qui les attendait. Cela provoqua une
rébellion chez les captifs. Ils parvinrent à récupérer des
armes et à se retrancher derrière l'enceinte d'un campement. Il s'ensuivit une série de petits combats qui coûtè-
rent la vie à plusieurs dizaines d'hommes des troupes de
Temüjin. Celui-ci, pour la première fois, réprimanda violemment son demi-frère qui avait été longtemps son bras
droit, et l'exclut désormais des conseils qu'il tenait avec
ses fidèles vassaux.

Durant cette expédition se produisit un autre événement d'importance : les trois généraux Altan, Quchar et
Daritaï, qui faisaient partie de sa parenté, enfreignant ses
ordres, se livrèrent au pillage pour leur intérêt personnel.
Quand il apprit cette nouvelle, Temüjin dépêcha Jebe et
Qubilaï [1], avec mission d'arracher aux trois hommes tout
ce qu'ils avaient volé.

Temüjin, dans le campement dévasté des Tatars,
répartit tout le butin entre ses hommes, et les laissa libres
de disposer aussi des femmes, à raison d'une pour plusieurs soldats. Quant à lui, il s'adjugea les deux filles du
chef, Yesüi et Yesügen. Il voulait forcer toutes les femmes
de ce clan ennemi à mettre au monde des enfants mongols. Et pour mêler son sang au sang tatar le plus pur, il
viola, durant la même nuit, les deux jeunes sœurs. C'était
la première fois qu'il s'appropriait ainsi des femmes de
clans conquis. Et à posséder le corps frais, si différent de
celui de Börte, de ces étrangères, il éprouva une ivresse
qui n'était pas uniquement celle de la vengeance.

---

1. Ce personnage n'a rien à voir avec Qubilaï-khan (1259-1294),
le célèbre empereur, petit-fils de Gengis-khan. Il s'agit d'un des guerriers les plus valeureux du chef mongol, l'un de ceux qu'il appelait,
avec Jebe, Jelme et Süböteï, ses « quatre chiens féroces ».

Temüjin prit bientôt le chemin du retour. La longue colonne de cavaliers était suivie d'une foule de femmes, d'enfants, de moutons, de chevaux. Cette fois, au lieu des sifflements du vent violent qui avaient accompagné les soldats à leur départ pour la bataille, résonnait sans discontinuer le gémissement des femmes, qui ne voulaient pas se résigner au malheur dont elles étaient frappées.

Peu après son retour triomphal, Temüjin apprit que To'oril-khan, de son côté, était parti en campagne contre les survivants des Merkit, qui avaient recommencé à s'agiter, et les avait réduits à merci. Il sentit bien que le vieux chef avait trouvé là une façon de lui rendre la monnaie de sa pièce.

L'un et l'autre, cependant, ne s'adressèrent aucun reproche sur leurs actes respectifs. Et au moment où commençait à poindre la lumière du printemps, le calme revint sur les hauts plateaux mongols. To'oril-khan et Temüjin s'employaient à renforcer leur armée, dans l'attente du jour inévitable où ils auraient à s'affronter.

Temüjin n'épargnait pas sa peine pour entraîner comme soldats tous les hommes des tribus qui dépendaient de lui : ceux-ci, alternativement, travaillaient aux pâturages et étaient soumis à des exercices militaires intensifs, consistant principalement en manœuvres de cavalerie. Tous, les fidèles vassaux de Temüjin – Qasar, Belgüteï, Bo'orchu, Jelme – et ses meilleurs officiers – Qachi'un, Temüge, Süböteï, Muqali, Qubilaï, Jebe – et jusqu'à son fils, le jeune Jöchi, galopaient à bride abattue à travers les prairies, dans des tourbillons de poussière. A présent, ils étaient tous des loups prêts à bondir sur To'oril-khan, leur plus puissant ennemi. Un jour Qasar, à qui revenait le commandement, harangua l'ensemble de ses troupes : « Toujours plus en avant, déployez-vous comme la vaste plaine ! Gagnez du terrain comme la mouvante mer ! Combattez avec l'acharnement d'un boutoir ! » Et les troupes mongoles s'entraînaient sans cesse dans cet esprit.

En automne de cette année-là, une nouvelle inattendue parvint aux oreilles de Temüjin : Jamuqa s'était rapproché de To'oril-khan. Après avoir été défait par les armées de Temüjin et du vieux chef, il s'était enfui loin vers le nord. Mais il avait réapparu depuis peu avec son peuple, et était allé demander asile à To'oril-khan. Et celui-ci, loin de lui ôter la vie, l'avait accueilli, lui et ses compagnons, les incorporant à ses effectifs militaires.

A l'annonce de cette nouvelle, Altan et Quchar, agissant de concert, désertèrent avec tout leur peuple pour rejoindre le parti de To'oril-khan. Leur rancœur envers Temüjin les avait poussés à agir ainsi : en effet, lors de l'expédition contre les Tatars, celui-ci les avait châtiés pour désobéissance. Temüjin cependant ne fut guère affecté par cette désertion. Car à supposer même qu'Altan et Quchar ne l'eussent pas trahi, il aurait été obligé tôt ou tard d'extirper le mal par la racine. Temüjin perçut, dans tous ces incidents, les signes avant-coureurs d'un conflit ouvert avec To'oril-khan.

L'année suivante, au printemps de 1203, Temüjin reçut la visite d'un messager du vieux chef.

« Mon *anda,* mon fils bien-aimé ! Voici venu le temps de lancer nos troupes contre les Naiman ! Mon armée est prête à tout moment à franchir le massif de l'Altaï. »

Temüjin, à son tour, envoya sur-le-champ un messager à To'oril-khan : « Mon *anda,* mon père ! Les troupes mongoles, elles aussi, sont prêtes à partir à l'attaque, et n'attendent plus que cet ordre de toi : "O mon *anda,* rugissons comme rugissent les tigres ! Franchissons ensemble l'Altaï !" »

L'offensive contre les Naiman allait être le prélude à une lutte décisive des Kereyit et des Mongols pour l'hégémonie des hauts plateaux. Aussitôt les Naiman écrasés, ce serait aux deux clans cette fois de s'affronter.

Cela, Temüjin le pressentait, et To'oril-khan devait le savoir mieux que lui. En ce sens, l'accord qu'ils venaient de passer pour la campagne contre les Naiman n'était rien d'autre, entre eux, qu'une déclaration de guerre.

A peine un mois plus tard, les deux armées, d'un commun accord, s'ébranlèrent en direction du territoire des peuples turcs, enracinés dans la zone occidentale des hauts plateaux. Temüjin partit à la tête de trente mille soldats d'élite.

Il pensait que les troupes de To'oril-khan auraient du mal à franchir l'imposant massif de l'Altaï, encore enfoui sous la neige. To'oril-khan, pour sa part, pensait de même des troupes de Temüjin. Cependant les deux armées, passant presque en même temps les montagnes, se précipitèrent avec la fureur d'une avalanche sur le campement du clan Güchü'üt, qui de tous les Naiman possédait les forces les plus puissantes, et commirent avec frénésie massacres et pillages.

Après l'attaque contre les Güchü'üt, les deux armées ne s'attardèrent pas sur ce territoire, et levèrent le camp en même temps, comme lors de la précédente campagne. Mais durant toute cette offensive, To'oril-khan et Temüjin, sans le montrer, avaient été à l'affût du moment favorable pour s'affronter.

Peu de temps après le retour de cette expédition, Temüjin apprit que les Naiman, à leur tour, avaient envahi la Forêt noire sur les berges de la rivière Toula, mettant en mauvaise posture les troupes de To'oril-khan. Qasar insista pour ne pas laisser passer cette occasion d'attaquer le vieux chef. Jelme et Bo'orchu se rangèrent à cet avis. Mais Temüjin hésitait. Bien sûr, c'était l'occasion ou jamais de se débarrasser de To'oril-khan, mais il pressentait que cette victoire lui laisserait un goût amer.

« Avez-vous oublié qu'il y a seize ans, alors que nous allions nous lancer dans une bataille perdue d'avance pour reprendre Börte aux Merkit, To'oril-khan nous a apporté son appui ? Si nous sommes devenus ce que nous sommes aujourd'hui, c'est grâce à lui. Venons une fois à son secours, pour lui rendre la pareille. Nous courons peu de risques en agissant ainsi : j'ai bien senti, pendant la campagne contre les Naiman, que ses troupes n'étaient pas particulièrement redoutables. »

Temüjin pensait en effet que l'armée de To'oril-khan, sans être inférieure à celle des Mongols, n'avait pourtant rien d'exceptionnel. Evidemment, ses officiers étaient tous d'excellents stratèges, capables de mener les troupes à la victoire avec un minimum de pertes, mais cela ne rendait que plus manifeste sa faiblesse dans les combats au corps à corps. En revanche, les soldats mongols parvenaient à arracher la victoire grâce à leur capacité à terrasser l'adversaire même dans les plus petites mêlées. Aux yeux de Temüjin, les Kereyit n'étaient que de valeureux guerriers, tandis que les Mongols apparaissaient comme des loups qui, langue pendante, mâchoire écumante, souffle haletant, rôdaient en quête de sang.

Temüjin, après avoir réussi à convaincre ses généraux, partit précipitamment vers le fleuve Baidariq pour porter secours à To'oril-khan. Il vint en aide aux troupes de son fils, Senggüm, qui étaient en difficulté, et libéra sa femme et ses enfants qui avaient été faits prisonniers.

Temüjin avait à peine regagné son campement qu'il vit arriver To'oril-khan, accompagné seulement d'une petite escorte. C'était là une initiative audacieuse. Venu remercier Temüjin de son aide, To'oril-khan lui proposa de conclure officiellement un pacte d'amitié, chose qu'ils n'avaient jamais faite jusqu'alors malgré leur habitude de s'appeler « mon *anda,* mon père », « mon *anda,* mon fils ».

Cependant, il était difficile pour Temüjin de déceler l'intention cachée qui poussait To'oril-khan à lui faire cette demande à ce moment précis. Car rien n'était plus absurde et plus ridicule qu'un pacte d'amitié entre eux deux, étant donné la tournure prise par leur relation.

Temüjin accepta pourtant la proposition de To'oril-khan. Et ayant fait préparer un banquet sur la grand-place, il passa serment avec le vieux chef au cours d'une cérémonie qui rassembla les milliers de personnes vivant dans son campement.

Temüjin, face à To'oril-khan, leva sa coupe en signe de fraternité. Le vieux général avait toujours le même regard froid, le même front sévère qu'autrefois, et sur ce visage n'apparaissait aucun signe de décrépitude. Cette tête, dont les cheveux relevés brillaient tous du même éclat argenté, avait à la fois quelque chose de beau et de rebutant.

« Je voudrais offrir ma fille Cha'ur-beki comme épouse à Jöchi, ton héritier. Ainsi, nous consoliderons encore les liens entre nos deux familles, et nous serons plus unis pour combattre les serpents à crocs qui sèment la discorde entre nous », dit To'oril-khan.

Temüjin accepta cette offre. Il ne croyait pas un mot des paroles de To'oril-khan, mais n'avait pas non plus de raison de repousser la main que celui-ci lui tendait.

Aussitôt rentré dans son campement de la Forêt noire, To'oril-khan envoya à Temüjin un messager, pour le convier à le rejoindre afin d'assister au festin de fiançailles des deux jeunes gens. Temüjin s'émerveilla de l'habileté de son adversaire : c'était donc avec l'intention de l'attirer dans son campement que To'oril-khan s'était déplacé le premier, et sans armes ! Il y avait, dans cette façon d'agir, un panache bien digne du vieux chef.

Il n'était pas question pour Temüjin de se rendre dans la Forêt noire : y aller, c'était signer son arrêt de mort. Il consulta Qasar et Bo'orchu sur la réponse à apporter à To'oril-khan. Il fallait en effet trouver quelque prétexte pour refuser son invitation.

Ils furent interrompus en plein conseil par l'arrivée de deux serfs venant du campement de To'oril-khan, Badaï et Kishlig, qui annoncèrent que la Forêt noire fourmillait de soldats en armes. A cette nouvelle, le regard de

Temüjin brilla d'excitation. Le moment était venu de se mesurer, une fois pour toutes, à To'oril-khan. Il chargea aussitôt le messager de lui annoncer qu'il acceptait avec joie l'invitation au festin.

A peine l'homme reparti, Temüjin donna l'ordre de mobilisation générale et veilla à ce que ses troupes disposent des meilleures armes. Plusieurs dizaines de milliers de cavaliers quittèrent le campement la nuit suivante, afin d'atteindre la Forêt noire le jour même du festin. Et les bataillons, par dizaines, déployés en éventail, s'éloignèrent dans la plaine.

A l'aube du jour prévu pour le banquet, To'oril-khan et Temüjin, à la tête de leurs troupes, se rencontrèrent sur un terrain aride nommé « les Sables noirs ». Les deux armées en position de bataille en imposaient par leur ampleur.

Temüjin, après avoir consulté Bo'orchu, Jelme et Qasar, choisit de placer en première ligne les soldats des clans Uru'ut et Mangqut, réputés pour être les plus valeureux de tous les Mongols. Dès l'enfance, il avait entendu louer leur combativité. Et à présent encore, il se souvenait que le vieux Bültechü à la surprenante mémoire citait toujours, quand il arrivait vers la vingtième génération des descendants du Loup bleu et de la Biche blanche, les noms des guerriers de ces deux clans.

« Le fils de Qabichi le Preux fut Tudun aux nombreux rejetons. Tudun eut en effet sept fils. L'aîné, Qachi-külük, était aussi rapide qu'un fulgurant coursier. Il eut pour femme Nomulun. Entre eux deux naquit l'illustre ancêtre Qaidu. Quant aux six frères de Qachi-külük, ils avaient pour noms Qachin, Qachi'u, Qachula, Qachi'un, Qaraldaï et le benjamin, Nachin le Preux, qui eut lui-même deux enfants. Ces deux-là, de vrais dieux de la guerre, préféraient se battre à mort que de manger à leur faim. Ce sont eux les ancêtres des clans Uru'ut et Mangqut, toujours prêts à risquer leur vie. »

Le sang de ces dieux de la guerre, qui préféraient se battre à mort plutôt que de manger à leur faim, semblait bien bouillonner encore dans les veines des guerriers de ces deux clans. Déjà, dans les offensives précédentes, leurs exploits collectifs étaient restés inégalés. Car sans parler de la bravoure de chaque soldat, rompu dès l'enfance au maniement du sabre et de la lance, lorsqu'ils modifiaient les rangs de bataille ou prenaient l'ennemi à revers, ils provoquaient l'émerveillement par la virtuosité de leurs mouvements d'ensemble, que ponctuaient le noir des étendards uru'ut, l'écarlate des étendards mangqut.

Temüjin convoqua le chef des Uru'ut, Jürchedeï. Comme il lui donnait l'ordre de se placer à l'avant-garde, le regard du petit vieillard au teint rubicond et à l'allure miteuse s'illumina, et il dit d'une voix basse et éraillée : « Si c'est un ordre, je ne peux pas m'y soustraire. C'est bon, avec les hommes de mon clan, je ne ferai qu'une bouchée des Kereyit ! »

Temüjin convoqua également le chef des Mangqut, Quyildar, et lui donna le même ordre. Celui-ci, qui était bègue, répondit d'un air timide : « Nous aussi, comme les Uru'ut, nous attraperons tous les Ke... Ke... Kereyit, et nous n'en ferons qu'une b... bou... bouchée ! »

Dès l'ouverture du combat, d'innombrables étendards écarlates et noirs se déployèrent sur toute la largeur de la ligne de front. Cavalerie et infanterie montaient simultanément à l'assaut. To'oril-khan leur opposait, en première ligne, les hardis cavaliers du clan Jirgin. Les étendards, progressant implacablement dans une fougueuse clameur, morcelaient la cavalerie ennemie, l'enveloppaient, l'enfonçaient, et en un tournemain la laissèrent anéantie, n'en ayant fait, littéralement, qu'une bouchée.

Mais à la suite de la cavalerie jirgin déferlaient déjà les guerriers du clan Tümen-tübegen, qui faisaient la fierté de To'oril-khan. Les Uru'ut, essayant de les encercler, furent violemment repoussés. Mais aussitôt les

Mangqut, par une attaque de flanc, ouvrirent une brèche dans les rangs ennemis, et au terme d'un furieux combat, arrachèrent la bannière des Tümen-tübegen.

Aussitôt, une unité arborant l'enseigne du clan Olon-dongqayit se jeta sur eux. Cette fois les Mangqut, perdant la moitié de leurs effectifs, eurent le dessous, mais les Uru'ut, revenant à la charge par-derrière, écrasèrent les Dongqayit. Venant alors à leur rescousse, mille soldats d'élite de To'oril-khan s'élancèrent, dans des tourbillons de poussière. Ils furent vaincus par les Mangqut. Cependant, lors de ce combat, Quyildar, embroché par une lance ennemie, fut désarçonné.

Les dix mille hommes du bataillon de To'oril-khan s'avancèrent, ébranlant la terre de leur piétinement. Le gros des troupes de Temüjin monta en première ligne pour les affronter. Les étendards écarlates et noirs des Uru'ut et des Mangqut furent engloutis dans la mêlée qui mettait aux prises ces myriades de soldats, et bientôt ils eurent complètement disparu.

Jusqu'au soir ne cessèrent de s'élever, du voile de poussière qui recouvrait la plaine, des cris, des plaintes, des hennissements. Cette lutte à mort, qui dura toute la journée, ne s'acheva qu'au moment où le ciel fut envahi par les nuages pourpres et enflammés du couchant.

Temüjin, debout sur une colline, entouré de sa garde de mille soldats, contemplait le champ de bataille jonché de cadavres des deux armées, avec les bannières des troupes décimées plantées sur les coteaux qui moutonnaient çà et là comme des vagues. Il apercevait celle de Bo'orchu, et celle de Jelme. Plus loin, vers le nord, les étendards de Qasar et Belgüteï étaient dressés côte à côte. Il distinguait aussi ceux de Qachi'un, de Temüge, de Jöchi, de Jebe. Chaque unité, regroupée autour de son drapeau, était très réduite en nombre. Partout régnait le silence.

Temüjin avait vaincu To'oril-khan, mais ne donna pas l'ordre de poursuivre son armée en déroute. Si tous les soldats de sa garde étaient rassemblés autour de lui, nombre d'entre eux étaient blessés. Mönglik, le visage maculé de sang, rassemblait les informations que les messagers venaient lui apporter de tous les coins du champ de bataille. On ignorait ce qu'il était advenu de Bo'orchu, du troisième fils de Temüjin, Ögödeï, et de Boro'ul, que Börte avait élevé avec sollicitude.

A chacune de ces nouvelles, Temüjin, toujours debout, restait impassible, à l'exception des muscles de sa joue droite qui ne cessaient de frémir, imperceptiblement. Mönglik lui apprit ainsi, à maintes reprises, la mort de preux guerriers mongols.

Temüjin ordonna le rassemblement général. Il vit arriver, l'une après l'autre, toutes ses troupes. Certaines unités avaient perdu la moitié de leurs hommes, d'autres les deux tiers. Des clans Uru'ut et Mangqut ne se présenta pas un seul soldat. Tous avaient dû être taillés en pièces par l'ennemi.

Temüjin donna l'ordre à toute l'armée de bivouaquer à cet endroit. Le lendemain matin, aux premiers rayons du soleil sur le champ de bataille, Bo'orchu revint seul, sans son cheval. Il avait le corps couvert de blessures. Temüjin, plongeant son regard droit dans le sien, le visage mouillé de larmes, dit en se frappant la poitrine : « Ciel divin, sois-en témoin, notre valeureux compagnon nous est revenu ! »

Bo'orchu raconta qu'il était tombé de cheval alors qu'il poursuivait une troupe ennemie en fuite. Après un long évanouissement, il avait marché et marché toute la nuit pour regagner le champ de bataille.

Vers midi cette fois, on vit apparaître le jeune Boro'ul, ramenant avec lui Ögödeï grièvement blessé. L'ayant fait descendre de cheval pour qu'on le soigne, l'adolescent intrépide, d'origine jürkin, fit son rapport : « L'ennemi, passant par le bas du mont Mauündür, est parti se réfugier dans la région de Hula'anboruqat. »

Temüjin dénombra ses hommes. Sans compter les blessés, il lui restait deux mille six cents soldats en mesure de combattre. En laissant la moitié sur place, il partit avec l'autre pour soumettre les campements jusqu'alors placés sous la dépendance de To'oril-khan. En cours de route, mille trois cents survivants des clans Uru'ut et Mangqut, qui s'étaient volatilisés au cours de la bataille, vinrent les rejoindre. Le chef mangqut, le preux Quyildar, qui souffrait d'une grave blessure, expira peu de temps après avoir retrouvé Temüjin. Celui-ci le fit enterrer près du sommet du mont Ornu'u, dans la région du fleuve Qalqa. Cet endroit, où les vents s'acharnent sans cesse en gémissant contre les parois rocheuses, était le plus digne d'accueillir la dépouille de Quyildar.

Temüjin, apprenant la présence, dans les environs, de gens d'un des clans Onggirat, leur dépêcha les deux frères Chimbeï et Chila'un, avec mission de les assujettir. Puis, après avoir encore avancé, il installa son cantonnement à l'est de la rivière Tönggelik, en un lieu situé à une demi-journée de marche de la Forêt noire, repaire de To'oril-khan.

De là, il envoya un messager au vieux chef : « Mon père, mon *anda* ! Je n'ai pas oublié tes bienfaits ! Voilà pourquoi j'ai tiré ton fils Senggüm d'un bien mauvais pas. Et pourtant, tu as usé d'un stratagème pour tenter de me tuer. Mon père, mon *anda,* je ne tarderai pas à envahir ta Forêt noire ! Ce sera là notre ultime combat ! »

Et Temüjin, sans plus attendre, passa à l'action. Le soir même, il donna l'ordre à son armée d'attaquer la Forêt noire. Ses loups étaient blessés, mais n'avaient perdu ni la force ni la volonté de combattre.

La bataille se poursuivit durant trois jours et trois nuits. Ce fut une lutte acharnée, sans merci, ponctuée cette fois encore par le tournoiement incessant des étendards écarlates et noirs.

Tard dans la troisième nuit, le dernier bastion de résistance kereyit fut emporté. Et des centaines de campements se trouvèrent livrés en pâture aux loups mongols. Les hommes furent tués, les femmes capturées. Le cadavre de To'oril-khan fut découvert quatre jours plus tard dans l'extrême nord de la Forêt noire. Il était mort sous les coups d'un homme d'une autre tribu. Puis on retrouva aussi le corps de son fils Senggüm. Mais on ignorait tout du sort de Jamuqa.

Comme pour rendre un ultime hommage à To'oril-khan, Temüjin ordonna de sacrifier à la mémoire de ce grand guerrier tous les hommes kereyit, qui furent exécutés les uns après les autres.

Puis il laissa une partie de ses troupes en cantonnement dans la Forêt noire, et reprit en triomphe le chemin du retour avec les femmes, les enfants et les biens qu'il s'était appropriés. A présent, Temüjin n'avait plus aucun rival sur les hauts plateaux : il avait écrasé les Tatars, les Tayichi'ut, l'armée de Jamuqa, il avait anéanti le peuple kereyit, qui pendant si longtemps s'était enorgueilli de sa prédominance sur les autres tribus mongoles. Pourtant en lui ne bouillonnait pas l'allégresse de la victoire : il éprouvait seulement le sentiment d'avoir enfin réglé de longues et pesantes querelles intestines.

Après deux jours de marche, les troupes mongoles installèrent leur bivouac sur un terrain en pente. Tard cette nuit-là, Temüjin fit une ronde entre les centaines de tentes alignées là, silencieuses comme des tombes. Partout, officiers et soldats dormaient d'un sommeil de mort. Bo'orchu, Jelme, Muqali avaient sombré eux aussi. Avec leur mise loqueteuse, ils avaient tous l'air de va-nu-pieds.

Quand Temüjin revint dans sa tente, Qasar, éveillé, était dressé sur sa couche. Lui aussi portait des vêtements de guerre en loques. Temüjin lui dit : « Cette année, nous allons laisser les troupes se reposer, et dès l'année prochaine, nous franchirons l'Altaï. » « Pour attaquer les Naiman ? » demanda Qasar. « Pour les battre ! Il est temps que les valeureux guerriers mongols portent de plus beaux vêtements, vivent dans les demeures qu'ils méritent, possèdent de grandes jarres et des lits somptueux. Et surtout, qu'ils disposent des meilleures armes, des meilleurs chars de guerre ! »

Temüjin, franchissant l'Altaï avec To'oril-khan, s'était attaqué à l'une des tribus Naiman, mais cela avait été une invasion trop brève pour qu'on puisse parler de conquête. Cependant, il avait eu le temps de découvrir un mode de vie totalement différent de celui, si rudimentaire, des Mongols : il avait vu de singuliers instruments de musique, des autels fastueux, des cuisines spacieuses et bien tenues, des signes permettant de tout répertorier [1], des temples où se réunissait une multitude de gens et des habitations qui restaient toujours à la même place.

« Dès l'année prochaine, nous franchirons l'Altaï. Nous soumettrons les Naiman, et nous apprendrons à manier parfaitement leurs nouvelles armes », ajouta Temüjin. Et pour la première fois, il pensa à l'empire Kin comme au pays qu'il aurait un jour à combattre. Il avait écrasé les Tatars et les Tayichi'ut. Seul, de tous les ennemis jurés de son père et de ses ancêtres, l'empire Kin restait encore inattaqué. Temüjin, cependant, ne souffla mot de tout cela à Qasar. Conquérir les Kin était encore, pour tous les loups mongols sauf lui, de l'ordre du rêve inaccessible. Il répéta pour la troisième fois : « Il faut franchir l'Altaï ! »

Jusqu'à l'année suivante, Temüjin se consacra à pacifier et réorganiser les tribus des hauts plateaux qu'il avait conquises. Il interdit formellement, quelles que soient les

---

1. A l'époque de Temüjin, le mongol était une langue sans écriture (celle-ci ne verra le jour qu'au début du XIVe siècle). Les Naiman, eux, avaient adopté l'écriture uigur. Lors de sa campagne de 1204 contre les Naiman, Temüjin fera prisonnier un jeune Uigur, Tatatönga, autour duquel se constituera un embryon de chancellerie mongole utilisant les services de secrétaires uigur.

circonstances, les violences et le meurtre. Ceux qui s'y livraient étaient condamnés à avoir la tête coupée. Le vol fut de même sévèrement réprimé : dérober des chevaux ou des moutons était également un acte passible de mort.

Les hommes de toutes les tribus des hauts plateaux furent soumis à un entraînement militaire. L'armée fut organisée en unités de mille hommes, chacune dirigée par un commandant et subdivisée en groupes de cent et dix hommes. A présent, Temüjin disposait de troupes dans tous les coins des hauts plateaux, et pouvait donc mobiliser des soldats dans n'importe quelle région.

Il laissa en outre à chaque tribu la liberté de transhumer avec ses troupeaux pour exploiter de nouveaux pâturages, ce qui, tout en rendant la vie de son peuple plus aisée, permit peu à peu de répartir des campements dans tous les points stratégiques du pays.

Un an après avoir écrasé To'oril-khan, au début de l'été 1204, Temüjin, ayant invoqué la protection des dieux, partit en campagne contre les Naiman. Auparavant, en compagnie de To'oril-khan, il avait vaincu le seul clan Güchü'üt, mais cette fois, il allait s'attaquer au chef de tous les Naiman, Tayang-khan, afin de soumettre l'ensemble de ses tribus. Les troupes mongoles longèrent les berges du fleuve Kerülen puis, franchissant une des chaînes de l'Altaï, pénétrèrent en force en pays Naiman. Tayang-khan, réunissant toute son armée, se porta à leur rencontre vers le cours inférieur du fleuve Tamiryn. Temüjin sut immédiatement que ce combat n'aurait aucune commune mesure avec ceux qu'il avait disputés jusqu'alors : l'ennemi possédait plusieurs centaines de chars de guerre, entre lesquels se tenaient des essaims innombrables d'archers portant d'imposantes cuirasses.

Les officiers mongols furent incapables, jusqu'au début de la bataille, de prévoir de quelle manière elle se déroulerait. A l'armée ennemie se mêlaient des troupes d'autres tribus, qui possédaient elles aussi de nouvelles armes, mais différentes de celles des Naiman.

Des positions ennemies s'élevait une étrange cacophonie de tambours et de cloches qui, à travers la plaine, venait résonner jusque dans les rangs de l'armée de Temüjin. Le combat pourtant tardait à commencer. A la tombée de la nuit, on vit s'allumer, au niveau des lignes ennemies, une multitude de torches.

Pendant deux jours, les armées restèrent ainsi en présence, attendant que mûrisse l'occasion de l'assaut. Au matin du troisième jour, Temüjin convoqua ses officiers et leur ordonna de lancer l'offensive quand le soleil serait au zénith. Qasar, qui commandait l'avant-garde, demanda : « Quelle stratégie faut-il adopter ? » « Voyons, Qasar ! N'est-ce pas toi qui disais toujours : déployez-vous comme la vaste plaine, gagnez du terrain comme la mouvante mer, combattez avec l'acharnement d'un boutoir ? Tu n'as qu'à faire ainsi. De toute façon, nous n'avons pas le choix ! » répondit Temüjin en riant.

Et c'est donc ce que fit Qasar. Poussant des clameurs, les troupes mongoles, se déployant dans un élan irrésistible, envahirent le terrain avec la puissance d'un raz de marée. Aussitôt commença une furieuse bataille qui se poursuivit, pied à pied, jusqu'au soir. « Les voilà ! Les quatre loups mongols sont lâchés ! » se surprit à s'écrier Temüjin, qui suivait du haut d'une colline les opérations. Jebe, Jelme, Qubilaï et Sübötéï, qui avaient longtemps rongé leur frein en attendant le moment de l'assaut, galopaient à la tête de leurs bataillons, s'égaillant à travers la plaine en pente douce. On aurait vraiment dit, à les voir, des loups libérés de leurs chaînes. Leur corps et leur âme étaient d'acier. En cas de besoin, leur mufle pouvait se transformer en burin, leur langue en vrille. A la place de cravaches, ils portaient des sabres courbes. Et ils s'élançaient, secouant la rosée, fauchant les herbes, chevauchant le vent.

Au moment même où les quatre guerriers se ruaient en première ligne, les troupes ennemies, comme mues par quelque signal, commencèrent à se replier.

« Les voilà qui bondissent à présent ! Comme des louveteaux relâchés de bon matin, et qui, après avoir tété, gambadent autour de leur mère ! » s'écria encore Temüjin. Se lançant à la poursuite de l'ennemi qui reculait, les intrépides soldats uru'ut et mangqut, jaillis d'on ne sait où, encerclaient les chars, fondaient sur la cavalerie, cernaient l'infanterie. Si leurs effectifs avaient diminué dans la précédente bataille, ils étaient animés d'une ardeur encore plus féroce.

Déroutée par cette attaque, l'armée ennemie accentua son mouvement de repli.

« Et voilà les serpents qui s'ébranlent ! Ils s'ébranlent, tête dressée ! » cria de nouveau Temüjin. Qasar, qui commandait l'avant-garde, venait d'apparaître dans un coin de la plaine à la tête de l'ensemble de ses troupes. Sa silhouette, minuscule pourtant, parut à Temüjin aussi imposante que celle d'un énorme serpent. Et comme le serpent qui ouvre une large gueule pour avaler un bœuf de trois ans, il se hâtait dans la plaine, afin d'engloutir toute l'armée des Naiman.

Ceux-ci furent contraints de reculer encore davantage. Tous les bataillons, les uns après les autres, battaient en retraite.

Temüjin donna l'ordre, à l'arrière-garde qu'il commandait personnellement, d'attaquer. Il descendit lentement la colline, attendit la venue de ses troupes et se plaça à leur tête. Courbé en avant pour mieux faire corps avec son cheval, il chargea avec plusieurs dizaines d'unités, déployées sur toute la largeur du front, comme un tourbillon dévastant une plaine. L'armée naiman, démantelée, en pleine déroute, se réfugia sur le mont Naqu. Les loups mongols, la prenant en chasse, se mirent à gravir de tous côtés les flancs de la montagne.

Ce soir-là, Temüjin installa son cantonnement au pied du mont Naqu, qu'il fit encercler de toutes parts. Même la nuit venue, il ne relâcha pas son offensive, envoyant sans cesse des troupes fraîches vers les hauteurs. A l'aube les Naiman, acculés près du sommet, contre-attaquèrent plusieurs fois avec l'énergie du désespoir. Mais un tiers seulement parvint à s'échapper par un chemin de crête. Un autre tiers tomba dans des ravins. Le reste des soldats fut fait prisonnier par les Mongols.

Le lendemain du jour où Temüjin écrasa le gros des forces naiman au sommet du mont Naqu, son armée captura leur chef Tayang-khan, et occupa les villages dispersés sur le versant sud du massif de l'Altaï.

Temüjin apprit de la bouche d'un prisonnier que Jamuqa était venu demander asile aux Naiman. En entendant ce nom, il fut saisi d'une vive émotion. Ce héros, illustre autrefois comme l'un des deux seigneurs du Gobi, s'était d'abord rallié à To'oril-khan après avoir perdu son pouvoir, puis, une fois celui-ci vaincu, avait cherché refuge auprès des Naiman. Ces trois années n'avaient pas dû être faciles pour Jamuqa.

Temüjin, se souvenant de ce visage sur lequel flottait un éternel sourire, se dit que Jamuqa avait peut-être puisé, dans le désir de se battre contre lui, des raisons de survivre. Avant la fin de ce même jour, les gens des tribus dirigées par Jamuqa : Jadaran, Qatagin, Cherji'ut, Dörben, Tayichi'ut, Onggirat, vinrent tous se rendre à Temüjin. Mais aucun d'eux ne savait ce qu'il était advenu de leur chef.

Temüjin, apprenant que la mère de Tayang-khan, qui se trouvait parmi les captifs, gardait encore une certaine fraîcheur, l'ajouta au nombre de ses maîtresses. Depuis quelque temps, il éprouvait un plaisir singulier à faire siennes les femmes des tribus conquises. Cela avait commencé avec Yesügen et Yesüi, les filles de son ennemi tatar, et depuis lors il n'avait cessé d'augmenter le nombre de ses concubines. Jamais il n'aurait porté la main sur une femme de son propre clan. En revanche, dès qu'il ressentait la moindre attirance pour une femme d'une autre tribu, qu'elle le veuille ou non, il la mettait à son service.

Après chaque bataille, quand on traînait devant lui une foule de femmes enchaînées les unes aux autres, il sentait monter en lui un indescriptible désir de saccage. Autrefois, sa mère Höelün et sa femme Börte, elles aussi, avaient été enchaînées ainsi. Temüjin choisissait toujours, parmi les captives, celle qui lui plaisait, et l'entraînait avec lui dans sa tente. Mais aucune ne faisait la moindre tentative de résistance pour défendre sa chasteté. Toutes se livraient à Temüjin sans manifester ni douleur ni tristesse.

Temüjin ne comprenait rien aux femmes. Alors que les hommes n'hésitaient pas à sacrifier leur vie dans un combat, elles, sans la moindre exception, se soumettaient docilement au bon vouloir de l'ennemi une fois la bataille perdue. Il ne pouvait accorder aucune confiance aux femmes, même à Höelün, même à Börte. Ce sentiment qu'il avait conçu dès l'enfance ne s'était pas modifié le moins du monde.

Un jour, son frère Qasar lui avait fait remarquer que le partage des captives entre les soldats après chaque bataille risquait de troubler la discipline militaire. Temüjin lui répondit avec un gros rire : « Après la victoire, il est bon d'allonger les femmes ennemies côte à côte, pour en faire une couche où se reposer ! Il faut les engrosser, pour qu'elles mettent au monde des enfants mongols ! A quoi d'autre peuvent bien servir les femmes ? »

C'était une formulation quelque peu abrupte. Mais tandis que Temüjin parlait ainsi, son visage était si sombre que Qasar en resta surpris. Voilà plus de vingt ans que Temüjin ne cessait de se demander s'il était ou non de sang mongol, sans parvenir à dissiper ce doute. Il était de même incapable de déterminer avec certitude les origines de son fils aîné Jöchi : celui-ci lui ressemblait sans lui ressembler.

A présent que Temüjin dominait à lui seul les hauts plateaux, que dans ses veines coulât du sang mongol ou

142

merkit n'aurait pas dû avoir grande importance. Et pourtant, il sentait bien qu'au fond de lui couvait toujours, comme à l'époque de son adolescence, le désir d'être le descendant du Loup bleu.

Au retour de son expédition chez les Naiman, Temüjin, apprenant qu'on avait décelé une certaine agitation dans le clan Merkit, décida de la juguler sur-le-champ. Autrefois, quand il avait vaincu les Merkit, il avait massacré les hommes, avec la volonté farouche de les anéantir jusqu'au dernier. Mais tenaces comme de la mauvaise herbe, des survivants, venus d'on ne sait où, s'étaient rassemblés et tentaient de constituer un nouveau clan.

Temüjin se montra aussi impitoyable à l'égard des Merkit qu'il l'avait été autrefois pour les Tayichi'ut et les Tatars. Il ne pouvait tolérer, de gens qui avaient peut-être le même sang que lui, ce qu'il admettait d'autres tribus.

Au début de l'automne, Temüjin attaqua le chef merkit, Toqto'a, qu'il vainquit aussitôt, et pilla son territoire. Un homme nommé Dayir-usun vint alors lui dire que sa fille était réputée comme la plus belle du clan, et que s'il voulait, il était prêt à la lui offrir. Temüjin exigea qu'on lui donne la fille. Mais celle-ci, quand elle comprit ce qui l'attendait, s'enfuit pour échapper aux regards de son père. Temüjin envoya immédiatement des soldats à sa recherche, avec ordre de la lui ramener.

La fille fut retrouvée au bout d'environ dix jours. Ses vêtements étaient maculés de boue, ainsi que ses cheveux et son visage. Temüjin la fit traîner devant lui.

« Comment t'appelles-tu ?

— Qulan, répondit-elle d'un ton net, un éclair de révolte dans le regard.

— Où t'es-tu cachée pendant ces dix jours ? »

La fille énuméra alors toute une série de noms de tribus différentes.

« Pourquoi n'es-tu pas restée au même endroit ? »

A cette question, Qulan répondit avec une expression de colère : « Où que j'aille, des garçons ont essayé de me forcer. Les hommes sont tous des bêtes sauvages ! »

Qulan disait certainement vrai : les combats venaient de se terminer, les massacres se poursuivaient encore partout, et l'ordre était loin d'être rétabli. Il n'était pas difficile d'imaginer le sort qui, dans ces circonstances, attendait une femme sans protection.

Temüjin fut saisi d'une véritable rage devant cette fille qui, pour avoir refusé de se donner à lui, était tombée dans les mains de brutes d'autres tribus. C'était la première fois qu'il se voyait ainsi repoussé par une femme d'un clan conquis, et cela aurait déjà suffi à le mettre en fureur. Mais qu'elle ait été, de surcroît, violée par d'autres hommes, lui apparaissait comme une sorte de provocation.

« Je vais te mettre à mort, et avec toi tous les porcs qui t'ont violée ! » dit Temüjin comme s'il rendait un verdict. A ces mots, un éclair de colère passa dans les yeux de Qulan.

« Je ne me suis jamais laissé violer ! Je n'ai pas hésité même à risquer ma vie pour me défendre ! D'ailleurs, si cela m'était arrivé, j'aurais choisi la mort !

— Qu'est-ce que tu me chantes là ? Femelle merkit ! »

Temüjin ne croyait pas un mot de ce que disait Qulan. Il ne pouvait pas imaginer que cela fût possible. Mais elle, avec cette sérénité que seuls possèdent ceux qui acceptent comme inévitable la mort qui leur est destinée, dit : « C'est aux dieux que je m'adresse. Eux seuls me croiront peut-être ! » et fixant Temüjin d'un œil qui étincelait d'un éclat froid dans son visage maculé de boue, elle se mit à rire. Jamais Temüjin n'avait vu quelqu'un rire ainsi. Le visage de Qulan resplendissait, et sa voix vibrait d'orgueil.

« Qu'on la ligote ! »

Temüjin donna l'ordre à un de ses hommes d'enfermer Qulan dans une tente.

144

Au bout de deux jours, il se rendit à l'endroit où elle était retenue prisonnière. Qulan était assise sur son lit, mais quand elle aperçut Temüjin à la porte, elle se dressa immédiatement et, se tenant sur la défensive, lui dit d'un ton résolu : « N'entre pas ! Si tu avances d'un seul pas, je me tue ! »

Comme Temüjin lui demandait : « Comment t'y prendras-tu ? », elle répondit : « Si je me tranche la langue avec les dents, la mort viendra facilement. » Et l'on percevait, dans ses paroles, la détermination de ceux qui sont prêts à tout. Temüjin, qui faisait trembler toutes les tribus des hauts plateaux, n'avait plus aucun pouvoir devant cette fille. Il hésitait à faire un pas de plus vers elle.

Il lui sembla que Qulan s'était métamorphosée depuis leur première rencontre. Elle méritait bien, par la beauté de son visage, maintenant débarrassé de la boue qui le maculait, sa réputation de plus belle femme du clan Merkit. Elle était même la plus belle de toutes les femmes que Temüjin avait connues jusqu'alors. Autrefois il avait été conquis par le rayonnement de Börte, mais cette fille merkit lui paraissait plus gracieuse, plus fine encore. Il y avait sur ce visage aux traits nets, qu'on aurait dits ciselés, une ombre de mélancolie, totalement absente chez Börte. Ses cheveux tendaient vers le blond, ses yeux avaient des reflets bleus.

Ce jour-là, Temüjin ne resta pas plus longtemps auprès d'elle. Mais le lendemain et le jour suivant, il se rendit de nouveau dans la tente où elle était enfermée. Les mots qu'elle prononçait étaient toujours les mêmes, et Temüjin devait se contenter de contempler son visage.

Afin de pacifier la tribu des Merkit, Temüjin resta deux mois dans leur campement et, durant ce temps, il se rendit bien des fois auprès de Qulan. Il trouvait étrange de se laisser traiter ainsi par une prisonnière ennemie. Jamais il n'aurait admis cela d'une autre femme, il l'aurait même aussitôt condamnée à mort. Mais avec Qulan, il était incapable d'une pareille décision.

Le soir qui précéda le départ de ses troupes, Temüjin alla voir Qulan et lui dit : « Tu es pour moi différente des autres femmes. » Il fut lui-même surpris d'entendre de telles paroles sortir de sa bouche. Mais puisqu'elles étaient dites, il ne pouvait plus se rétracter.

« Je voudrais te garder auprès de moi », ajouta Temüjin. Alors Qulan, le regardant droit dans les yeux, lui demanda : « Es-tu sincère dans tes paroles ?

— Evidemment ! Mes mots viennent du cœur. N'es-tu pas capable de le comprendre ?

— Tu dis vrai, sans doute. Sinon, tu m'aurais tuée. Ce que tu ressens pour moi, est-ce de l'amour ? demanda Qulan d'un ton légèrement attendri, tout à fait inhabituel.

— Certainement ! répondit Temüjin.

— Tu dis que c'est de l'amour, mais cet amour est-il plus grand, plus profond que celui que tu éprouves pour toute autre femme ?

— Beaucoup plus !

— Plus encore que pour ton épouse ? » demanda Qulan.

Temüjin, déconcerté, fut incapable de répondre sur-le-champ.

« Si vraiment tu ressens pour moi un amour encore plus fort, encore plus grand que pour ton épouse, je me donnerai à toi. Sinon, quoi que tu fasses, je ne t'appartiendrai jamais ! La mort est toujours à mes côtés ! »

Au lieu de répondre, Temüjin fit un pas à l'intérieur de la tente et s'avança vers Qulan. Celle-ci recula, mais ne prononça plus un seul mot de refus. Temüjin, la prenant dans ses bras, sentit qu'il n'avait jamais autant aimé une femme.

A la grande surprise de Temüjin, Qulan était vierge. Quand elle avait été traînée la première fois devant lui, elle avait déclaré avec orgueil avoir défendu son corps au risque de sa vie, mais Temüjin n'en avait rien cru. Il lui était impossible d'imaginer qu'une femme comme elle, aux prises pendant dix jours avec la barbarie qui suit les batailles, ait pu se garder pure. Et pourtant, il en était ainsi. Et comme pour témoigner des épreuves cruelles qu'elle avait subies, son corps blanc portait, au niveau de ses épaules charnues, entre ses deux seins magnifiquement galbés, dans le creux musclé de ses hanches pleines, des contusions et des bleus.

Le lendemain matin, en sortant de la tente de Qulan, Temüjin se dit une fois encore qu'il n'avait jamais autant aimé une femme, et qu'il l'aimerait sans doute toute sa vie. Et il se jura de ne pas trahir la parole qu'il lui avait donnée.

Etant parvenu à asservir les Merkit, Temüjin reprit le chemin du retour. Un soir, alors qu'il bivouaquait à environ un jour de marche de son campement, situé au pied du mont Burqan, il décida de prévenir Börte de la présence de Qulan. Des deux sœurs Yesügen et Yesüi, et de toutes les autres femmes qui avaient suivi, jamais il n'avait ressenti la nécessité de parler à Börte. Même s'il ne lui parlait pas, celle-ci finissait bien évidemment par être au courant, mais l'un et l'autre gardaient volontairement le silence, et les choses peu à peu s'arrangeaient d'elles-mêmes. D'ailleurs, Börte n'était pas sans savoir qu'un homme comme Temüjin, en pleine force de l'âge, ne pouvait se passer de femmes durant les longues campagnes militaires.

Cependant, cette fois-ci, il éprouvait le besoin de faire accepter à Börte l'existence de Qulan. A l'avenir, celle-ci prendrait certainement dans sa vie une tout autre place que ses autres concubines, et dans ce cas, il fallait éviter que puisse se produire, avec Börte, des frictions désagréables.

Temüjin envoya Muqali comme messager auprès de Börte. Le général, qui avait huit ans de moins que lui et était réputé pour sa loyauté en toutes circonstances, revint le lendemain et transmit à Temüjin la réponse de sa femme.

« Temüjin, mon bien-aimé ! Toi, le seigneur incontesté des hauts plateaux mongols ! Quand tu reviendras en triomphe dans le campement, tu découvriras, près de celle de ta femme Börte, une nouvelle tente, décorée de nouveaux meubles. Je prie pour que la jeune Qulan, en vivant là, puisse suppléer à mes insuffisances et devenir la source de ta prodigieuse énergie ! »

La réponse de Börte avait de quoi satisfaire Temüjin. Aucune autre parole n'aurait pu le combler à ce point. Börte, sans perdre le moins du monde sa dignité d'épouse principale, avait su répondre généreusement au respect que Temüjin lui avait marqué.

Temüjin croyait bien avoir asservi ce qui restait du peuple merkit. Mais à peine revenu de sa campagne, apprenant qu'un groupe de rebelles réfugié sur le mont Taiqal défiait son autorité, il envoya aussitôt, pour le soumettre, une armée dont il confia le commandement à Chimbeï la Grosse Tête, fils de Sorqan-shira. Chimbeï se montrait en toute occasion un général intrépide et imperturbable, mais c'était la première fois qu'une telle responsabilité lui était confiée. Il était si petit qu'il ne pouvait se mettre en selle sans se faire aider, ce qui l'avait desservi jusqu'alors comme guerrier. Mais durant cette expédition il accomplit remarquablement sa tâche et repoussa loin vers le sud le chef ennemi Toqto'a et son fils Qudo.

Temüjin, s'accordant fort peu de répit, s'empressa de repartir avant la fin de l'année, à la tête de toute son armée, vers le massif de l'Altaï afin d'attaquer de nouveau les Naiman. Mais les chutes de neige, particulièrement abondantes cet hiver-là, l'empêchèrent de franchir la montagne, et il dut rester cantonné avec ses troupes au pied du versant nord de l'Altaï jusqu'au début de l'année suivante. Qulan fut la seule femme qu'il emmena avec lui dans cette expédition.

Vers la fin de l'hiver, Temüjin franchit l'Altaï pour la troisième fois et envahit le territoire Naiman. Il défit, au cours d'une bataille qui se déroula dans le bassin du fleuve Buqdorma, une armée composée des survivants des Merkit et des Naiman. Les chefs de clan de ces deux peuples, à la tête de quelques poignées d'hommes, prirent chacun la fuite dans des directions différentes.

Temüjin donna au frère de Jelme, Süböteï, qui lors de la précédente campagne contre les Naiman s'était distingué par ses exploits, le commandement d'une unité de chars de guerre chargée de poursuivre les fuyards. Avant le départ de cette expédition, il exhorta le jeune général, qui avait à peine dépassé la trentaine : « Si l'ennemi déploie ses ailes et s'envole vers le ciel, Süböteï, deviens faucon pour le saisir ! S'il va se tapir au plus profond de la terre, deviens houe pour creuser le sol et t'y enfoncer ! S'il se fait poisson pour plonger dans la mer ou les lacs, deviens filet pour le capturer ! Déjà tu as franchi des sommets élevés, traversé de larges fleuves. Mais l'expédition à venir sera incomparablement plus ardue. N'oublie pas combien ta destination est lointaine, et prends soin de ménager les montures ! Veille à ce que la nourriture ne vienne jamais à manquer ! Si abondant que soit le gibier rencontré en chemin, ne fatigue pas les chevaux pour le traquer ! Va, ne laisse échapper aucun soldat ennemi, et que dans cette mission le Ciel te garde, ô valeureux guerrier mongol ! »

Süböteï partit, et accomplit scrupuleusement sa mission. Il passa au peigne fin le sud de l'Altaï et en débusqua tous les fuyards, qu'il fit prisonniers et exécuta.

Tandis que Süböteï balayait ainsi, méthodiquement, le reste des troupes ennemies, Temüjin vit arriver à son cantonnement Jamuqa ligoté, traîné par cinq de ses hommes.

Ce jour-là, sous un ciel assombri, l'univers tout entier semblait couleur de cendre. Les retrouvailles avec Jamuqa eurent lieu devant la tente de Temüjin. Douze années s'étaient écoulées depuis l'affrontement entre leurs deux armées et la cuisante défaite de Temüjin, quatre depuis que celui-ci avait vaincu Jamuqa avec l'aide de To'oril-khan. Mais c'était la première fois en dix-sept ans que les deux hommes se retrouvaient face à face.

Temüjin scruta longuement le visage de Jamuqa : sa physionomie était tellement changée qu'on n'aurait jamais cru qu'il s'agissait du même homme. Ce visage, autrefois rond, était à présent émacié, avec les pommettes saillantes. Mais comme autrefois y flottait un éternel sourire.

Avant de s'adresser à Jamuqa, Temüjin pressa de questions ceux qui l'avaient amené ainsi ligoté, afin de savoir ce qui s'était passé. L'armée de Süböteï avait acculé Jamuqa à la défaite, et il ne restait plus à celui-ci que ces cinq compagnons qui – ironie du sort – avaient fini par se retourner contre lui. Temüjin, ne pouvant tolérer l'idée de laisser vivre des hommes qui avaient porté la main sur leur seigneur, les fit immédiatement décapiter sous les yeux de Jamuqa. Puis, faisant lever celui-ci qui était assis à même le sol, il lui présenta un siège et lui dit : « Jamuqa, mon *anda,* soyons amis ! Autrefois, nous avons vécu dans le même campement. Malgré cela, tu t'es éloigné de moi. Puis nous avons passé de longues années à nous déchirer. Mais maintenant nous nous sommes retrouvés. Je n'ai pas oublié le jour où nous avons prêté serment dans la forêt de Qorqonaq. Les rumeurs du festin de cette nuit-là résonnent encore à mes oreilles, la flamme des torches luit encore devant mes yeux. Alors, nous avions juré de devenir amis… »

Temüjin n'avait pas l'intention de tuer Jamuqa. En souvenir des bienfaits d'autrefois, il était prêt, maintenant que celui-ci avait tout perdu, à épargner sa vie.

Mais Jamuqa lui répondit : « Temüjin, mon *anda,* à quoi te servirait à présent d'avoir un ami tel que moi ? Je ne me considère pas comme vaincu par toi. Ce qui m'a vaincu, c'est un décret du Ciel ! Tant que je vivrai, j'appellerai de mes vœux le jour où je pourrai t'abattre, j'y croirai de toutes mes forces ! Tu dois sans plus tarder mettre un terme à ma vie. Mais si tu as vraiment de la compassion pour ton *anda*, tue-moi sans effusion de sang [1], et enterre mon corps sur une haute colline !

— Comme il te plaira, Jamuqa ! J'ai voulu t'épargner, mais puisque tu dédaignes ma générosité, qu'il soit fait selon ta volonté », répliqua brièvement Temüjin. Puis, se tournant vers un de ses hommes : « Qu'on le tue sans répandre son sang, et qu'on ne me présente pas son cadavre ! Enterrez-le avec les honneurs qu'il mérite ! »

Sur ces mots, il se retira, et resta toute la journée claustré dans sa tente.

Six mois plus tard, Süböteï, ayant parfaitement accompli sa mission, se présenta devant Temüjin, le visage tanné par le soleil. Il avait supprimé tous les enfants des chefs ennemis, même les nouveau-nés. Tout ce qu'il avait pillé aux Naiman avait, aux yeux des Mongols, l'attrait des choses rares. Des monceaux de bijoux, de tapis, de vêtements, d'armes, furent empilés en plusieurs endroits dans le cantonnement de Temüjin.

Celui-ci voulut faire choisir à Qulan les bijoux qu'elle désirait. Mais elle, regardant Temüjin bien en face, lui répondit : « C'est à Börte, qui garde le campement de l'autre côté de l'Altaï, qu'il faut envoyer tous ces beaux objets, si rares et si précieux. Moi, je ne veux ni bijou, ni pièce de tissu. Je ne désire qu'une chose : qu'à l'avenir, dans toutes tes campagnes, tu ne te sépares jamais de moi ! »

Temüjin accéda à la demande de Qulan. Et les tissus, les tapis, les bijoux, les meubles, chargés sur des chevaux et protégés par une garde spéciale, partirent à travers l'Altaï vers le campement où attendait Börte, au pied du mont Burqan.

---

1. D'après les croyances chamanistes, l'âme résidait dans le sang. Il était donc d'usage, lors d'une exécution, de ne pas répandre le sang des princes auxquels on voulait rendre hommage.

Chapitre IV

C'est au printemps suivant, en l'an 1206, que Temüjin revint victorieux de sa campagne contre les Naiman. Ainsi était franchie la dernière étape vers l'unification de toutes les tribus vivant sur les hauts plateaux mongols. Temüjin en était à présent l'unique souverain, le seigneur absolu.

Peu après son retour, il fit planter aux alentours de son campement, près du cours supérieur de l'Onon, de grandes bannières ornées de neuf queues blanches[1]. Il lui fallait se faire reconnaître khan de tous les Mongols par les différentes tribus disséminées sur les hauts plateaux, et pour cela, une cérémonie grandiose et solennelle était nécessaire.

Durant le mois qui la précéda, tout le campement fut en proie à une intense animation et une confusion inconnues jusqu'alors. Chaque jour on voyait arriver, venant d'autres tribus, des chevaux chargés de nourriture et de produits destinés au festin, tandis que des hommes de

---

1. Dans ces bannières, ou *tuq,* était censée résider l'âme du *sulde,* le génie clanique protecteur. Le blanc était considéré comme une couleur bénéfique. Quant au chiffre neuf, il s'agissait d'un chiffre sacré, se référant aux neuf étoiles mythiques qui, dans la cosmogonie orientale, figuraient les neuf guerriers divins. Par ce chiffre, Gengis-khan rendait honneur aussi aux neuf généraux de sa « Horde d'Azur » : Bo'orchu, Boro'ul, Qubilaï, Jebe, Jürchedeï, Süböteï, Jelme, Chila'un et Muqali.

divers clans s'affairaient à aménager, entre les tentes et les pâturages environnants, l'aire prévue pour la cérémonie. Longtemps à l'avance, les femmes se mirent à cuisiner pour le banquet. On aligna sur le sol des dizaines de chaudrons, auprès desquels furent installées des rangées de broches pour griller les moutons. Un nombre insoupçonné de jarres de lait fermenté de jument, surgies de toutes parts, furent disposées en files serrées, et l'on tendit au-dessus une toile de tente. A plusieurs jours de la cérémonie, tout le village baignait déjà dans les vapeurs d'alcool et le fumet de la graisse de mouton. Une nouvelle tente fut montée pour Temüjin. Elle se dressait si haut vers le ciel que la terre, vue de son trou à fumée, paraissait minuscule et lointaine.

Vint enfin le grand jour. Des milliers de personnes de toutes les tribus, conviées spécialement à cette occasion, ne cessaient d'affluer vers le campement, et bientôt les rangées de gradins édifiées tout autour de la grand-place, devant la tente de Temüjin, débordèrent d'une foule immense.

Pour la cérémonie qui allait avoir lieu à cet endroit, avaient été dressées neuf grandes bannières, dont les queues de cheval blanches flottaient paresseusement au vent de mai.

A l'heure dite, Temüjin gagna la place qui lui était destinée. Il avait à sa droite sa mère Höelün, sa femme Börte, ses quatre enfants, Jöchi, Jagataï, Ögödeï et Tolui, et derrière lui, ses nombreuses concubines, dont Yesügen et Yesüi. Seule Qulan était assise un peu en avant des autres. A l'arrière se trouvaient également Shi'i-qutuqu, Boro'ul, Küchü, Kököchü et tous les orphelins des tribus ennemies qui, élevés par Höelün, étaient devenus à présent des jeunes gens vigoureux.

A sa gauche, Temüjin avait placé ses frères Qasar, Belgüteï, Qachi'un, Temüge et sa sœur Temülün, puis à côté d'eux les fidèles Bo'orchu et Jelme, ses généraux Chimbeï, Chila'un, Jebe, Muqali, Süböteï, Qubilaï, et les vieillards Mönglik et Sorqan-shira.

Un *quriltaï*[1] regroupant les chefs de chaque tribu s'ouvrit alors en grande pompe, pour la forme. Au cours de ce conseil, les anciens décidèrent de conférer à Temüjin le titre de souverain des hauts plateaux mongols. Et tous, d'une seule voix, crièrent un nom aux consonances étranges : « Gengis-khan ! Gengis-khan ! Gengis-khan ! » C'est sous ce nom, qui signifiait « tout-puissant seigneur », que Temüjin devait régner comme khan suprême des Mongols. Désormais, toutes les tribus de la région des hauts plateaux, enfin unifiées, allaient former le « peuple mongol ».

Gengis-khan se leva. Des clameurs, jaillissant de toutes parts, s'enflaient en un tonnerre d'ovations : « Gengis-khan, Gengis-khan ! »

Celui-ci, en guise de réponse, fit un geste de la main. Si sa moustache et sa barbe étaient encore noires, il avait déjà la chevelure à moitié blanche. Son corps qui s'empâtait donnait à ses mouvements une certaine lenteur qu'il n'avait pas dans sa jeunesse. Il avait à présent quarante-quatre ans.

Cependant, une volonté plus farouche que jamais l'animait tout entier. Les tribus mongoles étaient enfin regroupées en un empire, enfin organisées en un système grâce auquel son désir de combattre les Kin, l'ennemi héréditaire, ne serait plus seulement un rêve inaccessible.

Gengis-khan, au milieu de la vague d'acclamations qui montait de la foule, songeait à ce que représentait cette position qu'il venait d'atteindre. L'étendue de la région bordée à l'ouest par le massif de l'Altaï, à l'est par le Grand Khingan, était loin d'être négligeable. Ce territoire allait des environs du lac Baïkal au nord à la Grande Muraille au sud, en passant par le désert de Gobi. Sur ces vastes hauts plateaux étaient disséminés près de deux millions de nomades. Et les représentants de toutes les

---

1. Assemblée des tribus, réunissant les représentants de tous les clans, et durant laquelle étaient prises les décisions importantes.

tribus étaient là, réunis, et l'acclamaient aux cris de « khan suprême ! ». S'il le voulait, il pouvait mobiliser l'ensemble des peuples nomades et leur faire franchir la Grande Muraille. Il le ferait, sans aucun doute. Il devait le faire, s'il était vraiment le descendant du Loup bleu.

Le ciel était dégagé et limpide, et depuis que Gengis-khan s'était levé pour répondre aux ovations, les rayons du soleil s'étaient faits plus brûlants, plus intenses. Gengis-khan s'apprêtait à lancer à la foule surexcitée ses premières paroles de chef suprême. Il agita impérieusement le bras pour apaiser le tumulte, mais celui-ci ne faisait que redoubler à mesure qu'il amplifiait son geste.

« Par suite d'un ordre céleste naquit d'abord le Loup bleu. Il était accompagné d'une biche blanche, venue en traversant le vaste lac de l'Ouest. Et c'est de leurs amours que naquit Batachi-khan, l'ancêtre des Mongols. Les Mongols sont les descendants du Loup bleu. C'est autour de ce loup que les vingt et une tribus vivant sur les hauts plateaux se sont ralliées aujourd'hui, formant une seule puissance. Je viens d'être promu au rang de khan. Il nous faut à présent, nous, fils de loup, franchir le Khingan, franchir l'Altaï, franchir les massifs du T'ien-chan et du K'i-lien. C'est la tâche qui nous est impartie afin de transformer, d'embellir tous les campements des hauts plateaux. Il faut que nous puissions jouir d'une vie plus opulente, de plaisirs plus raffinés, rendre notre travail plus fructueux que nous ne l'avons jamais rêvé. Si nous le désirons vraiment, nous pouvons vivre dans des habitations qui restent toujours à la même place, et faire paître nos troupeaux sans être obligés de transhumer avec eux. A votre nouveau khan revient le droit de vous donner tous les ordres permettant d'atteindre ce but. Faites-moi confiance ! Conformez-vous à mes ordres, vous, les loups robustes et féroces du nouvel empire mongol ! »

Alors, sur un signe de Gengis-khan, le banquet commença. Des plats et des alcools furent servis non seulement aux chefs mais à tous les participants qui se pressaient sur les gradins. Ce festin se poursuivit pendant des jours et des jours, dans une atmosphère d'intense excitation. Dans la journée se déroulaient des danses, et des chants dans des tonalités et des langues différentes, et des démonstrations de pratiques guerrières propres à chacun des nombreux clans qui composaient les vingt et une tribus. A la tombée de la nuit, quand se levait une lune invariablement pourpre, la place devant la tente de Gengis-khan s'illuminait du flamboiement des torches, et le banquet continuait au même rythme effréné, sans la moindre retenue, dans les beuveries, les chants et les danses.

La troisième nuit, Gengis-khan vit de vieilles femmes pauvrement vêtues, qui dansaient avec d'étranges mouvements de bras : tout en chantant un chant pastoral, elles mimaient les gestes des bergers poussant leurs troupeaux et répétèrent inlassablement cette danse. A cette vue, il sentit soudain une violente émotion l'envahir : ces femmes, avec leur pauvreté, avec leur laideur, ne ressemblaient en rien à la Biche blanche. Il fallait qu'elles puissent porter de plus beaux vêtements, apprendre d'autres chansons et d'autres danses.

Gengis-khan, bercé par les échos bruyants du festin qui parvenaient jusqu'à sa tente, ressentit de façon aiguë le besoin de soumettre les Mongols à un entraînement plus intensif, pour leur donner la puissance des loups, et de parer les femmes d'habits splendides, afin qu'elles aient l'élégance des biches.

Le dernier jour de cet interminable festin, Gengis-khan, qui avait mûri cette idée durant tout le banquet, décida de décerner à ses fidèles des récompenses à la mesure de leurs mérites. Il promut d'abord à la tête des unités de mille soldats les quatre-vingt-quinze hommes qui avaient partagé sa destinée depuis de longues années, citant notamment les noms de Bo'orchu, Mönglik, Muqali, Jelme, Sorqan-shira. Les chefs des *tümen*[1] devaient être choisis parmi ces quatre-vingt-quinze fidèles compagnons.

Pour accorder à chacun d'entre eux une distinction particulière, il les envoya ensuite chercher aux quatre coins de la vaste place et les fit venir l'un après l'autre auprès de lui.

Les premiers à être ainsi appelés furent Bo'orchu et Muqali. Gengis-khan, serrant vigoureusement la main de Bo'orchu, lui dit : « Jusqu'à présent, je ne t'ai jamais donné la moindre récompense. Et pourtant, ô mon plus ancien ami, tu as tout sacrifié pour moi ! »

Le souvenir du jour lointain où, avec l'aide de Bo'orchu, il avait récupéré ses huit chevaux volés, revenait à la mémoire de Gengis-khan, l'emplissant de nostalgie.

« Mon ami ! Ton père Naqu-bayan était un homme fortuné. Et tu as renoncé sans le moindre regret à tous tes privilèges de riche héritier pour me suivre, parcourant avec moi, jusqu'à ce jour, des chemins périlleux. Bo'orchu, tu gouverneras désormais toute la région de l'Altaï ! »

Bo'orchu lui-même resta surpris de cette récompense si généreuse.

Gengis-khan continua par ces mots : « Muqali ! Je te fais gouverneur de la région du Grand Khingan ! » Devant cette nomination exceptionnelle, le jeune général, impassible, garda le silence. A l'époque où Gengis-khan avait attaqué ses cousins Seche-beki et Taichu, un homme du nom de Gü'ün-u'a s'était réfugié dans son cantonnement avec deux adolescents, dont l'un était Muqali. Lors de la campagne contre les Naiman, Muqali s'était illustré par ses actions d'éclat, mais c'était avant tout par une probité rare chez un être aussi jeune qu'il avait su s'attirer la confiance de l'ensemble de ses hommes. Gengis-khan distinguait ainsi le jeune général,

---

1. Unité composée de dix mille soldats.

non pour ses mérites passés, comme dans le cas de Bo'orchu, mais pour les espoirs qu'il plaçait en lui : il pensait lui confier le commandement général lors de l'invasion de l'empire Kin.

« Bientôt, il te faudra franchir la Grande Muraille à la tête d'une horde d'un million de loups ! » se contenta de dire Gengis-khan. Muqali, toujours impassible et silencieux, répondit simplement par une inclination de tête.

Ensuite fut appelé le vieux Qorchi, qui avait autrefois prédit l'accession de Temüjin au pouvoir suprême. Il venait de passer dix ans de totale oisiveté, dispensé à la fois des campagnes militaires et des tâches quotidiennes. Il ne siégeait pas officiellement à cette cérémonie, mais suivait tous les jours avec curiosité, assis devant sa tente, le spectacle de ce joyeux festin.

Qorchi se transporta devant Gengis-khan en flageolant sur ses jambes, car il marchait de plus en plus difficilement ces derniers temps.

« Je te salue, Qorchi le Devin ! » dit Gengis-khan d'une voix vibrant d'une profonde affection. Il se souvenait encore, comme si c'était hier, du jour où, après avoir fui le campement de Jamuqa, à l'époque la plus difficile de sa vie, il avait vu apparaître devant lui ce vieil homme, le visage brillant de l'éclat rouge du couchant. La prédiction que celui-ci avait faite alors venait à présent de se réaliser. Et Gengis-khan savait bien à quel point les paroles de Qorchi avaient infléchi le cours de son destin.

« Si tu deviens un jour khan de tous les Mongols, je voudrais que tu me donnes trente belles filles, m'avais-tu dit alors. Le temps est venu pour moi de tenir cette promesse. Brillant devin, grand amateur de femmes, choisis-toi trente gracieuses épouses ! »

Qorchi, avec un sourire paisible qui adoucit son visage encore plus marqué de rides qu'autrefois, répondit : « Je suis déjà bien vieux. Mais grâce à ces belles créatures, je vais retrouver ma jeunesse !

« — Outre ces trente femmes, tu gouverneras aussi les gens de la tribu des Adargin : Chinos, Togoles, Telengut. Tu veilleras sur les peuples de la forêt qui vivent dans le bassin du fleuve Irtysch ! » ajouta Gengis-khan.

Qorchi s'affaissa lentement, genoux ployés, comme écrasé par le poids de cette charge soudain déposée sur ses frêles épaules. Puis, s'appuyant sur deux serviteurs, il repartit vers sa petite tente en titubant à travers la foule.

Une fois que Qorchi se fut éloigné, Gengis-khan renforça encore les droits qu'il lui avait donnés : « Les peuples de la forêt ne pourront pas se déplacer vers l'est sans l'autorisation de Qorchi. Ils devront, pour toutes choses, le consulter et obéir à ses ordres. »

Chaque déclaration de Gengis-khan était ponctuée par les applaudissements de la foule qui se pressait de toutes parts. Et à mesure que ses paroles, transmises par quelques hérauts, passaient de bouche en bouche, des vagues d'ovations se propageaient sur toute la surface de la place. Ce fut au tour de Qubilaï, réputé pour sa bravoure, de se présenter devant Gengis-khan. Qubilaï, comme Jelme, Jebe, Sübötei, comptait au nombre de ces généraux qu'on disait invincibles. Jamais il n'avait connu la défaite.

« Qubilaï, je te nomme haut responsable des affaires militaires », dit Gengis-khan. Qubilaï n'était pas mécontent de cette récompense, mais il aurait préféré, même à un rang subalterne, un poste plus exposé, plus directement en rapport avec la guerre. Il ne réalisait pas encore que ses nouvelles attributions allaient lui donner un pouvoir exorbitant : celui de lancer à sa guise, à l'assaut d'un pays étranger, une armée d'un million d'hommes.

« Je veux me battre ! Me battre ! » marmonna à part lui le loup mongol, qui avait à peine dépassé la trentaine, en se retirant.

Vint ensuite le tour de Jelme. L'adolescent d'autrefois, descendu du mont Burqan avec son père qui portait son soufflet sur le dos, avait à présent près de cinquante ans. C'était pour Gengis-khan le compagnon le plus fidèle après Bo'orchu.

« Mon ami ! Il faudrait des jours et des jours pour énumérer tous tes mérites. Quand je suis né, ton père m'a donné des langes de zibeline. Aujourd'hui, je voudrais te rendre ce bienfait. Tu seras le seul, de tous les Mongols, à pouvoir commettre neuf fautes sans être puni ! » dit Gengis-khan. Il n'avait pas encore décidé à quel rang élever son ami. Il aurait beau lui donner les territoires les plus vastes, les pouvoirs les plus étendus, cela serait encore insuffisant pour le récompenser.

« Jelme, pour ce qui est du rang et des pouvoirs qui te seront attribués, nous en conférerons ensemble tout à loisir », ajouta Gengis-khan. Mais Jelme n'avait que faire de toutes ces histoires de promotions. Il avait plutôt envie qu'on le laisse tranquille. S'il excellait dans l'art de la guerre, il était encore plus doué pour régler les détails quotidiens qui échappaient à l'attention de tous. Or, depuis les premières heures de la matinée, il se tracassait, se demandant comment faire pour rendre sans se tromper, à chaque clan, les ustensiles empruntés pour la cérémonie. Et puis il fallait aussi penser à la façon de remercier chacun en fonction du présent qu'il avait offert en cette occasion, et Jelme était contrarié de voir que personne à part lui ne s'en préoccupait.

« Jelme ! » reprit Gengis-khan, mais celui-ci bondit en criant : « Gare au feu ! Gare au feu ! » Il venait de se souvenir qu'il avait oublié de s'assurer auprès des cuisiniers que tous les feux étaient éteints.

Ce fut ensuite le tour du vieux Sorqan-shira, qui avait à présent soixante-dix ans. Autrefois, quand Temüjin, capturé par le chef tayichi'ut Tarqutaï, avait tenté de fuir, il avait passé une nuit chez ce vieillard. Sorqan-shira, à moitié nu, était alors occupé à brasser un lait fermenté dont l'odeur n'avait rien à voir avec celle qui, au terme de ce long banquet, flottait à présent sur tout le campement. Au souvenir de cette odeur, Gengis-khan, les narines frémissantes, dit : « Sorqan-shira, toi, le père de Chimbeï et Chila'un ! Que souhaites-tu recevoir de moi ?

— Si tu me permets de parler franchement, j'aimerais m'installer en territoire Merkit, sur les berges du Selengga, et disposer des pâturages sans payer d'impôt. Si tu veux me donner plus, c'est à toi, ô mon khan, de décider des autres récompenses. J'accepterai de bonne grâce tout ce que tu me proposeras.

— Eh bien soit, mon vieux compagnon ! Tu occuperas le territoire Merkit, le long du Selengga, et tu jouiras librement des pâturages. Je te dispense du paiement de l'impôt. Et même si tu commets neuf fautes, tout comme Jelme, tu ne seras pas châtié ! » dit Gengis-khan. Il avait pourtant l'impression de n'avoir pas assez remercié Sorqan-shira : il n'avait pas oublié en effet que lors de sa fuite, quand il était dissimulé dans les herbes de la berge, le vieillard ne l'avait pas dénoncé.

« Je t'autorise, en temps de guerre, à faire tien tout le butin que tu auras pris à l'ennemi.

— Grand khan, dit Sorqan-shira, je voudrais rester en vie assez longtemps pour pouvoir participer à ta prochaine campagne.

— Je tiens à t'accorder un autre privilège : tu pourras garder tout le gibier que tu auras tué lors des battues de nuit. »

Mais Gengis-khan continuait à trouver que toutes ces récompenses ne suffisaient pas.

« Sorqan-shira, que le reste de ta vie soit celle des hommes libres qui portent le carquois, et s'enivrent tous les soirs. Et puis, mon ami… »

Mais le vieil homme l'interrompit en disant : « Grand khan, cela me suffit. Que pourrais-je donc désirer de plus ? Le seul souhait que je puisse formuler encore, c'est que ton armée franchisse la Grande Muraille pour envahir l'empire Kin ! »

Et tout en faisant des gestes de dénégation pour bien signifier qu'il ne désirait plus rien, il se retira précipitamment. « L'empire Kin » : à ces mots, Gengis-khan repensa à Muqali, qu'il destinait à diriger l'armée d'offensive contre les Kin. Il venait de lui donner le gouvernement d'une région, mais était-ce vraiment suffisant ? Il convoqua de nouveau le jeune général et lui dit : « Je te confère le titre de roi. Désormais, que tous t'appellent "roi Muqali". »

Devant ce surcroît de distinction, Muqali, pour une fois, changea de visage et dit qu'il lui fallait considérer, avant d'accepter ce titre, s'il en était vraiment digne.

Puis Gengis-khan attribua de même à Chimbeï, Chila'un, Jebe et tous les autres généraux qui s'étaient distingués par leurs mérites, les plus hautes récompenses. Jebe et Sübötaï, les deux vigoureux loups mongols, furent promus à la tête d'unités de mille soldats. La cérémonie, qui semblait ne jamais devoir finir, se poursuivit tard dans la nuit. Mais à cette occasion, Gengis-khan ne privilégia aucun des membres de sa famille : il comptait remettre à plus tard le moment d'accorder à ses frères, ses enfants et ses femmes, des fonctions et des pouvoirs.

Le festin s'acheva ce soir-là. Le lendemain et les jours suivants, Gengis-khan fit connaître les dispositions qu'il avait prises pour refondre l'ensemble de son armée. Il proclama solennellement, en présence de tous ses généraux, les nominations à de nouveaux grades, expliquant dans les moindres détails la fonction précise de chaque poste.

Il décrivit d'abord comment il réorganisait sa garde personnelle : ses soldats seraient choisis en principe dans les familles des chefs de *tümen,* d'unités de mille et de cent hommes. Mais même les fils des gens du commun, à condition de se distinguer par leur talent et leur belle prestance, pourraient aussi y entrer.

« Les fils de milleniers prendront avec eux dix compagnons et un frère plus jeune. Les fils de centeniers,

cinq compagnons et un frère plus jeune. Les fils de dize-
niers, trois compagnons et un frère plus jeune. Chacun de
ces compagnons devra être choisi parmi les familles
nobles. »

Gengis-khan apporta ainsi le plus grand soin à la
mise en place de sa garde, composée de deux corps différents : les sentinelles et les archers. Il en confia le commandement à de jeunes chefs inconnus qui, dans son
armée, n'avaient pas encore fait parler d'eux. Mais
Gengis-khan ne manquait jamais l'occasion, en temps de
paix comme en temps de guerre, de repérer le comportement des jeunes soldats. Il répartit en dix unités les dix
mille hommes de sa garde. La plupart des chefs de ces
unités étaient les fils de ses vassaux les plus méritants.

Gengis-khan définit les tâches des sentinelles et des
archers durant la garde de nuit :

« Après le coucher du soleil, si quelqu'un rôde autour
de ma tente, on se saisira de lui et on l'interrogera le lendemain. Les sentinelles de nuit, au moment de la relève
de la garde, devront vérifier l'identité de celles qui les
remplacent.

« Les sentinelles dormiront autour de ma tente, et
fendront immédiatement le crâne de toute personne qui
chercherait à y pénétrer en pleine nuit.

« Personne ne pourra s'asseoir sur un siège plus élevé
que les sentinelles de nuit. Personne n'aura le droit de
s'enquérir de leur nombre. On arrêtera et on ligotera quiconque tenterait de passer entre leurs rangs.

« Les sentinelles de nuit ne devront pas s'éloigner de
ma tente.

« En cas de dissensions internes, on en référera au
jugement de Shi'i-qutuqu. »

Son étrange destin avait fait de Shi'i-qutuqu, l'orphelin tatar élevé par la mère de Gengis-khan, un jeune
homme froid et imperturbable. On ne pouvait donc rêver
poste mieux adapté au tempérament de ce garçon peu
sociable, au visage toujours blême.

Gengis-khan consacra de longues heures à commenter l'organisation de sa garde, et les fonctions qui y étaient attachées. Aux yeux des officiers qui l'écoutaient, il sembla ce jour-là tout à fait différent du chef qui, au cours du festin, avait pris plaisir à se montrer prodigue. L'expression de son visage, le timbre de sa voix, l'éclat de son regard en faisaient un autre homme. A part un petit nombre de ses généraux, personne ne pouvait deviner quand et comment il avait conçu de telles idées. Durant plusieurs jours, Gengis-khan exposa ses projets sur l'organisation civile et militaire du nouvel empire mongol. Lui et ses officiers, obligés de rester debout pendant des heures, finirent par avoir le visage complètement tanné par le soleil impitoyable de l'été.

Un jour, Qulan dit à Gengis-khan, qui l'avait rejointe dans sa tente : « Grand khan, le moment n'est-il pas venu d'accorder des bienfaits aux gens de ta famille ? Le plus infime caillou, comment le reconnaître pour sien avant de le serrer dans sa main ?

— Tranquillise-toi : je ne tarderai pas à les récompenser ! A mes femmes aussi, je ferai choisir ce qu'elles veulent. Mais toi, Qulan, que désires-tu ? répondit en riant Gengis-khan.

— Mon désir est de ne rien posséder ! Le pays des Uigur, celui des Kin et bien d'autres encore ne vivent-ils pas au fond de ton cœur ? C'est toi que je désire, toi et tes immenses rêves ! Quand vas-tu franchir l'Altaï pour la quatrième fois ? »

Gengis-khan, sans mot dire, couvait Qulan du regard. Gracile, elle était là à ses côtés, la biche blanche.

Peu après la fondation de l'empire mongol, le problème le plus embarrassant que Gengis-khan eut à résoudre fut celui de Mönglik et de ses sept enfants. Mönglik, de quinze ou seize ans plus âgé que lui, était déjà un vieil homme de soixante ans.

Gengis-khan avait élevé Mönglik à un rang qui lui permettait de siéger au conseil suprême des anciens, et placé ses enfants à des postes importants. S'il leur avait accordé de tels privilèges, c'était par reconnaissance envers le père de Mönglik, Charaqa : trente ans auparavant, immédiatement après la mort de Yesügeï, quand la famille de Gengis-khan, en butte aux coups cruels du sort, avait été abandonnée par l'ensemble du clan, seul le vieux Charaqa avait donné sa vie pour eux, et cela, Gengis-khan ne l'avait pas oublié. Le bouleversement qui l'avait alors saisi devant la loyauté indéfectible du vieillard continuait encore, trente ans après, à remuer son cœur. Voilà pourquoi, faute d'avoir pu récompenser directement Charaqa, il réservait un traitement de faveur à son fils et à ses petits-enfants.

Cependant, Gengis-khan ne faisait pas vraiment confiance à Mönglik : celui-ci, contrairement à Charaqa, avait fui comme tous les autres, ce qui ne l'avait pas empêché, plus tard, de revenir sans vergogne avec ses sept enfants. Malgré cela, Gengis-khan taisait ses griefs et s'imposait de ne voir en eux que des répliques du loyal Charaqa.

Mais pour Gengis-khan, le plus difficile à supporter était la liaison de Mönglik avec sa propre mère, Höelün. Tout en ignorant quand les choses avaient exactement commencé, il se doutait bien que cette relation avait dû se nouer peu de temps après le retour de Mönglik à son campement, treize ans auparavant. Höelün avait à l'époque à peine dépassé la cinquantaine, et il était facile d'imaginer qu'après de longues années de labeur consacrées à élever ses cinq enfants, elle pût désirer − ce qui n'avait rien de blâmable − vivre librement sa vie de femme.

Pourtant, Gengis-khan trouvait désagréable de rencontrer Mönglik dans la tente de sa mère. Ce n'était pas à elle qu'il en voulait, mais à Mönglik, ce qui l'avait amené, ces dernières années, à espacer ses visites à

Höelün. Mais comme il ne marquait pas d'opposition ouverte à cette relation, celle-ci avait pris une tournure presque officielle, permettant à Mönglik d'étendre dans l'ombre son influence. Bien plus : ses sept enfants, forts de la position de leur père, avaient fini par se comporter avec insolence. Le plus excessif de tous était l'aîné, le chaman Teb-tengri, qui avait choisi pour Temüjin le nom de Gengis-khan, ce qui lui avait encore donné plus d'arrogance. Teb-tengri, considéré comme le messager du Ciel, était admis à ce titre à assister librement à toutes les assemblées. Et ce devin au crâne chauve, au regard perçant comme un oiseau de proie, à la peau bistrée, jouant de la position particulière de son père et des privilèges que lui donnaient ses pouvoirs religieux et politiques, s'autorisait souvent des outrecuidances intolérables, et était animé d'une seule préoccupation : étendre l'emprise de sa famille.

Gengis-khan ne faisait pas plus confiance à Teb-tengri qu'à Mönglik. Mais comme ses prédictions se révélaient bien souvent exactes, tout en détestant le personnage, il ne pouvait pas se permettre de négliger les prophéties divines qui s'exprimaient par sa bouche.

L'année où Gengis-khan accéda au pouvoir suprême, il se produisit, à la fin de l'été, un événement décisif. Teb-tengri se présenta devant Gengis-khan, exigea de rester seul avec lui, et après avoir dit gravement, en guise de préambule : « Je viens te transmettre un message du Ciel éternel », l'informa d'un fait qu'on ne pouvait pas prendre à la légère : Qasar, le frère de Gengis-khan, complotait de s'emparer du pouvoir. Le chef mongol, incapable de croire une telle infâmie, dit sévèrement à l'oiseau de mauvais augure : « Il doit bien y avoir une raison, même à une parole du Ciel ! Demande-lui sur quelle preuve il s'appuie pour affirmer une chose pareille ! » Teb-tengri, avec un sourire sinistre, répondit : « Le Ciel demande au khan de se rendre au campement de Qasar. Là, il découvrira quelque chose de terrifiant. »

Gengis-khan, emmenant avec lui quelques-uns de ses gardes, sortit immédiatement de la tente impériale pour se rendre chez son frère, à quelque distance de là. C'était l'heure où tout va basculer dans l'obscurité du soir. Le campement de Qasar résonnait des rumeurs de quelque fête. Sur la place, un banquet qui avait dû durer toute la journée était sur le point de s'achever.

Gengis-khan resta debout dans un coin de la place. La foule qui s'était pressée là s'apprêtait, dans un grand brouhaha, à quitter les lieux, et de la tente de Qasar refluaient en désordre des groupes de gens éméchés. Parmi eux, Gengis-khan aperçut soudain Qulan, escortée de ses suivantes. Il n'y avait rien d'étrange à ce qu'elle eût été invitée à cette fête. Mais l'instant d'après, Gengis-khan vit Qasar apparaître à son tour à l'entrée de la tente, comme s'il poursuivait Qulan, et tenter de lui saisir la main. Son frère était visiblement pris de boisson. Qulan le repoussa par deux fois et, toujours entourée de ses suivantes, s'éloigna à travers la foule.

Gengis-khan fut pris d'une violente colère contre Qasar. Comme l'avait prédit Teb-tengri, il venait d'assister à une scène inimaginable. Comme l'avait prédit Teb-tengri, Qasar, sans aucun doute, était prêt à le trahir.

A peine revenu à son campement, il envoya des soldats chez Qasar pour l'arrêter. Un peu plus tard, il se rendit lui-même dans la tente de son frère. Celui-ci, à qui on avait enlevé sa ceinture et son sabre, se tenait debout, ligoté, devant son lit. Gengis-khan, incapable de dire un mot, le fixait d'un air furieux. Pourquoi Qasar, son bras droit, celui qui depuis l'enfance avait partagé toutes les épreuves, se révoltait-il à présent contre lui ? Gengis-khan, ne pouvant décider s'il fallait bannir son frère, le décapiter ou l'emprisonner, gardait le silence.

A cet instant, la draperie à l'entrée de la tente fut écartée avec violence et il vit apparaître sa mère. Depuis

168

quelque temps, Höelün s'était visiblement affaiblie et elle marchait à présent d'un pas tremblotant, comme si tout son corps était ankylosé. Pour Gengis-khan, l'arrivée de sa mère était tout à fait imprévue. Sans doute quelqu'un s'était-il empressé de l'avertir.

Höelün, se précipitant vers Qasar, délia les cordes qui l'emprisonnaient, lui remit son bonnet et sa ceinture, puis s'assit en tailleur et, toisant sévèrement Gengis-khan, lui dit d'une voix vibrante de colère : « Faut-il que je te montre mes seins flétris ? Faut-il que je presse encore ces deux seins qui vous ont nourris, toi et Qasar ? Autrefois, tu as tué ton frère Bekter. Veux-tu à présent tuer aussi Qasar ? Pareil au dogue déchirant son placenta, pareil à la panthère qui se jette sur une falaise, pareil au lion qui ne peut réprimer sa colère, pareil au python avalant un animal tout vif, pareil au gerfaut qui fond sur son ombre, pareil au brochet engloutissant sa proie en silence, pareil au chameau qui mort le jarret de son petit, pareil au chacal sautant à la gorge de ses ennemis, pareil au canard mandarin qui, ne pouvant faire avancer ses canetons, les dévore, pareil à la hyène attaquant celui qui touche à sa tanière, pareil au tigre qui se jette sans hésiter sur sa proie, pareil au chien sauvage bondissant à l'aveuglette, veux-tu aussi tuer Qasar, qui fut pendant si longtemps ton bras droit ? »

Devant cette explosion de rage, Gengis-khan fit un bond en arrière. La colère de sa vieille mère était plus violente encore qu'à l'époque où il avait tué Bekter, et les mots qu'elle proférait dans une sorte de transe, empreints d'une véritable frénésie. Gengis-khan, à demi hébété, restait là à la regarder. Elle avait vraiment l'air d'un python prêt à l'avaler tout vif. Au moment de la mort de Bekter, Höelün avait sangloté, mais cette fois elle ne versa pas une seule larme. Gengis-khan, reculant encore, se borna à lancer : « Qasar est libre ! Et il restera longtemps encore mon bras droit ! » Puis, tournant le dos à sa mère et à son frère, il sortit de la tente. Etreint par un sentiment d'abandon, il marcha sous le ciel nocturne piqueté d'étoiles. Que Qasar eût voulu ou non le trahir, une chose en tout cas était sûre : il avait essayé de prendre la main de Qulan et cela, c'était impardonnable. Et pourtant, Gengis-khan venait de pardonner cet acte. Il l'avait fait pour leur vieille mère Höelün, pour cette femme exceptionnelle qui les avait élevés malgré toutes les épreuves.

Mais ce n'était pas à cause de cela qu'il éprouvait un tel sentiment d'abandon : c'était à cause du regard de sa mère. Le regard d'une femelle qui cherche à protéger son petit du danger. Pour la première fois, Gengis-khan était obligé de reconnaître que si lui et Qasar avaient bien la même mère, quelque chose différenciait la relation que chacun avait avec elle : Qasar était assurément l'enfant de Höelün et de Yesügeï, tandis que lui avait été conçu lors du rapt de sa mère par les Merkit. Cela ne faisait aucun doute. Höelün devait le détester comme elle avait dû haïr son ravisseur. Gengis-khan avait l'impression d'avoir lu clairement, dans les yeux de sa mère, le secret de sa naissance.

Pour elle cependant, il venait de renoncer à punir son frère, ce qui lui imposait d'exécuter Teb-tengri, coupable d'avoir décrété, sous couvert d'une prédiction, que Qasar était un traître. Cette nuit-là, Gengis-khan ne dormit pas une seule seconde, se demandant quel parti il prendrait, celui de sa mère ou celui des dieux. A l'approche de l'aube, il décida de faire tuer le messager du Ciel.

Le lendemain, quand Teb-tengri se présenta dans la tente de Gengis-khan, celui-ci le fit immédiatement ligoter par ses gardes et le mit entre les mains de trois guerriers qu'il avait spécialement choisis. Ils entraînèrent Teb-tengri hors de la tente, jusqu'à la place toute proche. Là, ils lui brisèrent immédiatement la colonne vertébrale, et après s'être assurés qu'il était bien mort, l'abandonnèrent parmi les mauvaises herbes.

Une heure plus tard, Gengis-khan se rendit en personne à cet endroit pour voir le cadavre. Le père et les frères de Teb-tengri, entourés d'une foule de gens de leur clan, étaient là, venus chercher le corps. Mönglik, s'avançant vers Gengis-khan, lui dit : « J'ai été ton fidèle compagnon depuis les premiers temps de la conquête mongole, et pourtant, tu as tué mon fils aîné ! » Dans ses paroles vibraient les accents impérieux de celui qui se savait l'amant de Höelün.

Gengis-khan cria, avec des tremblements dans la voix : « Mönglik ! Teb-tengri, victime du despotisme de toute ta famille, n'a pu, sa dernière heure venue, bénéficier de la clémence du souverain. Tiens-tu donc tellement à te transformer toi aussi en cadavre pour reposer aux côtés de ton fils ? »

Mönglik et ses enfants, effrayés, s'en allèrent immédiatement, laissant là le corps de Teb-tengri. Gengis-khan renonça, une fois de plus pour sa mère, à éliminer Mönglik.

Le cadavre de Teb-tengri, bien digne en cela de celui d'un chaman, resta intact sur le sol, sans se décomposer. Tous furent saisis de peur devant ce prodige, mais Gengis-khan n'y attacha aucune importance. Pour sa mère, il avait laissé la vie sauve à deux êtres qu'il voulait à tout prix supprimer. En regard de ce sacrifice, le sort étrange du corps de Teb-tengri lui semblait insignifiant.

Gengis-khan se comporta par la suite avec Qasar comme s'il ne s'était rien passé. Celui-ci continua d'être son auxiliaire le plus précieux. De même, il ne changea pas d'attitude envers Mönglik, le laissant comme avant fréquenter la tente de sa mère et assister au conseil suprême des anciens. Mais après la mort de Teb-tengri, la famille de Mönglik perdit une grande part de son pouvoir et dut renoncer à son arrogance.

L'année suivante, en 1207, Gengis-khan, apprenant qu'il restait encore, dans les régions frontalières du nouvel empire mongol, des peuples qui refusaient de se soumettre, s'employa à les plier à son pouvoir.

Au début du printemps, il envoya Qubilaï attaquer les Qarluq. Qubilaï était haut responsable des affaires militaires, mais en cette occasion, il avait demandé à Gengis-khan de prendre lui-même la tête des opérations. Le chef du peuple Qarluq se rendit sans la moindre résistance et, revenant avec Qubilaï, sollicita une audience de Gengis-khan. Celui-ci le reçut avec bienveillance et lui promit, plus tard, la main d'une de ses filles. Il était en effet un peu prématuré de lui donner comme épouse l'enfant qu'il avait eue de sa concubine Yesüi, et qui n'avait encore que trois ans.

Ayant eu vent ensuite d'un mouvement de rébellion chez les Naiman, il dépêcha au début de l'été, afin de le réprimer, une expédition conduite par Jebe. Le jeune général mit près de six mois à écraser cette rébellion et revint victorieux à la fin de l'automne.

Il était à peine rentré que des Uigut vivant aux confins du territoire mongol envoyèrent à Gengis-khan un message pour lui prêter serment d'allégeance. Les présents offerts par leur chef étaient tous de grande valeur : or, argent, pierres précieuses, soieries, brocarts, damas, et Gengis-khan, en guise de remerciement, lui promit la princesse Alqal-to'un. C'était la fille de Yesügen, mais elle aussi était trop jeune pour être séparée de sa mère avant longtemps.

L'année suivante, en 1208, Gengis-khan nomma son fils aîné Jöchi commandant en chef d'une armée destinée à conquérir les territoires forestiers du Nord. C'était sa première opération hors des frontières depuis la fondation de l'empire. Pour pouvoir combattre l'empire Kin au sud-est, le royaume Uigur au sud-ouest, il lui fallait d'abord se débarrasser d'une éventuelle menace des peuples du Nord. Dans ces régions n'existait aucun pouvoir organisé, et les quelques tribus barbares qui y vivaient étaient dispersées autour du lac Baïkal. Plus au nord encore, il y avait le « pays de Sibir » (la Sibérie), succession de vastes plaines glaciales et inhabitées, inaccessibles jusque-là aux Mongols.

Jöchi avait vingt et un ans. Destiné de par sa naissance à affronter toutes les épreuves à travers lesquelles se forgeait le peuple mongol, il avait été élevé très sévèrement par sa mère Börte. Quand il commença à être question d'une expédition dans le pays de Sibir, Börte demanda à Gengis-khan d'en confier la responsabilité à leur fils, pour qu'il puisse ainsi faire ses premières armes.

« Cette région est infiniment lointaine. Impossible d'imaginer jusqu'où elle s'étend au-delà du lac Baïkal, dit Gengis-khan.

— Les jambes de Jöchi sont plus robustes que celles du chamois, répondit Börte en redressant la tête.

— La campagne dans le pays de Sibir ne sera pas une lutte contre l'homme, mais contre la nature.

— Jöchi a été élevé depuis l'enfance avec le vent et la neige pour compagnons. Il n'a pas grandi confiné dans une tente !

— De cette campagne, quatre-vingt-dix hommes sur cent ne reviendront sans doute pas, fit remarquer Gengis-khan.

— Jöchi n'est-il pas né justement pour se mesurer à un tel destin ? » répliqua Börte avec un regard farouche.

Gengis-khan, après avoir considéré silencieusement sa femme, finit par dire à voix basse : « Entendu ! J'enverrai Jöchi ! »

Gengis-khan avait pensé qu'il fallait, pour mener cette expédition dans le pays de Sibir, un général chevronné, capable par son prestige de galvaniser ses hommes, et que Jelme était le seul à pouvoir remplir ce rôle. Cependant, devant l'insistance de Börte, il se résolut à porter son choix sur Jöchi. Il avait vu flamber, dans les yeux de sa femme, une lueur de défi, un défi à l'égard de l'homme qui se refusait à croire que Jöchi fût son fils.

Jöchi, promu pour la première fois de sa vie au rang de général en chef, attendit la fonte des neiges, au début du mois de mai, pour quitter le campement à la tête de l'aile droite de l'armée mongole [1], composée de dizaines de milliers de valeureux soldats. Et longeant les rives d'un affluent du Sellenga, il prit la direction du nord.

A la fin de l'année, il revint victorieux, ramenant avec lui un énorme butin. Guidé par Qutuqa-beki, chef des Oirat qui s'étaient rendus les premiers, il avait soumis successivement les Buriat, les Balqun, les Ursu'ut, les Qabqanas, les Qangas, les To'uba, réduit à l'obéissance les Kirghiz, la tribu la plus puissante de cette région, assujetti les peuples forestiers du Nord-Ouest, et rentrait à présent en compagnie de plusieurs chefs kirghiz, ainsi que de Qutuqa-beki. Un nombre considérable de faucons, de hongres blancs, de zibelines noires, furent offerts à Gengis-khan.

Celui-ci, en tant que souverain du peuple mongol, félicita publiquement son fils pour ses hauts faits. « Jöchi, parti en expédition dans les territoires stériles du Nord-Ouest, a défriché des chemins lointains et semés d'embûches et, sans massacrer les habitants, sans infliger de blessures aux chevaux, a soumis les peuples heureux des forêts. Je lui accorde le gouvernement des populations et des territoires qu'il a conquis ! »

En ces circonstances Gengis-khan, ravi, fut bien obligé de reconnaître que dans le corps maigre, d'apparence gracile, de son fils, se cachait une nature hors du commun, qu'il n'avait jamais décelée jusqu'alors. Jöchi avait prouvé avec éclat qu'il avait du sang mongol, qu'il était bien le descendant du Loup bleu.

---

1. L'armée mongole était en principe disposée en trois ailes, orientées face au sud : l'aile gauche, le centre et l'aile droite. Cette orientation correspondait aux objectifs de la conquête mongole, dirigée en éventail vers la Chine (le côté gauche), le Turkestan et l'Iran oriental (le centre), la steppe russe (le côté droit).

Le jour où il fit l'éloge de son fils, Gengis-khan convoqua les chefs des tribus frontalières qui venaient de se soumettre à lui. Se trouvant dans d'excellentes dispositions, il annonça qu'il offrait à Qutuqa-beki, pour les précieux services qu'il lui avait rendus, la princesse Checheigen, née de ses amours avec l'une de ses concubines. Mais quelqu'un ayant fait remarquer qu'entre Qutuqa-beki, qui avait quarante ans, et la petite princesse de cinq ans, la différence d'âge était trop grande, Gengis-khan renonça à cette offre pour attribuer l'enfant comme épouse au fils de Qutuqa-beki, Inarchi, qui n'avait que treize ans. Puis il dit : « Qutuqa-beki, demain tu graviras la colline située au nord de ma tente. Tous les moutons que tu apercevras de là seront à toi. »

Qutuqa-beki fit alors remarquer : « Inarchi est mon fils cadet. L'aîné, To'urelchi, garde le campement en mon absence.

— Dans ce cas, je donne à ton fils aîné la fille de Jöchi, Goluin », proposa Gengis-khan. Comme Qutuqa-beki se retirait, se présenta cette fois le chef des Öngut qui, lui aussi, avait apporté son aide à l'armée mongole durant la dernière campagne.

« Chef öngut, je t'offre la princesse Alagaï-beki ! »

Cette princesse était elle aussi une enfant récemment mise au monde par une de ses concubines. Gengis-khan, qui n'avait aucune considération pour les femmes, qu'elles fussent ses filles ou ses petites-filles, ne voyait pas la nécessité de les garder à ses côtés.

Ayant accordé des territoires à Jöchi, Gengis-khan profita de cette occasion pour attribuer des possessions aux autres membres de sa famille, qu'il n'avait pas récompensés jusqu'alors. A sa mère Höelün et à son jeune frère Temüge, il donna un peuple de dix mille hommes. Chez les Mongols, la tradition voulait que ce soit le benjamin qui hérite des biens paternels, et c'est pourquoi Temüge fut plus favorisé dans le partage que ses autres frères. Höelün, quant à elle, garda un silence

175

réprobateur devant ce qui lui était échu. Gengis-khan savait bien qu'elle était mécontente, mais n'avait pas l'intention de se montrer plus généreux avec elle.

Il offrit ensuite à son fils aîné Jöchi un peuple de neuf mille hommes, tandis que le cadet Jagataï en recevait huit mille, et Ögödeï et Tolui, les derniers, chacun cinq mille. Ses frères Qasar et Belgüteï eurent droit respectivement à quatre mille et mille cinq cents hommes. Toutes ces récompenses envers sa famille, et envers ses deux frères en particulier, étaient bien modestes. Car Gengis-khan considérait qu'en l'occurrence il n'était pas nécessaire de se précipiter. Pour exprimer sa reconnaissance à Qasar et Belgüteï, il lui fallait disposer de biens beaucoup plus importants. Et cela se ferait plus tard. Pour le moment, il n'avait fait que s'assurer la possession des hauts plateaux mongols.

S'il agissait ainsi avec ses frères, c'était aussi pour une autre raison : ces derniers temps, il avait commencé à prendre une certaine distance par rapport à Qasar et Belgüteï. L'un était sans doute de père différent. Quant à l'autre, il n'avait pas la même mère. Et pourtant, pour mener le peuple mongol à cette puissance qui était la sienne aujourd'hui, tous trois avaient traversé les mêmes années difficiles et, unis comme les doigts d'une seule main, avaient affronté ensemble toutes les épreuves.

Jusqu'alors, ses deux frères avaient été pour lui des êtres indispensables, et même irremplaçables. Cependant, à présent que le peuple mongol formait un empire, Gengis-khan ne jaugeait plus à la même aune les qualités de Qasar et de Belgüteï. Des compagnons comme Bo'orchu et Jelme lui apportaient bien plus. Qasar, il fallait bien le reconnaître, était l'un des meilleurs stratèges mongols, mais il manquait d'ascendant sur ses hommes. Il partageait ce défaut avec Belgüteï qui, en outre, était loin d'être un chef infaillible : durant les campagnes successives contre les Naiman, il n'avait cessé de commettre des erreurs dues à son manque de réflexion.

Néanmoins, Gengis-khan savait qu'un jour il offrirait à ses deux frères leur juste récompense. Mais il attendait pour cela l'occasion propice. Il rêvait d'attribuer à Qasar les cités mystérieuses de l'Ouest, à Belgüteï les plaines inconnues du Nord, et de les en faire rois. En revanche, le mécontentement de sa mère le laissa indifférent. Il considérait même que Höelün n'avait besoin de rien, puisqu'elle resterait toujours à ses côtés, au sein du peuple mongol.

Cependant, à la fin de cette année-là, Höelün mourut brusquement, après trois jours de maladie. Elle avait soixante-six ans. Ses funérailles furent célébrées en grande pompe. Son corps fut chargé sur les épaules de Kököchü, Küchü, Shi'i-qutuqu et Boro'oul, les quatre orphelins qu'elle avait élevés, et enterré sur les pentes du mont Burqan, au sein d'un paysage superbe.

Quand il vit le corps de sa mère descendre dans la fosse, Gengis-khan ne put retenir ses larmes. Sa douleur gagna aussitôt ceux qui l'entouraient, et tous, ses frères et sa sœur, sa femme Börte, ses compagnons Bo'orchu, Jelme, Chimbeï, Chila'un, se mirent à sangloter. Après les funérailles, les deux millions de Mongols, répartis en vingt et une tribus, gardèrent le deuil durant un mois.

Pour Gengis-khan, la mort de sa mère représentait avant tout la disparition de la seule personne à connaître le secret de sa naissance. Il éprouvait bien sûr la tristesse de n'importe quel fils quand il perd l'être qui l'a mis au monde, qui l'a élevé, qui a traversé avec lui toutes les épreuves. Mais il y avait, au-delà de cette douleur, un sentiment de total abandon, comme s'il se trouvait brusquement jeté nu dans l'univers ; car avec Höelün était morte celle qui détenait sans doute les éléments lui permettant de déterminer s'il était merkit ou mongol. Cela ne voulait pas dire que Gengis-khan serait parvenu, si Höelün avait vécu, à lui arracher la vérité. Peut-être même n'aurait-il pas éprouvé ce désir. Mais au moins aurait-il gardé, tant qu'elle était vivante, l'illusion de pouvoir un jour, auprès d'elle, apaiser ses tourments.

En même temps, la mort de sa mère apporta à Gengis-khan un sentiment de délivrance qu'il n'aurait jamais cru possible : l'être qui l'obligeait à surveiller ses pensées n'était plus. Il avait toujours désiré faire partie de la lignée du Loup bleu et de la Biche blanche, mais la présence même de Höelün lui semblait faire obstacle à cette aspiration.

Tout en déplorant la mort de sa mère, il sentit donc pour la première fois qu'il pouvait s'abandonner à son imagination. N'était-ce pas de lui seul, à présent, que tout dépendait ? Il était enfin libre et de rêver et de croire qu'il descendait du Loup bleu, libre même d'ériger ce désir en véritable certitude.

C'est alors que l'image de l'immense pays des Kin s'imposa à son esprit sous la forme d'une proie enfin accessible qu'il lui fallait déchiqueter.

A cause de son deuil, Gengis-khan ne donna pas de banquet de Nouvel An. En revanche, il convoqua tour à tour dans sa tente ses plus fidèles vassaux, pour leur soumettre le même sujet de réflexion : comment faire pour engager l'empire mongol à peine créé sur la voie de la prospérité ? Et sans presque intervenir, il écouta inlassablement les réponses.

En une dizaine de jours, il parvint à récolter les opinions de plusieurs personnes : celles de ses compagnons de toujours, Bo'orchu, Muqali, Jebe, et des anciens de chaque clan, et aussi des jeunes gens qui s'entraînaient constamment à la guerre, et même des femmes qui gardaient les moutons. Il apprit ainsi que tous les Mongols, sans distinction de rang, souhaitaient une vie plus riche, qui leur permette de goûter plus de joie de vivre. Gengis-khan partageait ce désir. Pour pouvoir le réaliser, la plupart de ses sujets proposaient d'envahir les pays voisins, afin d'en rapporter du butin et des présents qui seraient répartis équitablement.

Parmi tous ceux que Gengis-khan consulta, son général Jebe et sa favorite Qulan furent les seuls à se distinguer par l'originalité de leurs propos. L'intrépide guerrier, qui avait autrefois pris Gengis-khan pour cible, lui soumit avec un parfait naturel, comme si cela tombait sous le sens, une idée qui n'avait jamais effleuré qui que ce fût : « Le peuple mongol doit abandonner l'élevage des moutons ! Tant qu'il y aura des moutons, les Mongols ne seront pas heureux ! »

Il y avait dans ces paroles comme un défi lancé à la face des dieux.

Quant à Qulan, elle s'exprima ainsi : « Il existe certainement d'autres régions plus habitables que les hauts plateaux. Pourquoi ne pas tous quitter cette terre aux étés torrides, aux hivers rigoureux, pour aller nous installer ailleurs ? N'est-ce pas ton devoir, ô mon khan, de dresser ta tente au pied d'un mont plus beau que le Burqan, d'édifier ta capitale dans le bassin d'un fleuve aux eaux plus limpides que l'Onon ? »

Pareils propos, eux non plus, n'avaient jamais été tenus par un Mongol. Gengis-khan comprit que les propositions de Jelme et Qulan, malgré leurs différences, révélaient une même conception des choses : la terre d'origine des Mongols n'offrait aucune promesse de prospérité. A ces deux propositions, faites à quelques jours d'intervalle, Gengis-khan apporta une réponse identique : « Un jour, le peuple mongol agira ainsi. »

Il pensa alors que seul l'empire Kin était assez riche pour pouvoir nourrir deux millions de Mongols qui auraient renoncé à l'élevage. Et si l'on voulait s'installer auprès d'une belle montagne, d'un fleuve aux eaux limpides, où les trouver ailleurs que dans cet empire ?

A la fin du mois de janvier, Gengis-khan, devant le conseil des anciens, exposa en ses propres termes les propositions de Jelme et de Qulan : « Nous, Mongols, avons reçu du Ciel une grande mission : nous venger des Kin, nos ennemis héréditaires ! Notre ancêtre Ambaqaï-khan, capturé par les Tatars, fut livré aux Kin, cloué à un âne en bois et écorché vif. Qabul-khan et Qutula-khan périrent tous deux à la suite d'une machination des Kin. Nous ne devons pas oublier ces avanies qui ont taché de sang toute notre histoire. Au printemps, nous partirons en guerre contre les Kin. Et en cours de route, tous les obstacles à la progression de notre armée devront être balayés ! »

A mi-chemin entre les hauts plateaux mongols et l'empire Kin se trouvait le pays Si-Hia. Gengis-khan allait donc devoir l'attaquer avant son affrontement décisif avec les Kin. Deux ans plus tôt, les Si-Hia avaient payé tribut aux Mongols, et entretenaient donc avec eux des relations de bon voisinage. Mais Gengis-khan savait qu'une telle situation ne pouvait durer. Quel qu'en soit le prétexte, il lui faudrait un jour soumettre les Si-Hia par la force et les anéantir, afin que plus rien ne fasse obstacle à son offensive contre les Kin.

Avant le printemps se produisit un incident : Qorchi, le vieux devin amateur de femmes, qui gouvernait dix mille hommes dans le bassin du fleuve Irtysch, avait été fait prisonnier par la population d'un des campements qui étaient sous son contrôle. Car fort du privilège que lui avait accordé Gengis-khan, il passait son temps, de village en village, à courir le guilledou, et avait fini par se mettre dans de vilains draps.

Gengis-khan envoya Qutuqa-beki, de la tribu Oirat, secourir Qorchi. En effet l'homme, qui avait apporté son appui à Jöchi durant la précédente campagne, connaissait bien la région. Mais peu de temps après, on apprit que Qutuqa-beki avait, lui aussi, été fait prisonnier.

Gengis-khan envoya cette fois Boro'ul à la rescousse avec quelques soldats. Il lui donna l'ordre de faire tout son possible pour résoudre cette affaire sans avoir recours aux armes. Il était persuadé que Boro'ul saurait s'acquitter avec adresse de cette mission. Le garçon, âgé de cinq ou six ans quand Qorchi l'avait recueilli durant l'offensive contre les traîtres Seche-beki et Taichu, du clan Jürkin, était à présent un robuste jeune homme d'une vingtaine d'années.

Gengis-khan, connaissant les liens qui l'unissaient à Qorchi, le chargea donc spécialement de tirer le vieillard du danger. Boro'ul était d'ailleurs, à d'autres égards, le personnage idéal pour une tâche de ce genre : la douceur presque féminine de son visage lui attirait immanquablement la sympathie, et il avait le génie de la négociation. Il savait, sans froisser ses interlocuteurs, les mener à sa guise comme des pions sur un échiquier.

Parmi les quatre orphelins élevés par Höelün, Gengis-khan avait toujours eu une affection particulière pour Boro'ul, et fondait sur lui de grands espoirs. Il songeait vaguement à faire de lui, plus tard, son ambassadeur auprès des plus puissantes contrées.

Cependant, en chargeant Boro'ul de cette mission dans le bassin du fleuve Irtysch, Gengis-khan commit une erreur fatale : environ un mois après le départ du jeune homme, celui-ci fut ramené mort au campement. A l'idée qu'il avait, pour une insignifiante chicane, causé la perte d'un être irremplaçable, Gengis-khan resta pétrifié.

« Quelle faute j'ai commise ! J'aurais dû séquestrer Boro'ul dans ma tente jusqu'à ce que vienne le moment de l'envoyer dans la cité des Kin », soupira-t-il. Puis il devint écarlate et se mit à hurler : « Dörbeï-doqchin ! Mobilise tes troupes ! Qu'elles incendient le bassin du fleuve Irtysch jusqu'au dernier brin d'herbe ! »

Le général Dörbeï-doqchin, homme de faible stature, au teint livide et aux cheveux roux, semblait avoir été mis au monde pour massacrer tout ce qui ressemblait, de près ou de loin, à un ennemi. On disait qu'après son passage ne repoussait ni arbre ni herbe. Bo'orchu et Muqali s'opposèrent à ce qu'il intervienne dans cette querelle intestine, mais Gengis-khan ne se laissa pas fléchir.

Un mois plus tard, le général revint accompagné de Qorchi et de Qutuqa-beki. Ses soldats rapportaient toutes sortes d'armes étranges : cognées, hachettes, scies, maillets.

Le général fit son rapport : « Les peuples de la forêt ne sont plus que cadavres, les arbres des bois ne sont plus que cendres ! » Il avait exécuté à la lettre les ordres de Gengis-khan.

Au début de l'été, conformément au plan de Gengis-khan, l'immense armée mongole s'ébranla pour attaquer le royaume Si-Hia. Il était impossible, sans soumettre ce pays fondé par un peuple d'origine tibétaine, les Tangut, qui occupait la région comprise entre les hauts plateaux mongols et l'empire Kin, d'envahir ce dernier. Eviter le royaume Si-Hia, c'était se heurter de front à la Grande Muraille et aux parois à pic du massif du Khingan, véritable gageure pour une armée aussi importante. Contourner la Grande Muraille par le sud du pays Si-Hia était donc pour les Mongols la seule voie d'accès vers l'empire Kin.

Cependant, pour parvenir au royaume Si-Hia, les troupes devaient d'abord passer par une vaste contrée désertique, ce qui représentait plusieurs dizaines de jours de marche. A la fin du mois de mai, Gengis-khan, à la tête d'une armée de centaines de milliers d'hommes, traversa d'une traite le grand désert de Gobi en direction de la capitale du pays Si-Hia, Tchong-hing-fou. Dans ces régions désertiques, il rencontra l'armée ennemie dirigée par l'héritier du roi Li Ngan Tsiuan. Ce fut, pour les soldats mongols, la première véritable bataille contre un peuple étranger.

Mais les forces en présence étaient par trop inégales : en un instant, les soldats de l'armée si-hia, leurs chameaux, leurs chevaux, encerclés par la cavalerie de Gengis-khan, subirent un assaut qui les laissa écrasés.

Les troupes mongoles, sans prendre la peine de poursuivre l'ennemi en déroute, continuèrent leur avancée vers Tchong-hing-fou. En cours de route, Gengis-khan divisa son armée en trois bataillons, dont il confia le commandement à Jebe, Muqali et Qubilaï. Et les féroces loups mongols, abordant la capitale par le nord, l'ouest et le sud, eurent vite fait d'y mettre le siège. Gengis-khan et ses hommes virent pour la première fois de leurs propres yeux le cours ample et boueux du fleuve Jaune qui coulait à l'ouest des fortifications, et la Grande Muraille, sinuant comme une galerie d'acier au-dessus des monts, de crête en crête. Au bout de six mois de siège, la digue que Gengis-khan avait fait édifier sur le fleuve Jaune s'étant rompue, il fallut renoncer à l'encerclement de la ville. Mais bientôt, un accord de paix fut conclu avec le roi du Si-Hia : Gengis-khan lui fit promettre le versement d'un tribut et repartit avec son armée après avoir accepté la main d'une de ses filles.

Cette expédition en pays Si-Hia eut une conséquence inattendue : les Uigur, qui occupaient le territoire situé à l'ouest de ce royaume, craignant la menace mongole, envoyèrent un ambassadeur à Gengis-khan pour lui prêter serment de fidélité.

Chapitre V

A la fin de cette année-là, une fois revenu dans son campement des hauts plateaux, Gengis-khan, fort de l'expérience acquise lors de cette première campagne contre un peuple étranger, entreprit de réorganiser toute son armée. Il modifia de façon radicale la composition de ses troupes, remplaçant l'ensemble des unités par des bataillons de cavalerie. Les lances courtes furent abandonnées au profit de piques plus longues, et aux arcs et aux flèches, qui formaient la base de l'équipement, vinrent s'ajouter des catapultes et des armes à feu. L'entraînement s'intensifia de jour en jour. A part les enfants, les malades et les vieillards, tous les hommes avaient été enrôlés. Certains passaient leur temps à l'exercice, d'autres étaient chargés de la fabrication de cuirasses, de cottes de mailles ou d'armes : arcs rigides en corne de bélier, flèches sifflantes. Les femmes et les enfants s'occupaient des moutons et tissaient des vêtements. Même après la tombée de la nuit, on apercevait partout des lueurs mouvantes sur les hauts plateaux, celles des torches brandies par les cavaliers à l'entraînement.

Des routes furent construites dans l'ensemble du pays et jalonnées, aux points stratégiques, de relais [1] où étaient

---

1. Connu sous le nom de *yam* (d'où dérive le mot russe *yamtchik*, cocher), ce système de communication rapide, créé par Gengis-khan, permettait aux « messagers-flèches », grâce à des relais de chevaux

cantonnées des troupes de cavaliers aguerris. Toutes les nouvelles, passant de poste en poste, parvenaient avec la célérité d'une flèche au campement de Gengis-khan. De même, les ordres de celui-ci se propageaient comme des vagues déferlantes jusque dans les coins les plus reculés de l'immense steppe.

Un nouveau code pénal, beaucoup plus draconien que le précédent, fut mis en place. Les voleurs devaient rendre à leur victime le triple de ce qu'ils leur avaient dérobé. Mais les vols de chameaux, même pour une seule bête, étaient punis de mort. Des peines sévères étaient aussi appliquées en cas d'abus d'alcool et d'altercation. Ces règles avaient surtout été établies pour maintenir l'ordre et protéger les femmes et les enfants qui resteraient au pays lors des grandes campagnes militaires.

Gengis-khan consacra toute l'année 1210 à ses préparatifs d'expédition contre l'empire Kin. Mais il ignorait encore à quel moment il passerait à l'offensive. Car il lui était difficile d'évaluer l'importance de la puissance économique et militaire dont disposait cet immense pays. Tantôt il se sentait prêt à l'affrontement, tantôt il avait l'impression qu'il lui faudrait encore des années pour s'assurer la victoire.

Cet été-là, des ambassadeurs arrivèrent du pays des Kin. A peine avaient-ils franchi la frontière que la nouvelle de leur venue fut transmise à Gengis-khan à travers son réseau de relais. Mais de nombreux jours s'écoulèrent avant qu'il ne les vît apparaître.

Les ambassadeurs lui annoncèrent la mort de l'empereur Tch'ang-ts'ong et l'accession au trône de son fils, le prince Yong-tsi. C'est pourquoi ils venaient demander au chef mongol de renouveler son serment d'allégeance.

Gengis-khan accueillit les visiteurs chinois avec le mépris qu'il réservait d'ordinaire aux envoyés des clans

---

régulièrement disposés, de parcourir de grandes distances en un laps de temps très court (on a parlé de 400 km par jour).

conquis. Il affirma qu'il fallait, pour gouverner un grand empire, un souverain exceptionnel. Or, Yong-tsi n'avait pas la réputation d'être un homme de cette envergure. Il était donc hors de question de lui payer tribut. Sur ces mots, Gengis-khan se retira. Et les ambassadeurs durent aussitôt reprendre le chemin du retour.

Gengis-khan avait eu vent, l'année précédente, de la mort de Tch'ang-ts'ong, mais n'avait pu vérifier la véracité de cette nouvelle. Il en avait à présent la confirmation officielle. Le soir même, il décida du moment où il partirait en campagne contre les Kin. Deux jours plus tard, il fit part aux anciens de cette décision. L'expédition fut fixée au mois de mars 1211, à six mois de là.

A la suite de cette annonce, un conseil militaire se réunit chaque jour dans la tente de Gengis-khan. Une vive discussion opposa les généraux, Bo'orchu, Jelme, Qasar, Muqali, Jebe, Süböteï, sur l'itinéraire à établir pour envahir l'empire Kin. La voie la plus sage était le passage par l'ouest, à travers le pays Si-Hia désormais inféodé aux Mongols. Là, le ravitaillement serait facile et les routes étaient déjà toutes tracées. En revanche, passer par l'est imposait de franchir une succession de chaînes montagneuses, puis de se frayer une voie en ouvrant une brèche dans la Grande Muraille. Cette solution présentait cependant certains avantages : elle permettait de prendre l'ennemi par surprise et de pénétrer dans l'empire Kin en plusieurs points différents. L'ouest par contre n'offrait qu'une seule possibilité d'accès : la bande étroite formée par le sud du pays Si-Hia.

Au terme de cette discussion, Gengis-khan décida de passer par l'est. Les troupes mongoles, comme des loups gravissant un pic sous la lune, devraient franchir la Grande Muraille de toutes parts et se ruer en avalanche sur l'empire Kin. Des loups gravissant un pic sous la lune : depuis toujours, Gengis-khan avait nourri et avivé en lui cette image. Et c'est donc sur ce rêve de sa lointaine enfance qu'il engagea, dans l'entreprise la plus hasardeuse qui soit, la destinée de tout le peuple mongol.

Dès le commencement de l'an 1211, dans toutes les régions des hauts plateaux se formèrent de petits groupes de soldats qui, grossissant peu à peu, se mirent en route vers le campement de Gengis-khan, progressant toujours plus avant, en un défilé ininterrompu, vers le cours supérieur des fleuves Onon et Kerülen.

Au début du mois de mars, Gengis-khan annonça à toute son armée le prochain départ de l'expédition contre les Kin. Dans les jours qui suivirent se succédèrent les directives concernant la composition des troupes. Dans les vastes prairies proches du campement se pressaient soldats, chameaux, chevaux, chars de guerre. Un nombre considérable de moutons étaient parqués dans un coin.

Les soldats furent répartis en six bataillons. Trois d'entre eux étaient dirigés respectivement par Muqali, Süböteï et Jebe. L'aile gauche fut confiée à Qasar, l'aile droite aux trois fils aînés de Gengis-khan, Jöchi, Jagataï et Ögödeï, tandis que le chef mongol prenait personnellement le commandement du centre avec Tolui, son dernier-né. La garde du campement serait assurée par deux mille hommes seulement, placés sous les ordres de Toquchar.

Trois jours avant le départ de l'expédition, Gengis-khan gravit le mont Burqan et, parvenu au sommet, pria le Ciel de lui accorder la victoire. Il passa sa ceinture sur ses épaules, défit les cordons de ses vêtements, et s'agenouillant devant l'autel, répandit du lait fermenté sur le sol.

« O divinité éternelle ! Je vais lever mon armée pour venger mes ancêtres, ignominieusement assassinés par les Kin. C'est là la volonté de tout le peuple mongol. Si tu m'approuves, verse en moi ta force, et fais que tous les hommes ici-bas et tous les esprits s'unissent à moi ! »

Le soir qui précéda le départ de l'expédition, Gengis-khan réunit sous sa tente ses quatre fils, Jöchi, Jagataï,

Ögödeï et Tolui, alors âgés de vingt-quatre, vingt-deux, vingt et dix-huit ans, pour partager avec eux et Börte son dernier repas.

« Börte ! Les quatre enfants que tu as mis au monde vont partir pour l'empire Kin, chacun à la tête d'un bataillon. Ce soir, tu ne seras pas la seule à te séparer d'eux. Moi aussi, il me faut leur dire adieu. Car demain, père et fils devront prendre des directions différentes, tant sera vaste, cette fois, la zone de bataille, dit Gengis-khan.

— Pourquoi devrais-je m'attrister de me séparer de mes fils ? Ne t'ai-je pas épousé pour mettre au monde des loups capables de déchiqueter les Tatars et les Tayichi'ut ? Or, sans attendre que mes enfants deviennent des hommes, tu t'es chargé de massacrer Tatars et Tayichi'ut, ne laissant pas même un seul cadavre. Voilà pourquoi mes fils sont affamés. Donnons-leur la liberté de franchir la Grande Muraille pour assouvir cette faim sur les Kin ! »

Ainsi parla Börte. Elle avait à présent cinquante ans et le temps avait blanchi sa chevelure, qui dans sa jeunesse brillait de reflets dorés.

Le banquet se poursuivit fort avant dans la nuit. Puis Gengis-khan et ses quatre fils sortirent de la tente impériale, devant laquelle ils se séparèrent. Gengis-khan se rendit alors dans la tente qui lui servait de quartier général, et s'entretint avec Bo'orchu jusqu'à l'aube. Et même après que les derniers détails eurent été réglés, tous deux restèrent là un long moment, en silence. Bo'orchu était incorporé à l'aile droite dirigée par trois des fils de Gengis-khan. Celui-ci ignorait donc quand lui serait donnée l'occasion de revoir ce compagnon qui, depuis l'adolescence, avait partagé avec lui toutes les épreuves.

Quand Gengis-khan quitta Bo'orchu, l'aube blanchissait l'horizon. Il se dirigea vers la tente de Qulan. L'air glacé mordait la peau. Qulan, tout habillée, dormait contre l'enfant qu'elle avait eu de Gengis-khan, un petit garçon de trois ans nommé Ga'ulan.

Le chef mongol s'approcha du lit. Au bruit léger de son pas, Qulan s'éveilla aussitôt. Voyant qui était là, elle se leva et resta debout, sans un mot. Gengis-khan sentit peser sur lui le regard attentif de Qulan. Ces derniers temps, accaparé par ses préparatifs de campagne, il s'était un peu éloigné d'elle.

Qulan semblait attendre que Gengis-khan parle le premier. Mais celui-ci s'approcha du lit et se pencha sur le visage endormi de l'enfant. Il ressemblait à Qulan, avait le même nez, les mêmes yeux, la même bouche.

Se redressant, Gengis-khan dirigea cette fois ses regards vers le visage de la jeune favorite. L'un et l'autre n'avaient pas encore échangé un seul mot. Mais bientôt Qulan, ne pouvant plus supporter le poids de ce silence, prit la parole : « O mon khan ! Qu'es-tu sur le point de me dire ?

— Et toi, Qulan ! Quels mots désires-tu entendre ? répliqua Gengis-khan.

— Je ne veux savoir qu'une seule chose ! Mais ces derniers temps, n'as-tu pas négligé même de me parler ?

— Mes occupations ne m'en ont pas laissé le loisir.

— Tu ne m'as rien dit, ni de ton projet de campagne contre l'empire Kin, ni du départ imminent de cette expédition. Tout cela, je l'ai appris par d'autres. Maintenant pourtant, ce ne sont pas ces nouvelles que je veux entendre de ta bouche !

— Qu'as-tu envie que je te dise ? Parle !

— Mais n'est-ce pas à toi de parler ? Voilà un mois que j'attends cela, jour après jour ! » répondit Qulan d'un ton où perçait un certain reproche.

Gengis-khan savait parfaitement les mots que Qulan attendait de lui. S'il avait hésité jusqu'au dernier moment à les prononcer, c'était que sa décision n'était pas encore prise : fallait-il ou non l'emmener dans cette expédition lointaine ? Si l'on tenait compte du petit Ga'ulan, qui n'avait que trois ans, il était évidemment plus sage de la laisser au campement avec l'enfant.

Mais, craignant les réactions imprévisibles de Qulan à cette décision, Gengis-khan s'était refusé à brusquer les choses. Il était tout à fait capable de lire dans les pensées des autres. Seule Qulan restait pour lui insaisissable. Son cœur avait le même mystère que les innombrables lacs aux reflets de cobalt perdus aux fins fonds du massif de l'Altaï.

Mais l'heure n'était plus aux dérobades : à présent, il était obligé de parler. Il le fit en lançant à Qulan, qui le fixait toujours, un regard de défi.

« Ton devoir est de me suivre ! »

Gengis-khan se surprit à dire exactement l'inverse de ce qu'il avait pensé jusqu'alors. A ces mots, le visage de Qulan s'adoucit, et elle répondit calmement : « O mon khan ! J'aurais préféré mourir si tu m'avais donné l'ordre contraire ! Tu viens de me sauver la vie ! » Puis elle demanda : « Que ferons-nous de Ga'ulan ? » Cette fois encore, Gengis-khan sentit s'abattre toutes ses résistances : « Lui aussi devra franchir avec moi la Grande Muraille ! »

Ce furent ces paroles mêmes qui lui dictèrent la décision d'emmener son fils avec lui. L'enfant avait beau n'avoir que trois ans, lui aussi était un loup mongol. Qu'y avait-il donc d'étrange à engager jusqu'au dernier, dans cette lutte décisive contre les Kin, tous les descendants du Loup bleu ?

A peine Gengis-khan avait-il fini de parler que Qulan, s'approchant, lui tendit tendrement la main. Mais sans répondre à ce geste, il continua, le visage encore plus durci : « Emmener Ga'ulan dans cette expédition, sais-tu vraiment ce que cela signifie ?

— Je le sais, répondit immédiatement Qulan.

— En es-tu vraiment sûre ?

— O mon khan, connais-tu si mal le fond de mon cœur ? Les princes mis au monde par Börte vont tous participer à cette campagne. Quel plus grand bonheur pour mon fils que de partager ce privilège ? Malgré son jeune âge, cela n'a rien d'impossible. A présent que tu as accédé à mes désirs, que puis-je demander de plus ? Que Ga'ulan soit emporté dans la tourmente de cette guerre, qu'il soit abandonné aux mains d'un peuple étranger, il ne fera que suivre son destin. Il n'y a rien là qui me fasse peur. Ce n'est pas pour lui réserver le sort d'un prince héritier que j'ai donné la vie à cet enfant. Qu'il grandisse, obscur comme un fils du peuple, qu'il se fraye sa voie en ne comptant que sur lui-même, voilà les seuls vœux que je forme pour lui. »

Malgré le ton très calme de Qulan, ses paroles frémissaient d'une intense émotion. Et Gengis-khan vit son regard s'enflammer d'un étrange éclat. Jamais il ne l'avait aussi profondément aimée. Il fut pris du désir de précipiter son fils dans la voie que Qulan rêvait pour lui. Ce désir venait de son amour de père, non de son pouvoir de souverain mongol. C'était à travers les épreuves que l'on devenait un homme. Que lui-même, Qasar, Jelme l'étaient devenus. C'était là la destinée de tous les loups mongols.

Durant cette journée-là, les troupes de Gengis-khan s'ébranlèrent l'une après l'autre, à intervalles réguliers. Jebe partit le premier à la tête de son bataillon, suivi de Muqali.

L'aile droite, dirigée par les trois fils aînés de Gengis-khan, se mit en marche à la nuit tombante. Puis vint l'aile gauche de Qasar, formée en longue colonne : à peine sortie du campement, elle fut engloutie par les ténèbres. La nuit était déjà bien avancée quand le dernier bataillon, celui du centre, commandé par Gengis-khan et son dernier-né Tolui, prit le départ. Le chef mongol, se plaçant au milieu de ses troupes, poussa tranquillement son cheval sur le chemin baigné de lune.

Et c'est ainsi que les deux cent mille soldats mongols, prenant la voie de l'est, partirent vers l'empire Kin. Il allait leur falloir cheminer plusieurs jours dans le désert, franchir des chaînes de montagnes, traverser des vallées, avant de se trouver face à la Grande Muraille qu'ils avaient aperçue deux ans plus tôt lors du siège de Tchong-hing-fou, capitale du pays Si-Hia, cette muraille qui interdisait toute tentative d'invasion.

Parfois, Gengis-khan tournait la tête vers l'arrière-garde pour s'assurer de la bonne progression de ses troupes. Sous la lune, les fers des lances luisaient de reflets ternes, traçant sur la steppe une ligne interminable et fluide comme le cours d'un fleuve. Qulan et son petit garçon de trois ans devaient se trouver quelque part au fil de ce courant, blottis dans une petite yourte traînée par un cheval.

Pour cette campagne contre les Kin, Gengis-khan avait encore parfait l'organisation de son armée. Les plus petites unités, composées de dix hommes, étaient elles-mêmes regroupées en sections de cent, mille et dix mille hommes. Un chef était placé à chaque échelon de cette hiérarchie. Le commandement des troupes de dix mille hommes était confié à des généraux rompus au métier des armes. Les ordres de Gengis-khan, qui leur étaient transmis en toutes circonstances par des messagers, étaient ensuite répercutés en un clin d'œil jusqu'aux unités les plus petites de chaque bataillon.

A son départ du campement, l'armée longea d'abord vers le sud les berges du Kerülen. Au bout de cinq jours de marche, à l'endroit où le cours du fleuve s'infléchit brusquement vers l'est, elle s'en éloigna pour pénétrer dans une vaste zone désertique.

Le jour où l'on se sépara du Kerülen, Gengis-khan fut saisi d'une profonde émotion. Deux ans plus tôt, il était passé par le même chemin pour envahir le pays Si-Hia. Mais à présent son sentiment était tout différent. Car ce n'était plus le royaume Si-Hia qui l'attendait au-delà du désert de Gobi, mais l'empire Kin, avec des territoires et une armée incomparablement plus importants que ceux des Mongols, d'innombrables places fortes, et une culture d'un grand raffinement. Il était impossible de prévoir la façon dont s'y dérouleraient les combats. Gengis-khan s'était donné toutes les chances de réussite en préparant minutieusement cette campagne, mais il n'avait pas pour autant la certitude qu'il en sortirait victorieux.

Deux ans plus tôt, à Tchong-hing-fou, il avait vu le cours du fleuve Jaune, dont il avait entendu parler depuis son enfance. Mais ce n'était là que l'extrémité la plus infime du géant que l'on désignait sous ce nom. Et personne, parmi les soldats mongols, n'était capable d'imaginer la véritable nature de ce fleuve dont le lit se déplaçait, disait-on, selon les caprices des dieux. De même, Gengis-khan avait vu là-bas cette Grande Muraille qui depuis toujours avait fait obstacle aux assauts des nomades du Nord. Mais là encore, ce n'était que l'appendice d'une bête monstrueuse faite de terre et de pierres, qui se mettait, à la moindre approche, à vomir des traits enflammés. Et personne ne savait vraiment ce que cachait cette contrée dans la double protection de sa muraille et de son fleuve.

Dans son enfance, chaque fois que son père Yesügeï lui parlait de l'empire Kin, Gengis-khan imaginait toujours un énorme creuset dans lequel bouillonnaient les plus incroyables choses. Là, les flammes éternelles de l'enfer entretenaient une constante effervescence. Et frémissaient tout ensemble les pensées et les arts les plus élaborés, le vice et l'ignorance de la nature humaine, et aussi la richesse et la pauvreté, la guerre et la paix, les chants et les danses, les cérémonies éclatantes de la cour, les peuples errants, les tavernes, les tréteaux, les hécatombes, les jeux de hasard, les exécutions sommaires, la gloire et la décadence. Et de sinistres bulles venaient sans cesse crever à la surface de cet effrayant bouillon. C'était là qu'Ambaqaï-khan avait été cloué à un âne en bois et dépecé tout vif, dans ce creuset qu'étaient jetés régulièrement, depuis toujours, des dizaines et des centaines d'innocents Mongols enlevés par les soldats kin.

Tandis qu'il allait quitter les abords du fleuve Kerülen, Gengis-khan était bien incapable de savoir s'il reverrait un jour ses rives. La même incertitude concernait le sort de ses deux cent mille soldats. Gengis-khan, debout au milieu d'une colline, jeta un dernier regard au Kerülen, qui coulait paresseusement dans les ténèbres d'avant l'aube, puis donna à toute son armée l'ordre de marche. C'était déjà le milieu du mois de mars, mais toute la nature était encore enfouie dans son profond sommeil d'hiver et la bise glaciale transperçait la peau, s'infiltrant jusqu'aux os.

Comme au moment où l'armée était partie du campement, ce fut le bataillon de Jebe qui se mit en route le premier, suivi, presque simultanément, par ceux de Sübötei et de Muqali. Le jour allait se lever et l'on voyait encore de-ci de-là, dans les rangs des soldats, scintiller des lueurs de torches. Depuis le départ de l'expédition, à mesure que l'armée avançait, d'énormes troupeaux de moutons, de chameaux et de chevaux avaient été incorporés aux colonnes de cavaliers, venant grossir encore leurs rangs. Les chameaux transportaient les armes et les provisions essentielles, tels la viande et le lait, tandis que les moutons serviraient de nourriture pendant la traversée du désert. Le nombre de chevaux était considérable, car il était prévu pour chaque soldat au moins deux ou trois montures de réserve. De loin, les colonnes en marche qui s'étiraient vers le désert avaient l'air de longs rubans uniquement formés de troupeaux.

Chaque soldat portait un casque de cuir lui recouvrant presque entièrement la tête et avait le corps également bardé de cuir. Il était armé d'une longue lance qu'il tenait à la main, d'un grand sabre et de flèches passés dans sa ceinture. Quant à l'arc, il était accroché à la selle.

Gengis-khan dirigea désormais l'expédition à partir d'une immense yourte montée sur quatre roues et traînée par plusieurs dizaines de chevaux. Elle était protégée par les cavaliers de sa garde personnelle et ornée à son pourtour de bannières du clan Borjigin.

On n'aperçut pas un seul arbre pendant des jours. D'arides étendues de sable se succédaient à perte de vue. Seuls, parfois, un pic pelé et comme rongé de rouille, ou quelques lacs salés, venaient rompre la monotonie du paysage.

Au bout de plus de dix jours de marche forcée, les troupes, enfin sorties de cette zone désertique, abordèrent une région de hauts plateaux et pénétrèrent bientôt dans la chaîne escarpée du Yin-chan. Dès lors, et pour la première fois, un nom commença à circuler parmi les soldats : celui de la citadelle de Ta-t'ong-fou. Jusqu'alors, tous ne parlaient que de Tchong-tou (Pékin) et étaient persuadés que leur armée se dirigeait vers cette ville. Soudain pourtant, dans toutes les bouches, Ta-t'ong-fou avait remplacé Tchong-tou. Mais pour les soldats, l'objectif de l'expédition n'importait guère. Dans un cas comme dans l'autre, il s'agissait des forteresses inconnues d'une étrange contrée, et l'on ignorait même où elles se trouvaient.

Au terme d'une marche de sept cents kilomètres, les troupes conduites par Gengis-khan atteignirent le territoire de la tribu Öngüt, qui occupait la région située au nord de la Grande Muraille. Depuis toujours, les Öngüt faisaient partie des peuples nomades des hauts plateaux, mais Gengis-khan ne les assimilait pas aux autres car ils se trouvaient, à cause de leur situation géographique, sous l'influence des Kin.

Les Öngüt, voyant pour la première fois de leur vie une aussi grande armée se répandre dans leur campement et aux environs, restaient là, décontenancés, à ne savoir que faire. Leur chef jura obéissance à Gengis-khan et proposa de lui servir de guide pour pénétrer dans l'empire Kin.

Les troupes mongoles, qui avaient progressé ensemble jusqu'alors, se séparèrent pour partir chacune dans une direction différente. Les bataillons de Jebe, Süböteï, Muqali, l'aile droite et l'aile gauche quittèrent le campement à quelques jours d'intervalle, y laissant seulement les troupes de Gengis-khan et de son dernier fils, Tolui.

Les combats se déclenchèrent presque simultanément dans toutes les régions situées au nord de la Grande Muraille. Les nouvelles des différents fronts, transmises par de rapides messagers à cheval, parvenaient chaque jour au quartier général de Gengis-khan. Le chef mongol avait ordonné à chacune de ses armées de dévaster les territoires contrôlés au nord par les Kin, mais avec l'interdiction formelle de franchir isolément la Grande Muraille pour envahir l'empire lui-même.

C'est dans le courant du mois de juin que Gengis-khan apprit que la grande armée des Kin, ayant quitté Tchong-tou, se dirigeait vers la province du Chan-si. Attirer les forces ennemies dans ses filets pour les vaincre avant de se lancer à l'assaut de la Grande Muraille : tel était le plan du chef mongol. A présent, il sentait que le moment de le réaliser était proche.

Gengis-khan, après avoir dépêché un messager auprès de Jebe, donna l'ordre à l'armée du centre, qu'il dirigeait personnellement, de se mettre en marche. La nuit qui précéda le départ de ses troupes, il fit venir Qulan sous sa tente et lui demanda si elle voulait rester au quartier général jusqu'à la fin de la bataille décisive. Elle lui répondit alors : « As-tu l'intention de me reléguer ici avec Ga'ulan, tandis que tu franchiras seul la Grande Muraille ? Si tel est le cas, n'aurait-il pas mieux valu m'abandonner dans ton campement, près du fleuve Kerülen ?

— C'est bon, puisque tu le souhaites, tu affronteras les combats avec moi ! Dès demain, je mettrai trois soldats à ta disposition. Mais la mort vous menacera sans cesse, toi et Ga'ulan. Ne compte que sur toi-même pour vous protéger ! »

Gengis-khan avait à peine prononcé ces mots qu'il faisait venir les trois soldats qu'il avait déjà désignés, un vieillard et deux jeunes gens. Et l'on mit Ga'ulan, qui n'avait que trois ans, dans une sacoche de cuir accrochée à la selle du plus âgé des soldats, pour qu'il puisse se joindre à l'expédition.

Le lendemain matin, les troupes, quittant le campement Öngüt, s'engagèrent aussitôt dans la zone montagneuse qui bordait le sud-est du village. Les unités étaient composées exclusivement de cavaliers, chacun emmenant avec lui une monture de réserve. Qulan, portant un casque et une cuirasse, montée sur un cheval blanc, était incorporée à la garde personnelle de Gengis-khan.

Le second jour, l'armée parvint à une demi-journée de marche de la Grande Muraille et s'arrêta le soir à cet endroit. Chaque repli de terrain des montagnes, qui moutonnaient comme des vagues, était couvert de soldats. Les troupes firent une brève halte avant de repartir dans l'obscurité, bercées par le chant des oiseaux nocturnes.

La bataille eut lieu dans la seconde partie de la nuit. Elle commença par des volées de flèches tirées par les soldats kin qui gardaient les tourelles de la Grande Muraille.

Leurs effectifs semblaient deux fois moindres que ceux des troupes mongoles, mais abrités derrière de solides fortifications, ils interdisaient à l'armée offensive toute véritable tentative d'approche. Gengis-khan, déployant ses bataillons sur un vaste périmètre le long de la muraille, tenta de trouver un endroit pour y percer une brèche. Les clameurs sauvages de l'assaut s'élevèrent des vallées et des sommets environnants, mais partout les soldats mongols se heurtèrent à une résistance farouche.

La bataille se poursuivit tout le jour. Enfin, à la nuit tombée, une unité dirigée par Chimbeï la Grosse Tête

198

parvint, en y laissant plus de la moitié de ses hommes, à se hisser sur la Grande Muraille et à y planter la première bannière mongole. Dès lors, les soldats escaladèrent la paroi en plusieurs endroits, et la bataille se transporta sur la ligne de crête elle-même et autour d'une des citadelles qui la protégeaient.

Pendant ce temps, en un point situé à environ deux kilomètres au sud-ouest, une large brèche fut ouverte dans la muraille, et l'on ne cessait d'entendre, mêlé aux sifflements des flèches et aux clameurs du combat, le choc sourd des blocs de pierre dégringolant au fond de la vallée.

Tard dans la nuit, les troupes mongoles, s'engouffrant dans la trouée ainsi ouverte, parvinrent à passer de l'autre côté de la muraille. Au sommet de celle-ci, le vent soufflait en grondant avec violence, prêt à éparpiller même les rayons de lune. Gengis-khan, arrêté à cheval sur le chemin de ronde, suivait du regard les files interminables de cavaliers qui franchissaient les fortifications. Sous la lune, la voie de pierre étirait majestueusement, à l'infini, ses formes sinueuses. En avant, elle formait une rampe assez abrupte qui s'élevait et s'élevait encore, pareille à un fil relié au ciel. En arrière, elle partait d'abord en pente douce pour disparaître soudain, comme coupée net, quelque trente mètres plus loin. Puis elle réapparaissait inopinément au sommet d'un mont rocailleux, à deux collines de là. Au-delà de ce mont, sur un versant invisible de l'endroit où se tenait Gengis-khan, la Grande Muraille se dilatait comme le ventre d'un serpent qui a avalé une grenouille, formant la citadelle autour de laquelle s'était déroulée, depuis la nuit précédente, cette lutte à mort.

Gengis-khan, pour calmer la fougue de son cheval, ne cessait de lui flatter l'encolure du plat de la main. Cette fougue n'avait rien d'étonnant. Car la vaste étendue légèrement en pente qui bordait l'intérieur de la Grande Muraille incitait à la chevauchée, et tous les cavaliers mongols la descendaient au grand galop, comme s'ils laissaient enfin libre cours à une ardeur longtemps endiguée. A flanc de colline, les arbres étaient rabougris, peut-être à cause du vent, et l'on distinguait nettement, à la lueur des étoiles, les silhouettes des cavaliers lancés dans cette course folle.

Longtemps, Gengis-khan avait rêvé le jour où les soldats mongols franchiraient la Grande Muraille dans la lumière pâle de la lune. A présent ce rêve, enfin réalisé, se déployait devant ses yeux. Mais cette scène, qu'il avait toujours imaginée dans un silence baigné de tonalités bleues, se déroulait au milieu des grondements d'un vent déchaîné. Le fabuleux ouvrage défensif qu'était la Grande Muraille, les embûches à affronter pour l'investir, l'ouverture d'une brèche permettant de l'escalader et, aussi limpide que le plein jour, la présence de la clarté lunaire : tout cela correspondait exactement à ce qu'il avait prévu. Tout, sauf le vent, ce vent violent qui soufflait en tempête, sans discontinuer, avec des mugissements à ébranler l'univers entier. Jamais la paroi de pierre, farouchement dressée depuis des centaines d'années entre les peuples nomades et sédentaires, n'avait dû cesser de gémir ainsi sous les coups des rafales qui dégringolaient du ciel.

Jusqu'aux approches de l'aube, Gengis-khan resta sur la Grande Muraille que son immense armée, composée de dizaines de milliers de cavaliers et d'autant de chameaux et de chevaux, mit de longues heures à franchir. Enfin, se joignant aux hommes de sa garde personnelle, qui passaient les derniers, il dévala au grand galop, comme tous ses soldats avant lui, la pente qui s'étendait de l'autre côté des fortifications.

Environ dix jours plus tard, pour la première fois depuis son entrée en territoire ennemi, son armée rencontra celle des Kin, dirigée par le général Ting-hiue, et l'ayant écrasée, envahit les deux provinces de Ta-chouei-lô et de Fong-li.

200

Quelques jours après avoir pénétré dans l'empire Kin, Gengis-khan apprit que la première armée, commandée par Jebe, avait franchi la Grande Muraille en un endroit différent et conquis la place forte de Wou-cha-pou. A une quinzaine de jours d'intervalle, cette nouvelle fut suivie d'une autre : la reddition de la citadelle de Wou-yue-ing.

Gengis-khan s'aperçut alors qu'il était en mesure, avec ses propres troupes et celles de Jebe, de prendre en étau la ville de Ta-t'ong-fou, point stratégique de la province du Chan-si. Mais il différa le moment de l'attaquer, préférant, durant la période brûlante de l'été, calmer les esprits des populations vivant dans la région conquise, et laisser ses hommes et ses chevaux se reposer. La campagne venait tout juste de commencer et les troupes mongoles, après avoir enfin franchi la Grande Muraille, n'avaient fait que prendre pied en un point du Chan-si. Il était évident que les hostilités allaient se poursuivre encore pendant de longues années.

Les bataillons de Muqali et de Sübötéï étaient chargés de conquérir toutes les places fortes situées au nord, à l'extérieur de la Grande Muraille. Cette tâche obscure, des plus difficiles, ne donnait que de maigres résultats. Les montagnes escarpées, barrière naturelle qui protégeait Tchong-tou, et les nombreuses citadelles dont elles étaient semées, opposaient de grands obstacles à l'avance des troupes. Si les nouvelles très fréquentes qui parvenaient des deux armées étaient satisfaisantes, elles faisaient état d'une progression extrêmement lente : il fallait plusieurs jours pour conquérir le moindre pouce de terrain.

Au début du mois de septembre, les troupes de Gengis-khan, avec celles de Jebe, se lancèrent à l'assaut de Pai-teng-tch'eng, située à l'est de Ta-t'ong-fou, avant d'encercler cette dernière ville. Puis se jetant à la poursuite de l'armée ennemie qui, désertant la forteresse, s'enfuyait vers Tchong-tou, elles lui infligèrent de très lourdes pertes.

Peu après, Gengis-khan apprit que Muqali avait investi Hiuan-tê-fou, et Jebe, Fou-tcheou. Ainsi, six mois après le début de la campagne, l'armée mongole était parvenue à enlever les deux places fortes qui protégeaient Tchong-tou au nord, ainsi que Ta-t'ong-fou, le point stratégique de la province du Chan-si.

En octobre, à l'annonce que deux bataillons de l'armée kin s'étaient mis en marche pour tenter de reprendre Ta-t'ong-fou, Gengis-khan partit aussitôt à la tête de ses troupes et défit l'avant-garde ennemie au cours d'une attaque par surprise. Comme il continuait sa progression, les deux généraux kin, sans même l'affronter, commencèrent à battre en retraite. Gengis-khan, acculant cette armée en fuite le long du fleuve Houei, lui porta un coup décisif. Dans cette bataille les cavaliers mongols, donnant la pleine mesure de leur talent, écrasèrent littéralement l'infanterie kin sous les sabots de leurs chevaux.

Encouragé par ce succès, Gengis-khan donna à Jebe l'ordre d'attaquer Kiu-yong-kouan, l'une des citadelles qui protégeaient Tchong-tou au nord. Les troupes de Jebe, parties de Ta-t'ong-fou, chevauchèrent longtemps pour atteindre cette place forte, qu'elles enlevèrent en un éclair. Gengis-khan ordonna alors à ses trois fils aînés, qui dirigeaient l'aile droite, de soumettre toute la région du Chan-si située au nord de la Grande Muraille. Dès lors il ne cessa de recevoir, à son quartier général de Ta-t'ong-fou, des nouvelles de ses fils, qui semblaient vouloir rivaliser d'ardeur. Il apprit ainsi tour à tour que les villes de Yun-nei, Tong-cheng-tcheou, Wou-tcheou, Chouo-tcheou, Fong-tcheou, Ts'ing-tcheou, avaient été attaquées et investies. Et il lui semblait presque voir Bo'orchu en train d'enseigner aux trois jeunes gens, avec une sollicitude toute paternelle, l'art de la guerre.

Au début de l'année suivante, en 1212, Gengis-khan, toujours cantonné à Ta-t'ong-fou, eut cinquante ans. Il apprit alors que Muqali avait pris d'assaut les forteresses de Tchang-tcheou et de Houan-tcheou, avant d'enlever l'une après l'autre toutes les places fortes au nord de la Grande Muraille.

Sur ces entrefaites, une importante armée kin, dirigée par les généraux Hô-chê-li et Tsieou-kien, ayant quitté Tchong-tou pour tenter de reprendre Ta-t'ong-fou, Gengis-khan se porta à sa rencontre et la vainquit dans une région montagneuse à mi-chemin des deux villes. Il mit également en déroute les troupes envoyées en renfort.

Tous les territoires au nord de la Grande Muraille étaient à présent aux mains de l'armée mongole, ce qui permettait, à partir de là, d'ouvrir des voies d'accès vers la capitale. Gengis-khan décida donc d'abandonner Ta-t'ong-fou, qui ne présentait plus la moindre valeur stratégique, pour rejoindre le nord avec l'ensemble de ses troupes.

En août, Gengis-khan repassa cette Grande Muraille qu'il avait franchie pour la première fois quatorze mois plus tôt. Comme à l'aller, un vent violent soufflait en tempête, et de tous les coins de la voie de pierre des nuages de sable s'élevaient en tourbillonnant vers le ciel. Mais cette fois, les troupes mongoles étaient suivies de milliers de captifs kin, qui transportaient des monceaux de butin. Il leur fallut plusieurs jours, avec les troupeaux de chameaux chargés de bagages, pour franchir les fortifications.

Gengis-khan installa de nouveau son quartier général au campement des Öngüt pour commander, de là, les unités dispersées sur tout le territoire environnant. Il retrouva, après des mois de séparation, son fils aîné Jöchi et le général Bo'orchu, qui l'avaient rejoint pour préparer la prochaine campagne.

Gengis-khan voulut récompenser Bo'orchu de l'exploit que représentait l'occupation du bassin du fleuve Torgan. Celui-ci lui répondit alors que ce n'était pas à lui, mais à Jöchi, que revenait le mérite d'avoir conquis les six forteresses situées entre le massif du Yin-chan et la Grande Muraille. Si quelqu'un devait être récompensé, c'était bien Jöchi, pour l'ingénieuse stratégie qu'il avait élaborée et la hardiesse avec laquelle il l'avait mise en œuvre.

Gengis-khan n'avait pas oublié que son fils, lors de sa première expédition contre les tribus vivant aux alentours du lac Baïkal, s'était distingué par ses prouesses. Il pouvait donc imaginer sans peine la part prise par Jöchi dans la réussite de la dernière campagne.

Cependant, tandis qu'il regardait son fils, si rapidement aguerri par les batailles, Gengis-khan sentait diminuer son désir de lui rendre hommage. Dans les yeux de Jöchi, vivant portrait de sa mère, il lui semblait voir briller une flamme de défi. Il reconnaissait là l'éclat farouche qui animait le regard de Börte dès qu'elle parlait de son fils.

« Jöchi, que désires-tu de ton père en récompense de tes exploits ? » demanda-t-il. « Je veux que vous me soumettiez, sans relâche, à toutes les épreuves. Je ferai l'impossible pour les surmonter ! » répondit le jeune général, qui venait d'avoir vingt-cinq ans, sans baisser les yeux devant le regard de Gengis-khan. C'étaient là des paroles hardies, lancées peut-être par bravade. Le chef mongol sentit que son fils aîné, dont il ignorait les origines, s'affirmait à présent comme un homme à part entière. Les yeux toujours fixés sur lui, il l'interpella en ces termes : « Fils de Börte, empli de force et de courage ! Jamais je n'oublierai les mots que tu viens de prononcer ! Il te faudra désormais, te pliant à mes ordres, affronter toutes les épreuves ! » Puis il fit improviser un banquet en l'honneur de son fils et de son plus ancien compagnon. Mais ce soir-là, Jöchi et Bo'orchu regagnèrent très vite leur cantonnement.

Durant la journée qui suivit le départ de Jöchi, Gengiskhan se sentit troublé, ne parvenant pas à comprendre ce qu'il éprouvait véritablement à l'égard de son fils : ce pouvait être de la haine aussi bien que de l'amour. Parfois, l'un de ces sentiments prenait le pas sur l'autre, parfois tous deux se mêlaient en une confusion inextricable.

Quand Jöchi avait soumis les tribus vivant au nord du lac Baïkal, Gengis-khan s'était réjoui comme d'un succès personnel de cet exploit, au point de faire publiquement l'éloge de son fils. Mais cette fois, quelque chose l'empêchait de réagir aussi spontanément. Sans doute la pensée de ses deux autres enfants, Jagataï et Ögödeï, n'était-elle pas étrangère à ses réticences. Eux aussi avaient participé à cette campagne comme généraux dans le même bataillon que Jöchi, et Gengis-khan voulait donc leur rendre hommage au même titre qu'à son aîné.

Quelques jours après avoir revu Jöchi, Gengis-khan se rendit compte que cette entrevue lui avait insufflé une ardeur nouvelle. Il se reconnaissait dans ce fils qui avait exigé de lui d'être soumis à toutes les épreuves, car la même exigence l'aiguillonnait sans cesse : il lui fallait, comme Jöchi, devenir un loup mongol. Franchir une fois la Grande Muraille, vaincre l'armée kin, tout cela n'était pas suffisant pour qu'il s'identifie à l'image du Loup bleu qui le poursuivait depuis l'enfance.

Cependant, cette année-là, Gengis-khan ne mobilisa pas son armée. Mais toutes les troupes qu'il avait sous ses ordres, cantonnées au nord de la Grande Muraille, se tenaient prêtes à fondre, à tout moment, sur l'empire Kin. Vers la fin de l'année se produisit un événement imprévu, de grande importance : Ye-liu Lieou-ko, héritier de la dynastie Leao, à la tête du peuple K'itan[1],

---

1. Peuple sinisé de race mongole, les K'itan avaient soumis au Xᵉ siècle l'extrême nord de la Chine et conquis la région du Leao-tong (Mandchourie méridionale), où ils s'installèrent, adoptant le nom dynastique chinois de Leao. Au tournant du XIᵉ siècle, l'empire Leao s'étendait approximativement de la mer du Japon jusqu'au Turkestan. Il fut vaincu au début du XIIᵉ siècle par les Jurchen avec le soutien des Song. Nombre de K'itan furent alors incorporés dans l'empire Kin. Certains se rallièrent de bonne heure à Gengis-khan.

venait de lever l'étendard de la révolte contre l'empire Kin, dans le nord-ouest du pays. A peine avait-il reçu cette nouvelle que Gengis-khan dépêcha le général Anchin auprès de Lieou-ko, pour faire alliance avec lui. Lieou-ko jura fidélité à Gengis-khan. En retour, celui-ci promit de protéger le prince K'itan.

Une armée kin, commandée par le général Wan-yen Hô-chouo, fut chargée de briser cette révolte. Gengis-khan envoya à Lieou-ko une troupe de trois mille hommes en renfort, tandis qu'il donnait à Jebe l'ordre d'attaquer Tong-king (Leao-yang), point stratégique de cette région du Nord-Est. Jebe investit immédiatement cette ville, ce qui permit à Lieou-ko, avec l'autorisation de Gengis-khan, de devenir roi du Leao. Grâce à cette opération, ce ne fut plus seulement toute la zone au nord de la Grande Muraille, mais une vaste région située au-delà des massifs du Yin-chan et du Khingan, région presque semblable aux hauts plateaux mongols, qui passa sous la domination de Gengis-khan.

Une fois terminée cette expédition dans le Leao-tong, Jebe, laissant ses troupes sur place, rejoignit seul le quartier général de Gengis-khan. Celui-ci l'accueillit chaleureusement. De tous les généraux mongols, Jebe était celui qui, dans l'empire Kin, s'était acquis la plus grande renommée. L'art avec lequel il menait infailliblement son armée à la victoire était redouté de tous les officiers ennemis, qui y voyaient une sorte de prodige.

Jebe arriva au quartier général de Gengis-khan avec plusieurs milliers de rapides coursiers provenant de l'autre côté du massif du Khingan. Ces grands chevaux à la robe noire et lustrée envahirent les environs du campement Öngüt. Jebe, se présentant devant Gengis-khan, lui dit : « Autrefois, quand j'étais soldat du clan Tayichi'ut, j'ai blessé ta monture. Depuis, je voulais t'offrir des chevaux pour me faire pardonner. Voici à présent ce désir réalisé.

— Tu n'as pas seulement blessé mon cheval. Tes flèches, qui l'ont abattu, m'ont aussi atteint à la veine du cou, répondit Gengis-khan d'un ton enjoué.

— C'est par ma vie seule que je pourrai te dédommager de cette blessure. Pour me donner cette chance, réserve-moi, tout comme à ton fils Jöchi, les expéditions les plus pénibles ! »

A ces mots, Gengis-khan sentit soudain que Jebe avait percé à jour la nature complexe des liens qui l'unissaient à Jöchi, et qu'il lui faisait part ainsi, indirectement, de ses inquiétudes à ce sujet. D'ailleurs, Jebe n'était sans doute pas le seul à avoir compris : ses plus anciens fidèles, Jelme et Bo'orchu, devaient également s'attrister d'une telle situation.

Cependant Gengis-khan ne souffla mot à Jebe des sentiments qui l'agitaient. Il n'éprouvait pas le besoin d'expliquer clairement à cet intrépide général le mélange d'amour et de haine qu'il avait pour Jöchi, et d'ailleurs, il en aurait été bien incapable.

Vint l'année 1213. Pour la seconde fois, Gengis-khan passa le Nouvel An dans une contrée étrangère. A cette occasion, il réunit lors d'un festin Muqali, Jelme, Bo'orchu, Jebe, ainsi que son frère Qasar et ses trois fils, Jöchi, Jagataï et Ögödeï, qu'il avait fait venir de leurs cantonnements respectifs.

Il profita de ce rassemblement pour délibérer sur les moyens de réaliser une offensive de grande envergure contre l'empire Kin. Ou plutôt, il imposa à tous le plan qu'il avait conçu : les trois principaux corps d'armée, l'aile droite, l'aile gauche et le centre, envahiraient le territoire Kin, couverts en arrière-garde par les trois bataillons de Muqali, Jebe et Süböteï. Bo'orchu, qui jusqu'alors faisait partie de l'aile droite comme conseiller, serait désormais incorporé au centre, avec le grade le plus élevé. Le commandement de l'aile droite reviendrait donc entièrement à ses trois fils.

Gengis-khan s'adressa à ceux-ci en ces termes :
« Soyez parfaitement unis afin de remplir votre tâche !
Jöchi prendra la tête des opérations, Jagataï et Ögödeï le
seconderont. Voici quels sont mes ordres : vous traverse-
rez l'empire Kin du Chan-si jusqu'aux basses terres du
Hôpei, en écrasant tout sur votre passage. Vous investi-
rez toutes les forteresses rencontrées en cours de route, et
au moment de l'attaque, vous serez les premiers à en
escalader les murs ! »

Jöchi, en son nom et celui de ses frères, répondit :
« Nous obéirons à tous les ordres du khan, et les exécu-
terons jusqu'au dernier ! » Son visage était livide. Aux
yeux de tous, l'entreprise ainsi définie par Gengis-khan
était presque irréalisable. Un silence de mort s'abattit sur
l'assemblée. Ni Bo'orchu, ni Jelme, ni Muqali ne pro-
noncèrent le moindre mot. Les ordres avaient été donnés,
Jöchi les avait acceptés : à présent, rien ni personne ne
pouvait changer le cours des choses.

Gengis-khan s'adressa ensuite à son frère Qasar :
« Au nord de la Grande Muraille, tu envahiras le territoire situé à l'ouest du fleuve Leao et tu parviendras jusqu'à la mer ! Dans cette région, quand vient l'hiver, tout
est paralysé par les glaces. Tu devras donc achever l'expédition avant cette saison, pour éviter que le froid ne
fasse périr les hommes et les chevaux !

— Je m'y emploierai », répondit Qasar avec une certaine agressivité dans la voix. Il semblait quelque peu
mécontent de ne pouvoir lui aussi pénétrer au cœur de
l'empire Kin.

Enfin, Gengis-khan expliqua à tous la tâche qu'il
s'était fixée : « Avec Tolui, je prendrai Tchong-tou, puis
descendant vers le sud du Hôpei, j'attaquerai la région du
Chan-tong, aux abords du fleuve Jaune. Bo'orchu restera
toujours à mes côtés. »

Gengis-khan était persuadé que l'entreprise qu'il
avait confiée aux trois corps d'armée ne présentait pas de
difficultés majeures. Les combats des deux dernières

années lui avaient permis d'évaluer les capacités des troupes ennemies. Il savait aussi qu'il n'y avait, dans l'empire Kin, aucun dirigeant de grand envergure. La ville de Tchong-tou était mal défendue, le moral des soldats était au plus bas et des troubles pouvaient à tout moment se produire. Les cavaliers mongols, faisant irruption de toutes parts, étaient désormais en mesure de s'enfoncer au cœur de l'empire Kin.

Cependant, Gengis-khan avait peine à imaginer que les participants à ce festin, et en particulier ses trois fils, pourraient tous, sains et saufs, se trouver de nouveau réunis au terme de cette expédition.

Il avait chargé Jöchi de la mission la plus hasardeuse. C'était là le désir de son fils, c'était aussi le sien. *Jöchi, tu dois devenir loup !* Et pour qu'il le devienne, Gengis-khan s'était résolu à exposer Jagataï et Ögödeï, qui étaient indéniablement de son sang, au même sort que Jöchi. Quel meilleur moyen y avait-il en effet pour que celui-ci ne se sente pas rejeté, et aussi pour que soit justifiée, aux yeux de ses généraux, la rigueur de ce choix ? Mais cette décision était avant tout nécessaire à sa propre tranquillité d'esprit. Il lui fallait, par égard pour Börte, restée seule au campement du mont Burqan depuis près de deux ans, traiter équitablement tous les enfants qu'elle avait mis au monde.

Le festin de Nouvel An se déroula dans un faste inconnu jusqu'alors. Des femmes, amenées de Ta-t'ong-fou et d'autres villes, circulaient d'une table à l'autre. Dehors, la neige tombait en tournoyant, mais à l'intérieur de la vaste tente ingénieusement chauffée, on ne sentait pas le froid.

Le banquet dura du matin jusqu'à la nuit. Vers le soir, debout à l'entrée de la tente, Gengis-khan contemplait le paysage d'une blancheur immaculée quand il aperçut au loin, vers l'est, une troupe de soldats qui se déplaçait à flanc de colline. Il appela alors un homme de sa garde et lui demanda qui dirigeait cette troupe, et où elle allait. Le jeune soldat lui indiqua immédiatement le nom de l'unité et lui apprit qu'elle partait pour une marche dans la neige. Gengis-khan ne connaissait pas l'homme qui commandait la troupe. Mais il ne se lassait pas de regarder cette colonne qui s'étirait là-bas, en minuscules pointillés dans la blancheur du paysage. Le spectacle était de toute beauté : on aurait dit une horde de jeunes loups.

Gengis-khan reporta ses regards sur le soldat qui se tenait toujours, impassible, devant lui. Sur son bonnet, sur ses épaules, la neige s'était accumulée. Lui aussi était un vrai loup mongol.

Quand Gengis-khan regagna sa place au festin, Bo'orchu, Jelme, Qasar lui semblèrent soudain vieillis. Sur lui-même et ses fidèles vassaux, les années, insensiblement, avaient imprimé leur marque et tous avaient désormais les cheveux à moitié gris. Seuls Muqali, Jebe et Süböteï, encore dans la force de l'âge, paraissaient jeunes. Gengis-khan comprit qu'allait bientôt venir le temps de ces trois généraux, le temps aussi de nouveaux chefs qu'il ne connaissait pas.

Chapitre VI

Gengis-khan attendit le début du mois d'avril pour donner l'ordre à son armée de franchir de nouveau la Grande Muraille. Les chutes de neige avaient enfin cessé et le soleil printanier semait çà et là ses premières poignées de lumière. Des messagers furent chargés de transmettre l'ordre de mobilisation à tous les cantonnements, même ceux de Muqali, Jebe et Süböteï, qui ne devaient pas partir immédiatement en campagne.

Puis, durant quinze jours environ, une grande effervescence, consécutive aux allées et venues des troupes, agita le quartier général de Gengis-khan. Ce dernier était constamment absorbé par les préparatifs de départ de l'armée du centre, qu'il dirigeait avec son fils Tolui. Un jour pourtant, il rendit visite à Qulan, qu'il n'avait pas vue depuis plusieurs semaines.

Dans sa tente où régnait le silence, Qulan était assise, seule. Elle portait des boucles d'oreilles de jaspe vert.

« Nous partons dans trois jours. Es-tu prête ?

— Cette fois, je préfère rester ici. Si tu avais attendu qu'il fasse un peu plus doux pour partir, je t'aurais accompagné avec joie, mais le climat est encore trop dur pour Ga'ulan », répondit Qulan, à la grande surprise de Gengis-khan. Il sentit alors son visage s'altérer.

« Qulan, ma bien-aimée ! Ne t'es-tu pas jointe à cette expédition lointaine par désir d'être toujours avec moi ? » Envahi par des émotions irrépressibles, Gengis-khan

211

avait haussé involontairement le ton. Jusqu'alors, Qulan avait participé de son plein gré à toutes les expéditions, jamais elle n'avait refusé de le suivre. D'ailleurs, c'était elle qui, en toute connaissance de cause, avait pris le risque d'emmener Ga'ulan dans cette campagne contre les Kin. Gengis-khan ne pouvait donc admettre un tel revirement de sa part. Avait-elle pris peur devant la violence des combats ? Craignait-elle à présent pour sa vie et celle de l'enfant ?

Jöchi, Jagataï et Ögödeï ne reviendraient peut-être pas sains et saufs de la prochaine expédition. Il en allait de même pour Tolui. Gengis-khan avait l'intention de confier à ce dernier, qui venait d'avoir vingt ans, le commandement d'une unité. Et même si le garçon restait incorporé à la même armée que lui, une fois sur le champ de bataille, il serait emporté, tout comme son père, dans la tourmente d'un destin imprévisible.

Gengis-khan, sans ajouter un mot, sortit de chez Qulan. Après avoir regagné sa tente, il éloigna tous ses gardes et demeura seul pendant de longues heures.

Si jamais – ce qui n'était pas à exclure – les quatre fils que lui avait donnés sa femme Börte mouraient tous durant l'expédition alors que seul Ga'ulan, né de ses amours avec Qulan, survivait, comment Börte réagirait-elle ?

Bien sûr, Gengis-khan avait de l'affection pour Ga'ulan. Et sans l'avoir jamais montré, il préférait même à tous les autres cet enfant qu'il avait eu sur le tard avec la femme qu'il aimait le plus au monde. Il souhaitait donc que Ga'ulan vive, mais ne pouvait pour autant le privilégier en le laissant au campement alors que ses autres fils participaient à l'expédition.

Gengis-khan songeait à sa femme Börte. Et comme si son épouse principale, qui l'attendait au pied du mont Burqan, était présente à ses côtés, son visage vint s'inscrire en un point de l'espace. Gengis-khan ne craignait pas Börte. Et pourtant, son image le poursuivait.

Autrefois le chef mongol, ne sachant qui châtier de son frère Qasar ou du chaman Teb-tengri, avait passé toute une nuit à arpenter sa tente. Cette fois encore, il y resta longtemps enfermé, même après que le campement fut plongé dans les ténèbres. Vers le milieu de la nuit, il appela un serviteur et lui donna l'ordre de faire venir Sorqan-shira, le père des deux généraux Chimbeï et Chila'un. Bientôt, le vieil homme maigre, qui avait plus de soixante-quinze ans, se présenta devant lui. Gengis-khan, après un moment de silence, lui dit : « Vieillard ! Dans ma jeunesse, alors que j'étais prisonnier des Tayichi'ut, tu m'as tiré d'un bien mauvais pas. Accepteras-tu, une nouvelle fois, de m'apporter ton aide ?

— Je me plierai à tous tes ordres, quels qu'ils soient ! »

Devant cette réponse, Gengis-khan exposa brièvement le résultat de ses longues et douloureuses réflexions :

« Sorqan-shira ! Rends-toi immédiatement auprès de Qulan et enlève-lui Ga'ulan ! Tu le confieras à des inconnus, pourvu qu'ils soient mongols. Mais qu'ils ne sachent pas que cet enfant est mon fils ! »

En entendant ces mots, Sorqan-shira, qui n'avait jamais manifesté la moindre émotion, changea de visage.

« Je me rendrai auprès de la princesse, et lui enlèverai son enfant. Je le confierai à une famille mongole inconnue. Je ne révélerai pas son origine, murmura Sorqan-shira, comme s'il répétait une leçon.

— Tu ne diras ni à Qulan ni à moi à qui tu auras confié Ga'ulan. De ce secret, tu seras le seul dépositaire ! » ajouta Gengis-khan, et une fois encore Sorqan-shira récapitula ses ordres à voix basse. Puis poussant un bref gémissement, il se retira en titubant, comme s'il ployait sous le poids de la tâche qui lui avait été confiée.

Le lendemain, Gengis-khan alla voir Qulan. Il avait à peine pénétré dans sa tente qu'il lui dit : « Tu participeras

213

avec moi à l'expédition ! Je te confère l'honneur d'être la seule femme à m'accompagner dans cette offensive contre les Kin ! » Qulan, le visage contracté et livide, lui répondit d'un ton résigné : « J'accepte humblement cet honneur. » Et elle n'ajouta pas un mot. Frappée de stupeur devant les conséquences dramatiques des paroles qu'elle avait laissé échapper la veille, elle restait écrasée. La tentation de la facilité, de l'inertie, que le désir de protéger Ga'ulan avait soudain éveillée en son cœur, s'était retournée contre elle : par une cruelle ironie du soit, elle avait entraîné à sa perte l'enfant qu'elle aimait.

« Fais immédiatement tes préparatifs de départ ! » dit Gengis-khan. « Je suis prête », répondit Qulan, et elle ajouta d'un ton calme, en levant vers lui un visage absent : « Tu as jeté notre enfant dans la tourmente ! Sans doute ne le reverrai-je plus jamais…

— Si Ga'ulan est un être hors du commun, en grandissant il se distinguera des autres et deviendra un loup mongol. Je ne t'ai pas accueillie auprès de moi pour faire de toi une princesse. De même, je n'ai pas élevé Ga'ulan pour qu'il devienne prince. Qulan, tu resteras toujours à mes côtés, comme un lieutenant fidèle. Quant à Ga'ulan, laissons-le libre de sa destinée, parmi les enfants du peuple mongol ! »

Tandis qu'il parlait ainsi, Gengis-khan, gagné par une émotion inexplicable, se mit à frissonner. Il sentit qu'il comprenait enfin le véritable sens de l'acte qu'il avait commis : il avait tenté ainsi, désespérément, de préserver quelque chose de son amour pour Qulan et Ga'ulan. Malheureusement, cela était impossible à exprimer par des mots. Car cette chose, à peine formulée, s'échapperait comme des perles glissant d'un collier et disparaîtrait sans laisser de traces. Si Qulan ne comprenait pas pourquoi il avait agi ainsi, à quoi bon le lui expliquer ?

Jusqu'au jour du départ des troupes, Qulan ne se montra pas. Quant à Gengis-khan, absorbé par les affaires militaires, il ne trouva pas le temps de lui rendre visite. Le jour où l'armée quitta le campement, Qulan apparut à cheval aux côtés du chef mongol. Après avoir passé trois jours et trois nuits à pleurer, elle ne pouvait plus verser une seule larme. Et désormais ni elle ni Gengis-khan ne firent plus la moindre allusion à Ga'ulan.

Gengis-khan s'attacha d'abord à reprendre toutes les forteresses qui faisaient obstacle à l'avancée directe de son armée vers Tchong-tou. Celles-ci, investies par Muqali lors de la précédente campagne, étaient repassées sous le contrôle de l'armée kin après le départ des troupes mongoles. Gengris-khan attaqua Hiuan-têfou, puis encercla Tê-hing-fou. Lors de cette opération, il confia à son fils Tolui la tâche ardue de commander l'offensive. Tolui se lança impétueusement dans cette bataille, escalada les murailles de la ville et y planta la bannière du clan Borjigin.

Gengis-khan, poursuivant son avance, était sur le point d'attaquer la place forte de Houai-lai quand, en cours de route, il se heurta à des troupes d'élite de l'armée kin, dirigées par le général Kao-ki, commandant en chef de l'aile gauche. Il les écrasa après trois jours et trois nuits de furieux combats, laissant la plaine environnante jonchée, à perte de vue, de cadavres de soldats chinois.

Gengis-khan continua de faire progresser ses bataillons, sans la moindre halte. Il approchait de Kiu-yong-kouan quand il apprit qu'une importante armée kin était en garnison dans cette ville. Craignant de lourdes pertes en cas d'affrontement, il modifia sa route et franchit la Grande Muraille en un point situé beaucoup plus à l'ouest. Puis, au terme d'une marche ponctuée d'assauts contre plusieurs forteresses et de victoires sur l'ennemi, il parvint dans la plaine du Hôpei. Aussitôt, il enleva les citadelles de Tchouo-tcheou et de Yi-tcheou. Tchong-tou, la capitale, n'était plus qu'à un jet de pierre.

L'avance des cavaliers mongols avait été foudroyante. Gengis-khan prit position au sud de Tchong-tou.

A Yi-tcheou, son armée avait retrouvé celle de Jebe, qui venait de la région lointaine du Leao-tong. Deux mois à peine s'étaient écoulés depuis que Gengis-khan avait donné à son général, qui commandait l'arrière-garde, l'ordre d'envahir l'empire Kin. Jebe, sans prendre un jour de repos, quitta Yi-tcheou pour aller assiéger Kiu-yong-kouan, qu'il réussit bientôt à investir. C'était la seconde fois qu'il s'emparait de cette ville. Gengis-khan, différant l'attaque de Tchong-tou, se mit en route vers le bassin du fleuve Jaune et dévasta la région du Chan-tong.

Pendant ce temps, l'aile droite, commandée par Jöchi, avait pénétré, conformément à ses ordres, dans la zone montagneuse du Chan-si, s'y emparant de toutes les places fortes. Puis elle avait gagné la plaine du Hôpei qui, tout comme le Chan-si, fut entièrement livrée au saccage. Enfin, les cavaliers de l'aile gauche, commandée par Qasar, ne cessaient de battre en tous sens les territoires situés à l'ouest du fleuve Leao, afin d'en découdre avec l'ennemi.

Ainsi, des centaines de troupes de cavaliers mongols ravagèrent l'ensemble de l'empire Kin, et en l'espace d'un an, jusqu'au printemps de 1214, firent flotter la bannière du clan Borjigin sur quatre-vingt-dix citadelles qu'ils mirent à feu et à sang.

En avril, Gengis-khan donna l'ordre à tous ses bataillons, disséminés sur l'ensemble du territoire, de se rassembler dans les environs de Tchong-tou. Et pendant plus d'un mois, on vit chaque jour apparaître, surgissant dans des tourbillons de poussière, des cavaliers venus des quatre points de l'horizon. La plaine à l'ouest de la capitale fourmillait de troupes mongoles. L'armée, composée de deux cent mille hommes quand elle avait quitté les hauts plateaux, en comptait à présent plus du double, à cause du grand nombre de soldats kin qui s'étaient ralliés à elle.

Gengis-khan et ses généraux, après une séparation de quinze mois, se retrouvèrent dans la vaste plaine entourant Tchong-tou. La capitale, seul bastion à rester encore intact, semblait posée là comme un îlot au milieu de l'océan. Mais derrière ses murailles, dans une atmosphère d'émeutes incessantes, le soupçon, nourrissant le soupçon, engendrait une suite d'assassinats, et le pouvoir passait de main en main.

Gengis-khan dépêcha deux envoyés, chargés d'un message de conciliation pour l'empereur, dans cette citadelle sur le point de sombrer.

« Toutes les provinces de ton empire au nord du fleuve Jaune sont tombées entre mes mains. Il ne te reste que Tchong-tou. C'est le Ciel qui a rendu ta capitale aussi vulnérable. Mais je crains, en te frappant encore, de m'attirer ses foudres. Je suis donc prêt à me retirer avec mon armée. Que peux-tu m'offrir en retour pour calmer la colère de mes généraux ? »

Les termes du message avaient été soigneusement choisis de manière à ne pas offenser la dignité de l'empereur Kin, mais il s'agissait bel et bien d'une injonction à se rendre. Au moment de choisir les hommes chargés de transmettre ce message, Gengis-khan déplora que Boro'ul, l'orphelin élevé par Höelün, ne fût plus de ce monde. Et il sentit renaître en son cœur, après bien des années, le regret d'avoir causé sa perte en l'envoyant porter secours à Qorchi.

L'empereur Kin fit savoir à Gengis-khan qu'il acceptait sa proposition et qu'il était prêt à conclure la paix. Le général Muqali et Jöchi, le fils aîné du chef mongol, se rendirent alors en ambassade dans la capitale pour négocier les termes de cet accord, qui marquait en réalité la capitulation de l'empire Kin.

Gengis-khan ne demanda pour lui qu'une princesse impériale, et ce fut tout. Qu'aurait-il pu exiger de plus ? Deux cent mille soldats kin avaient été incorporés à son armée, et le butin amassé lors de la mise à sac des quatre-vingt-dix forteresses – armes, objets précieux, matériel agricole, harnachement, vêtements et parures – représentait des quantités énormes. Que pouvait-il donc désirer de cette capitale sur le point de s'effondrer, sinon une princesse ? Il voulait étendre sur sa couche, pour en faire son jouet, une jeune fille issue de la lignée haïe des empereurs kin. Elle expierait ainsi le crime commis par ses ancêtres, qui avaient cloué Ambaqaï-khan à un âne en bois pour le dépecer tout vif.

Quelques jours après la conclusion de l'accord de paix, Gengis-khan vit arriver à son quartier général Hatouen, fille de l'empereur défunt Cheng-kouo, accompagnée de cinq cents garçons, d'autant de jeunes filles, et de trois mille chevaux. Il reçut aussi des monceaux d'or et toutes sortes d'autres richesses. Après avoir pris possession de ces curieux présents, il donna l'ordre à ses troupes d'évacuer le pays des Kin. Et passant par Kiuyong-kouan, il prit avec toute son armée la direction du désert de Gobi. Comme toujours, le vent soufflait en tempête sur la Grande Muraille, et les arbres qui couvraient les collines environnantes vacillaient en craquant sous les coups de boutoir des rafales. Gengis-khan arrêta son cheval sur la ligne de crête de la muraille et, tout en suivant des yeux les longues files de soldats qui s'étiraient à l'infini, dit à Jebe qui se trouvait à ses côtés : « Grâce à toi, nous avons pu passer Kiu-yong-kouan sans encombre. » Alors le général, qui s'était emparé à deux reprises de cette place forte, en l'attaquant par le nord et par le sud, lui répondit en riant, avec un éclair de vivacité dans le regard : « J'aurai sans doute à conquérir encore Kiu-yong-kouan bien des fois à l'avenir. » Gengis-khan, lui aussi, se mit à rire. Le vent aussitôt effilocha leurs voix, les emportant au loin. Comme l'avait dit Jebe, Gengis-khan savait bien que l'empire Kin, ce gigantesque monstre, n'était pas encore dompté. Mais comment faire pour le soumettre définitivement ? De cela, il n'avait pas la moindre idée.

Wen-yen Fou-hing, grand conseiller de l'empereur Kin, raccompagna les conquérants jusqu'au nord de Kiu-yong-kouan.

Les troupes mongoles, après trois ans d'absence, revinrent victorieuses sur les hauts plateaux. Gengis-khan ne resta que peu de temps dans son campement au pied du mont Burqan : bientôt, il partit installer un cantonnement en pays tatar, sur les berges du lac Yoril. En effet, il voulait à la fois surveiller de près l'évolution de la situation dans l'empire Kin, et prévenir une éventuelle mésentente entre Börte et Qulan.

Outre cette dernière, Gengis-khan fit venir avec lui dans ce nouveau cantonnement la princesse Ha-touen. Il avait également ramené de toutes les provinces de Chine un nombre considérable de très belles femmes, dont il fit les suivantes de ses deux concubines. Ha-touen était petite, laide et taciturne, et Gengis-khan, tout en continuant à lui réserver les privilèges liés à son titre de favorite, cessa bientôt de l'inviter dans sa tente.

Quelque temps après le retour de l'armée mongole sur les hauts plateaux, mourut Sorqan-shira, le plus âgé de ceux qui avaient participé à l'expédition contre les Kin. Gengis-khan, pour rendre hommage à ce vieil homme qui lui avait apporté son aide dans deux circonstances difficiles, lui réserva des funérailles officielles. Le jour de la cérémonie, il se rendit en compagnie de Qulan sur la tombe de Sorqan-shira et jeta quelques poignées de terre sur son cercueil. Tous deux déploraient la mort du seul être à savoir à quel endroit vivait désormais Ga'ulan. Pourtant, Gengis-khan ne dit pas le moindre mot à propos de son fils, et Qulan ne prononça pas son nom. Devant eux, le cercueil de Sorqan-shira fut descendu dans la fosse et disparut à jamais.

Comme l'avait auguré Jebe, l'armée mongole eut à franchir de nouveau la Grande Muraille, mais beaucoup plus tôt que prévu : à la fin du mois de juin, peu de temps après son retour au pays, Gengis-khan apprit que l'empereur Kin avait transféré la capitale de Tchong-tou à Pien-king (K'ai-fong).

Ainsi, l'empereur ne désirait pas vraiment la paix, et devant une aussi rapide trahison, Gengis-khan fut saisi d'une fureur sans bornes. Il donna l'ordre sur-le-champ à deux bataillons de cavalerie de se mobiliser. L'un, celui des Salji'ut qui avaient accompli d'éclatants exploits lors de la dernière expédition contre les Kin, était dirigé par Samuqa, l'autre, celui des Jurchen réputés pour la cruauté avec laquelle ils s'acharnaient sur l'ennemi, avait à sa tête le général Mingan. Ils furent chargés de s'emparer de Tchong-tou et de massacrer sans pitié tous ceux qui demeuraient dans ses murs.

Ayant appris en outre, du roi Lieou-ko, que les troupes des Kin essayaient de reprendre le territoire du Leaotong, Gengis-khan ordonna à Muqali de se mettre en route pour lui venir en aide. Avant le départ de cet invincible général, il lui confia son ordre de mission : « Fais en sorte de conquérir les régions situées au sud de la chaîne du Tai-hang. Moi, je me charge de celles du nord. »

Soumettre l'empire Kin puis s'attaquer, plus au sud, à celui des Song : telle était la tâche que Gengis-khan envisageait de confier plus tard à Muqali. Un homme comme lui, en pleine possession de ses moyens dans le domaine militaire et politique, était sans doute capable de la mener à bien. Gengis-khan, quant à lui, se réservait pour d'autres entreprises : il sentait naître en lui une fascination nouvelle, qui n'était plus pour la Chine, mais pour les contrées inconnues de l'Ouest et leurs peuples étranges.

En juillet 1214, Gengis-khan vit partir de son cantonnement du lac Yoril les troupes de Muqali, ainsi que celles de Samuqa et de Mingan. Il avait fallu à peine trois mois pour que l'accord de paix passé avec l'empire Kin soit rompu.

Entre la fin de cette année-là et le printemps suivant, Gengis-khan put suivre pas à pas la progression des expéditions qu'il avait envoyées en Chine, grâce aux porteurs de nouvelles qui arrivaient chaque jour à son campement. Samuqa et Mingan engagèrent véritablement l'offensive contre Tchong-tou au début de l'année 1215. La ville fut assiégée de toutes parts, les voies de communication coupées, les troupes kin, venues du sud en renfort, systématiquement écrasées. Cependant, l'annonce de la chute de Tchong-tou n'arrivait pas, et l'impatience dévorait Gengis-khan. Mais qu'avaient-ils donc à temporiser ainsi ? Pour que les nouvelles lui parviennent plus rapidement, pour fuir aussi la chaleur torride, Gengis-khan déplaça son quartier général des berges du lac Yoril à Houan-tcheou. Enfin, en juin, eut lieu l'assaut tant attendu de Tchong-tou, ce que Gengis-khan apprit une dizaine de jours plus tard. Devant ce succès, tout le campement entra en effervescence. Soldats et officiers passèrent trois jours et trois nuits en joyeuses libations. Pendant ce temps, ne cessaient d'arriver des nouvelles de la situation dans la capitale.

« Tchong-tou est ravagée par les flammes ! »

Chaque jour, durant plus d'un mois, Gengis-khan eut les oreilles rebattues du même refrain. A part cet interminable incendie, tout ce qu'il put apprendre fut la mort du général ennemi Wen-yen Fou-hing, qui s'était empoisonné le jour de la chute de la ville.

Gengis-khan connaissait bien ce général kin. Il avait combattu plusieurs fois contre lui, et lors des négociations de paix, c'était lui qu'il avait rencontré comme ambassadeur de l'empereur. Il s'agissait d'un officier exceptionnel, d'une grande distinction. En apprenant que la colossale forteresse de Tchong-tou brûlait, que les immenses richesses qu'elle renfermait étaient réduites en cendres, Gengis-kban n'éprouva pas le moindre regret. Seule la disparition du général Fou-hing lui sembla une déplorable perte. Car il avait envisagé, si celui-ci se rendait, d'en faire son vassal et de lui confier de nouveau le gouvernement de la capitale.

Il ne parvenait pas à comprendre que Fou-hing se fût suicidé. Chez les nomades, depuis les temps reculés, il n'y avait rien de honteux, pour un officier vaincu au terme d'un combat acharné, à se soumettre à l'ennemi. C'était ensuite au vainqueur de décider s'il le graciait ou s'il lui tranchait la tête. Gengis-khan avait attaqué d'innombrables citadelles, mais jamais il n'avait vu un seul commandant de garnison refuser de capituler. Or, le cas de Fou-hing échappait complètement à cette règle : l'homme avait préféré incendier la forteresse et mettre fin à ses jours, plutôt que de se rendre.

Auprès de ce comportement singulier, le fait que la capitale continue de brûler depuis plus d'un mois paraissait soudain moins étrange à Gengis-khan. Et il avait beau ne pas assister vraiment au spectacle de cette ville embrasée, il imaginait fort bien la couleur des flammes, une couleur qu'il n'avait jamais vue lors des incendies des autres places fortes.

Il convoqua des hommes originaires des empires Kin et Song pour leur demander s'il existait, dans l'histoire de leur pays, d'autres généraux qui s'étaient eux aussi suicidés. Tous lui firent la même réponse : « La plupart des officiers dont l'histoire a transmis le nom ont choisi la mort lors de la chute de leur citadelle. »

Gengis-khan se dit alors que la découverte de cette façon d'être des guerriers chinois resterait, de tout ce qu'il avait retiré de ses expéditions dans l'empire Kin, l'apport le plus mémorable. C'était une chose qui n'existait pas chez le peuple mongol, une chose qu'aucun entraînement, aucun exercice ne pourrait jamais faire acquérir.

Gengis-khan donna l'ordre aux troupes qui avaient enlevé Tchong-tou de rassembler à l'extérieur de la capitale tous les survivants, qu'ils fussent civils ou militaires.

Et il réserva à ces captifs un traitement différent de celui qu'il avait toujours appliqué jusqu'alors : il exigea qu'on fasse venir d'abord à son quartier général, non pas les femmes enchaînées, comme c'était l'habitude, mais les savants et les experts dans un art donné. Dans le choix de ces hommes, aucun sentiment personnel ne devait entrer en jeu.

Pour accomplir cette tâche, Gengis-khan désigna Shi'i-qutuqu, l'orphelin tatar au visage blême et impassible, qui remplissait les fonctions de juge suprême. Celui-ci, qui ne se départissait jamais de son impartialité, partit pour Tchong-tou dès qu'il eut reçu les ordres de son chef. Au bout d'un mois environ, Gengis-khan put constater que Shi'i-qutuqu remplissait parfaitement sa mission : chaque jour arrivaient de la capitale, avec toutes sortes de richesses, des hommes kin aux allures les plus diverses. Paysans, forgerons, devins, fonctionnaires, savants, officiers, soldats, tous les corps de métiers étaient représentés.

Au campement, Gengis-khan faisait vérifier quels étaient les talents particuliers de chacun. Parmi les captifs, il n'y avait presque aucune femme, à part quelques diseuses de bonne aventure ou quelques médiums à l'œil hagard, au visage exsangue.

« N'est-il pas arrivé d'autres femmes que celles-là ? » demanda Gengis-khan à l'homme qui s'occupait des prisonniers. « Pas une seule ! » Devant cette réponse, le chef mongol esquissa un sourire sarcastique : il imaginait le visage imperturbable de Shi'i-qutuqu.

Un jour, il apprit que se trouvait parmi les captifs un K'itan dénommé Ye-liu Tch'ou-ts'ai[1], qui avait servi

---

1. Issu d'une famille de l'aristocratie k'itan, mais imprégné dès l'enfance de culture chinoise, Ye-liu Tch'ou-t'sai (1190-1244) jouera un grand rôle auprès de Gengis-khan, puis de son successeur Ögödeï, en les initiant aux pratiques administratives et aux coutumes de la civilisation chinoise. Il est également connu comme poète.

comme secrétaire de chancellerie à la cour des Kin. Gengis-khan fit immédiatement convoquer ce personnage. Il vit bientôt arriver devant lui un homme de très haute stature, portant une longue et belle barbe noire, et beaucoup plus jeune qu'il ne l'avait imaginé.

Le chef mongol fit aligner près du captif quelques-uns de ses gardes : aucun d'eux ne lui arrivait plus haut que l'épaule. Cet homme étonnamment grand restait là, calme, sans paraître le moins du monde intimidé.

« Quel âge as-tu ? demanda Gengis-khan.

— J'ai vingt-six ans, répondit l'homme d'une voix grave et bien timbrée, pleine de pondération.

— On m'a dit que tu étais k'itan…

— C'est exact.

— Ton pays natal, ruiné par les Kin, est à présent réduit au rang d'une petite province. En envahissant l'empire Kin, je t'ai vengé. Exprime ta reconnaissance au khan des Mongols ! »

Ye-liu Tch'ou-ts'ai répliqua alors dignement, sans l'ombre d'une hésitation : « Depuis trois générations, ma famille est au service des Kin. Ce sont leurs bienfaits qui nous ont fait vivre. Je suis leur vassal. Comment pourrais-je me réjouir de leur malheur ? » Gengis-khan sentit s'infiltrer en lui les vibrations harmonieuses de cette voix chaude.

« Dans quels domaines es-tu expert ?

— L'astronomie, la géographie, l'histoire, la médecine, l'intrigue, la divination.

— Ah… Tu es aussi versé dans la divination ?

— C'est l'art que je maîtrise le mieux.

— En ce cas, prédis-moi l'avenir ! Quel sort attend à présent les loups mongols ?

— Pour lire les destinées de votre peuple, mieux vaut choisir un procédé qui a cours chez les Mongols. Que l'on me donne une omoplate de mouton ! »

Gengis-khan fit apporter l'os demandé par Ye-liu Tch'ou-ts'ai. L'homme sortit alors de la tente, prépara avec des pierres un foyer rudimentaire, présenta l'omoplate de mouton à la flamme. Après avoir examiné les craquelures ainsi produites, il déclara avec conviction à Gengis-khan : « J'entends résonner au sud-ouest de nouveaux tambours de guerre. Je vois approcher le moment où l'armée du khan franchira une fois encore l'Altaï, pour envahir le Qara-Kitaï[1]. Dans trois ans, inévitablement, ce temps viendra ! »

Gengis-khan demanda alors au devin : « Si jamais ta prédiction se révèle inexacte, que ferai-je de toi ? » Ye-liu Tch'ou-ts'ai, regardant Gengis-khan droit dans les yeux, lui répondit : « Vous agirez à votre guise. Donnez-moi la mort, si tel est votre bon plaisir ! » Ces paroles satisfirent pleinement le chef mongol. Il se dit même qu'il n'avait jamais encore rencontré d'homme aussi exceptionnel. Et il décida d'en faire, dorénavant, son conseiller.

Quelques-uns de ses plus fidèles vassaux s'opposèrent à cette décision, sous prétexte que Ye-liu Tch'ou-ts'ai était un étranger, un homme dont on ignorait tout. Mais Gengis-khan ne se rangea pas à ces raisons.

« Par le passé, j'ai choisi de faire confiance à Jebe, qui était prisonnier. Et pourtant, il m'avait blessé ainsi que mon cheval. Pourquoi m'interdirais-je aujourd'hui de prendre à mon service un haut fonctionnaire de l'empire Kin, qui ne m'a jamais causé le moindre tort ? Et de même qu'autrefois j'ai appelé le jeune captif Jebe (la Flèche), de même aujourd'hui je donne à Ye-liu Tch'ou-ts'ai le nom de Ut-saqal (Longue Barbe). »

Et le jour même, le devin à la haute stature se mit au service de Gengis-khan.

---

1. Connu aussi sous le nom de Si-Leao (Leao occidental), l'empire Qara-Kitaï (ou K'itan noir) fut fondé en 1124 au Turkestan oriental par le prince Ye-liu Ta-che, qui avait échappé à la destruction de son royaume, le Leao, par les Jurchen. Au début du XIIIe siècle, cet empire s'étendait sur un vaste territoire, mais sans exercer une influence marquante sur les peuples environnants. Il passa sous la domination de Gengis-khan en 1218.

Aussitôt après la chute de Tchong-tou, le chef mongol confia à Samuqa, revenu vainqueur de cette première expédition, le commandement d'une armée de dix mille hommes afin d'attaquer la nouvelle capitale des Kin. Il lui donna l'ordre de se diriger vers la province du Hô-nan en passant par le territoire Si-Hia. En novembre, les troupes de Samuqa, après avoir traversé le pays Si-Hia, pénétrèrent dans le massif escarpé du Song-chan, qui rendit leur progression très difficile. Elles parvinrent pourtant à rejoindre la province du Hô-nan et à s'approcher de Pien-king, la nouvelle capitale. Mais accablées de fatigue, elles ne purent éviter la défaite lors de leur affrontement avec l'armée kin.

Cette nouvelle était à peine parvenue à Gengis-khan qu'un envoyé de l'empereur Kin arrivait à son campement pour demander la paix. Gengis-khan, après avoir consulté ses plus anciens compagnons, Bo'orchu et Jelme, imposa à l'adversaire des conditions extrêmement sévères : l'ensemble du territoire kin situé au nord du fleuve Jaune devait être cédé aux Mongols ; l'empereur devait renoncer à son titre et se contenter de celui de « roi du Hô-nan ».

Mais une fois l'ambassadeur chinois reparti, aucune réponse ne parvint du pays kin. Ce silence ne troubla pas Gengis-khan : il savait bien que de telles conditions étaient inacceptables pour l'empereur.

Au printemps de 1216, Samuqa regagna le campement de Gengis-khan à la tête de son armée défaite. Le chef mongol convoqua son général et l'interrogea sur les raisons de son échec. Après l'avoir écouté parler, il lui dit : « Samuqa, je t'accorde une chance, et une seule, de réparer ce déshonneur ! Tu partiras encore une fois, en novembre, avec dix mille hommes, pour attaquer de nouveau la province du Hô-nan. Comme précédemment, tu pénétreras en territoire Si-Hia et franchiras les parois et les précipices du massif du Song-chan, enfoui sous la neige. Puis tu envahiras le Hô-nan pour te lancer à l'assaut de Pien-king, la capitale ! »

Samuqa changea de visage. Eût-il disposé d'effectifs deux fois supérieurs qu'il lui aurait semblé impossible d'atteindre Pien-king par cet itinéraire qu'il savait difficile. Mais il ne pouvait pas se dérober à cet ordre.

Les jours suivants, Gengis-khan put constater que Samuqa soumettait ses troupes à un entraînement intensif au combat et aux marches forcées, afin de multiplier la puissance de son armée. Le chef mongol avait beaucoup d'affection pour les jeunes officiers qu'il avait distingués. A présent que Bo'orchu, Jelme et Qasar avaient pris de l'âge, il voulait former, pour prendre la suite de ses généraux hors pair Muqali, Jebe et Süböteï, quelques commandants de moins de trente ans. Samuqa était de ce nombre.

Cette année-là, Gengis-khan quitta Houan-tcheou pour rejoindre avec son armée le territoire des Borjigin, au pied du mont Burqan, là où sa femme Börte l'attendait, où était enterrée sa mère Höelün. La plupart de ses hommes, partis en campagne au mois de mars 1211, revoyaient leur pays pour la première fois depuis cinq ans.

En 1214, lors de l'accord de paix avec l'empire Kin, Gengis-khan et une fraction de ses troupes avaient regagné le campement, mais pour un temps très court, avant de partir s'installer sur les berges du lac Yoril. Cette fois en revanche, il s'agissait du retour triomphal de presque toute l'armée.

Les seuls à manquer à l'appel étaient Muqali et ses hommes, encore au combat dans les régions du Leao-tong et du Leao-hi, ainsi que quelques unités cantonnées dans les environs de Tchong-tou depuis la chute de la ville. Gengis-khan n'avait pas encore conquis Pien-king, la nouvelle capitale, mais contrôlait la plus grande partie des territoires situés au nord du fleuve Jaune et faisait surveiller par un petit nombre de soldats les unités chinoises installées dans chacune des provinces de l'empire Kin.

Les cinq années écoulées depuis le départ en campagne avaient modifié l'aspect de l'armée de Gengiskhan : à présent se mêlaient aux troupes mongoles des unités composées de soldats kin, k'itan ou song, ainsi que des groupes d'hommes non armés, qui à eux seuls formaient parfois des colonnes d'une interminable longueur. On pouvait voir également des files de chariots croulant sous le poids du butin, et des chameaux et des chevaux chargés d'armes et d'outils agricoles. Enfin un nombre considérable de femmes et d'enfants kin, destinés à servir d'esclaves, étaient incorporés aussi à ce cortège.

L'armée mongole, ainsi formée d'éléments disparates, quitta Houan-tcheou, traversa le désert et parvint près des berges du fleuve Kerülen, qu'elle suivit toujours plus avant vers l'amont. Dans chaque campement qu'elles traversaient, les troupes étaient accueillies avec enthousiasme par une foule qui se pressait sur leur passage.

Avec le retour de l'armée, toute la région située au pied du mont Burqan connut un afflux de population. Dans le lit à sec de la rivière Toula et sur les berges du Kerülen s'établirent plusieurs centaines de nouveaux campements, donnant l'impression que la steppe s'était soudain transformée en une immense cité.

Le retour triomphal de l'armée fut fêté avec éclat sur l'ensemble des hauts plateaux. Le petit pays mongol était devenu un grand empire, assez puissant pour avoir vaincu les Kin. Et son peuple de nomades, autrefois dispersé, était à présent unifié et réparti en différentes classes.

Dans le campement du mont Burqan furent dressées pour la fête un nombre incalculable d'échoppes, où se négociaient et se troquaient toutes sortes de choses, chevaux, moutons et même chameaux. Dans certaines tentes on pouvait boire, dans d'autres se restaurer de mets d'origine song, kin, k'itan ou si-hia. Et l'on voyait parader des chefs de clan traînant à leur suite des esclaves kin, et de jeunes Mongoles parées de costumes à la chinoise.

Gengis-khan parcourut le marché ainsi installé dans la plaine. Il pouvait se déplacer sans danger avec une garde très réduite. Durant la longue campagne dans l'empire Kin, le territoire mongol gardé presque uniquement par les femmes n'avait connu aucune rébellion, aucun conflit, pas la plus petite ombre de discorde. Les réjouissances durèrent dix jours, pendant lesquels chacun fut libre de boire et de manger à satiété, et de flâner vêtu de ses plus beaux atours. Même une fois la fête terminée, une atmosphère de liesse continua de flotter sur le campement.

Pour maintenir son armée en parfaite condition, Gengis-khan entreprit une petite expédition contre les survivants des Merkit qu'il avait autrefois chassés de leur territoire. Ceux-ci, qui s'étaient réfugiés dans le massif de l'Altaï, gardaient toujours une grande hostilité à l'égard de Gengis-khan, et recommençaient à se montrer menaçants.

Gengis-khan avait atteint son rang de chef suprême en pacifiant tous les peuples des hauts plateaux. Mais sa cruauté vis-à-vis des Merkit ne s'était jamais démentie, et il cherchait toujours à les éliminer définitivement. Dans la mesure où il se trouvait dans de telles dispositions, il était naturel que les Merkit, de leur côté, s'obstinent dans une résistance farouche. Ils repoussaient comme de la mauvaise herbe, se multipliaient comme elle, à l'insu de Gengis-khan, et étaient à l'affût de la moindre occasion de vengeance.

Les réjouissances étaient à peine terminées depuis dix jours quand Gengis-khan convoqua son fils aîné Jöchi et lui dit : « Je te donne pour mission d'anéantir les survivants des Merkit !

— Je m'incline ! J'agirai conformément aux ordres de mon khan ! » répondit Jöchi d'un ton volontairement sec.

C'était toujours à Jöchi que Gengis-khan confiait la tâche de s'attaquer aux Merkit, et celui-ci acceptait toujours cette mission, comme si quelque chose d'obscur les poussait l'un et l'autre à agir ainsi.

Gengis-khan éprouvait à l'égard des Merkit des sentiments complexes : l'idée qu'il puisse être du même sang qu'eux lui rendait leur existence insupportable. Car cette existence même jetait le doute sur ses origines mongoles. Le méfait de cette tribu, qui avait enlevé et violé sa mère Höelün, était une chose à jamais impardonnable au nom du Loup bleu.

Ce qu'il se disait ainsi en lui-même valait également pour son fils. *Jöchi, si tu es vraiment un loup bleu, tue de tes propres mains ceux qui menacent la pureté de ton sang ! Tu ne dois pas pardonner le rapt et le viol de ta mère Börte !* Cependant, Gengis-khan gardait ces pensées pour lui. Il ignorait donc comment Jöchi réagirait s'il lui parlait de tout cela. Quoi qu'il en soit, à cause de la relation particulière qui existait entre eux, il leur était impossible, à l'un comme à l'autre, d'aborder ce sujet. Et une fois encore, la seule chose qu'il put percevoir chez son fils fut la lueur froide de son regard, qui pouvait passer pour de la révolte.

Gengis-khan décida d'adjoindre à Jöchi, pour cette campagne, le général Sübötei. Les deux jeunes officiers partirent immédiatement à la tête de leur armée, pour s'enfoncer au cœur du massif de l'Altaï. Au début de l'automne, leur mission était accomplie. Durant les combats, Jöchi avait supprimé le frère du chef merkit tué lors de la précédente expédition, ainsi que les deux enfants de celui-ci. Il ramena prisonnier son troisième fils, Qotoqan. Jöchi expliqua à son père que le jeune homme, unique survivant du peuple merkit, était réputé pour ses talents d'archer : il était capable de mettre une première flèche au centre de la cible, puis de ficher la seconde dans l'encoche de la première. Alléguant cette technique exceptionnelle, Jöchi, demanda donc à Gengis-khan la grâce du garçon.

« Qotoqan n'est pas seulement doué pour l'art de la guerre : c'est aussi un homme d'une grande loyauté. Si vous le laissez vivre, il se dévouera à vous corps et âme. »

Mais le chef mongol se borna à répondre : « Il est hors de question de l'épargner. Qu'on le tue immédiatement ! »

Jöchi sembla sur le point de dire quelque chose, mais il y renonça, et exécuta le jeune officier merkit de ses propres mains.

Cette année-là, au début du mois de novembre, Samuqa quitta le campement du mont Burqan pour partir, à la tête de dix mille hommes, à la conquête de la ville de Pien-king, comme Gengis-khan lui en avait donné l'ordre.

Il s'écoula environ deux mois avant que le premier messager ne se présente devant le chef mongol. Dès lors, les envoyés se succédèrent régulièrement tous les dix jours. Les nouvelles que chacun d'eux pouvait apporter à Gengis-khan restaient fragmentaires, mais en les mettant bout à bout, il était possible de se faire une idée de la progression des troupes de Samuqa.

« L'armée a traversé le pays Si-Hia. »

« L'armée a pris d'assaut la place forte de Tong-kouan, sur la rive méridionale du fleuve Jaune. »

« L'armée a investi cinq citadelles, dont celle de Joutcheou. »

« L'armée se rapproche des faubourgs ouest de Pien-king. »

Ce fut là le dernier message transmis par Samuqa. Ne disposant pas d'effectifs suffisants pour encercler Pien-king, il ne parvint pas, cette fois encore, à conquérir la capitale, pourtant au bord de l'effondrement. Ses troupes installèrent alors un campement à quelque distance de la ville, et n'en bougèrent plus. Gengis-khan envoya un messager à Samuqa pour le louer de ses

231

efforts et l'approuver d'avoir ajourné le siège trop périlleux de la capitale. Et l'officier resta cantonné sur place.

L'année suivante, en 1217, Muqali regagna le campement de Gengis-khan pour lui annoncer que la grande expédition dans les régions du Leao-tong et du Leao-hi était enfin achevée. C'était la première fois qu'il revoyait son chef depuis qu'il avait quitté, en 1214, le cantonnement dressé sur les berges du lac Yoril. D'ailleurs, la campagne contre les Kin, commencée en 1211, ne lui avait pas laissé un instant de répit, hormis quelque trois mois de repos dans ce cantonnement. Mais il venait enfin de soumettre entièrement les vastes territoires du Leao-tong et du Leao-hi. Tant comme guerrier que comme homme politique, Muqali faisait preuve de qualités exceptionnelles.

Gengis-khan convoqua tous ses fidèles vassaux pour accueillir Muqali avec les honneurs dus à ses mérites. Il fit l'éloge de ses fabuleux exploits, lui attribua une nouvelle fois le titre de roi, et lui accorda sur la Chine les pleins pouvoirs de gouverneur militaire. Les combats acharnés qui s'étaient succédé loin des hauts plateaux mongols avaient donné au jeune général une étonnante maturité. Son visage, tanné par la poussière d'une terre étrangère, était encore plus impassible qu'autrefois.

Dix jours s'étaient à peine écoulés que Muqali repartait pour une nouvelle mission. Il avait sous ses ordres une troupe composée de vingt-trois mille Mongols et de soldats k'itan et jurchen. Il devait rejoindre l'empire Kin afin de prendre possession des vastes territoires qu'il aurait à gouverner désormais, la dynastie régnante, au bord de la ruine, n'en conservant plus qu'une portion réduite.

Ayant vaincu les Kin, ses ennemis héréditaires, et conquis la plus grande partie de leur pays, Gengis-khan resta dans son campement jusqu'au printemps de 1218.

La vie du peuple mongol s'était complètement transformée. Les techniques agricoles importées de l'empire Kin favorisaient l'exploitation d'un nombre de plus en plus grand de prairies et le passage, dans la région sud-est des hauts plateaux, à un mode de vie semi-sédentaire. De même, des puits furent creusés un peu partout, permettant d'améliorer de façon considérable la qualité des pâturages.

Chaque jour, des caravanes venues de l'est et de l'ouest affluaient dans le campement de Gengis-khan. Celui-ci prenait plaisir à regarder ces négociants de races différentes qui arrivaient puis repartaient, traînant à leur suite des chevaux et des chameaux chargés d'objets de toutes sortes.

En particulier, ceux qui venaient des lointains pays de l'Ouest avaient ordre de se présenter devant le chef mongol aussitôt leurs marchandises déballées. Gengis-khan les accueillait avec bienveillance et les récompensait toujours de ce qu'ils lui offraient.

Parmi ces marchands, c'étaient surtout ceux d'un pays musulman, le Khârezm [1], qui l'attiraient. Ils apportaient du mobilier splendide, des objets ouvragés qu'il n'avait jamais vus, même dans l'empire Kin. Ils lui présentaient aussi des verreries, des pierres précieuses, des parures finement travaillées, et des tapis si merveilleusement tissés qu'ils semblaient avoir été faits par magie. Tout cela était troqué contre de la soie, du coton, des pinceaux, du papier, de l'encre et des pierres à encre, des calligraphies et des peintures, des bibelots anciens, que les Mongols rapportaient de l'empire Kin.

---

1. Au moment de l'invasion mongole, cet empire musulman composé essentiellement de populations turco-iraniennes était en pleine apogée. Centré autour de la vaste oasis que constituait le bassin inférieur de l'Amou-Daria, il était limité à l'est par le Pamir, au nord par la mer d'Aral et à l'ouest par la Caspienne, constituant ainsi un important carrefour d'échanges commerciaux et culturels entre l'Asie et l'Occident.

Gengis-khan commandait essentiellement aux marchands du Khârezm des armes et des ornements religieux. Ce désir de se procurer des objets curieux provenant de contrées inconnues lui avait été inspiré par Ye-liu Tch'ou-ts'ai, dont il appréciait la personnalité et la culture. Le jeune homme avait su s'attirer la faveur du chef mongol et exprimait, sur toutes les affaires du pays, des vues tout à fait originales.

Gengis-khan était frappé par la soif insatiable de connaissances de Ye-liu Tch'ou-ts'ai : les marchands qui venaient dans sa tente étaient forcés de répondre dans les moindres détails à toutes les questions de son conseiller.

Les discussions que Gengis-khan avait avec lui finissaient toutes par aboutir au même point : que faire pour étendre encore la puissance de l'empire mongol ? La réponse de Ye-liu Tch'ou-ts'ai était toujours la même : il fallait brûler constamment d'une intense curiosité à l'égard des civilisations les plus évoluées, à la manière d'un fer chauffé à blanc. Quant à savoir si la prééminence devait être accordée à la culture ou aux armes, cette question ne cessait d'opposer les deux hommes.

« L'empire Kin a été vaincu par la force de votre armée. Mais ce pays a su conserver une très haute culture, et vous avez encore beaucoup à apprendre de lui. C'est en gouvernant le peuple kin avec sagesse que vous ferez naître en lui le désir de vous offrir ce qu'il a de meilleur. » Ainsi parlait Ye-liu Tch'ou-ts'ai. Gengis-khan répliquait alors : « Malgré sa haute culture, n'est-ce pas à cause de son infériorité militaire que l'empire Kin est passé sous ma domination ?

— Mais que prétendez-vous donc dominer ? Le jour où le général Muqali retirera ses troupes de l'empire Kin, que restera-t-il là-bas de votre influence ? Les armes permettent seulement de réduire l'adversaire, pas de le séduire. Tant que les Mongols n'auront pas développé leur propre culture, jamais ils n'exerceront un total ascendant sur l'empire Kin : au contraire, ils finiront par être absorbés, dominés par lui. » De tels arguments laissaient toujours Gengis-khan sans voix. Mais il était ravi de voir son jeune conseiller prendre ainsi l'avantage. Et chaque fois qu'il se trouvait réduit au silence, il essayait de tenir compte sous une forme ou une autre, dans les décisions politiques qu'il prenait, des vues de son interlocuteur.

Grâce à Ye-liu Tch'ou-ts'ai, Gengis-khan apprit que la foi permettait d'unifier les hommes beaucoup plus sûrement que le sentiment d'appartenance à un peuple, ou la loyauté à l'égard d'un souverain. Il laissa donc toutes sortes de religions se répandre librement, interdisant les persécutions. Il encouragea parmi les Mongols l'antique croyance au Ciel éternel, car elle était la marque même de leur identité, mais ne l'imposa jamais au-dehors du clan Borjigin.

Gengis-khan, tout en refusant s'assouplir les règles implacables qu'il avait autrefois édictées, les compléta, sur les conseils de Ye-liu Tch'ou-ts'ai, par une éducation morale qui, elle aussi, condamnait le vol et le meurtre. Jusqu'alors, c'était l'idée que cet acte était puni de mort qui dissuadait les nomades de voler des moutons. Désormais, on tenta de leur inculquer une notion qui leur était totalement nouvelle : le vol devait être évité non par crainte du châtiment, mais à cause du désagrément qu'il entraînait pour la victime.

Il arrivait parfois à Gengis-khan de ne pas consulter le jeune conseiller k'itan. Cela se produisit pour la première fois au début de l'année 1218, quand le chef mongol donna soudain l'ordre à l'un de ses bataillons d'envahir le pays Si-Hia. Il avait déjà assujetti ce territoire, mais jugeait à présent nécessaire d'y envoyer des troupes en cantonnement. Les hostilités s'engagèrent sans le moindre préambule. Dans des tourbillons de poussière, la cavalerie mongole déferla sur la capitale et força le roi à se réfugier dans la ville de Hi-leang, à l'ouest du pays. Grâce à cette opération, les forces de Gengis-khan occupaient désormais le Si-Hia.

Tant que dura l'expédition, le chef mongol évita de se trouver en présence de Ye-liu Tch'ou-ts'ai, car il n'aurait su que lui dire. Cependant, le jeune conseiller ne lui fit aucun reproche, et se garda même de la moindre allusion à ce sujet.

Gengis-khan savait qu'il allait bientôt devoir s'attaquer au Qara-Kitaï, gouverné depuis six ans par le prince naiman Guchluq. Celui-ci, autrefois chassé de son territoire par les Mongols, s'était réfugié là et avait usurpé le pouvoir. Or, en cas d'offensive contre le Qara-Kitaï, une alliance entre ce royaume et le pays voisin des Uigur, placé pourtant sous domination mongole, n'était pas à exclure. Voilà pourquoi Gengis-khan avait fait envahir le Si-Hia : pour que ses troupes, une fois sur place, puissent juguler les troubles qui risquaient d'éclater si quelque agitation se produisait non loin de là, en pays Uigur.

Chapitre VII

L'été de l'an 1218, Gengis-khan envoya une armée de vingt mille hommes, commandée par Jebe, envahir le Qara-Kitaï. Ainsi se réalisait la prédiction faite par Ye-liu Tch'ou-ts'ai à partir d'une omoplate de mouton, la première fois qu'il avait rencontré Gengis-khan. Le but de cette expédition était de renverser Guchluq puis, en s'appropriant ce territoire, de se rapprocher des frontières du Khârezm, pays de haute culture. Gengis-khan voulait en effet établir avec cet empire des relations de bon voisinage pour commercer avec lui de façon intensive et se procurer ainsi toutes sortes de merveilles.

Dès qu'il eut envahi le Qara-Kitaï, Jebe proclama la liberté de culte et délivra les fidèles musulmans persécutés jusqu'alors par Guchluq. Ces derniers, s'alliant à Jebe, fomentèrent des troubles dans tout le pays. Les troupes mongoles, prenant chaque fois l'avantage sur l'armée ennemie, conquirent successivement les citadelles de Hami, Kashgar, Yarkand et Khotan, puis, lancées à la poursuite de Guchluq en fuite, parvinrent jusqu'aux hauts plateaux du Pamir. Là, Guchluq fut surpris et tué par des gens de la région. Jebe envoya sa tête à Gengis-khan et lui offrit mille chevaux originaires de cette contrée.

Jebe avait conquis le Qara-Kitaï à une vitesse foudroyante : en à peine trois mois, cet immense pays, s'étirant du nord au sud de part et d'autre du massif du

T'ien-chan, était passé sous la domination de Gengis-khan. Grâce à Muqali à l'est, à Jebe à l'ouest, l'aigle mongol pouvait désormais déployer ses larges ailes.

Gengis-khan fit parvenir à Jebe un message le félicitant pour ses exploits. Il lui conseillait toutefois de ne pas en tirer vanité.

La campagne contre le Qara-Kitaï, entreprise dans l'espoir de nouer des relations commerciales avec l'empire mystérieux du Khârezm, apporta à Gengis-khan des avantages auxquels il n'avait pas songé : des techniques d'agriculture et d'artisanat inconnues même chez les Kin se répandirent tout naturellement sur les hauts plateaux mongols. Et chaque jour, au terme d'un voyage à travers steppes et déserts, arrivaient des fruits, des vins, des tapis et toutes sortes d'objets rares, jamais vus encore chez les nomades.

Gengis-khan, qui régnait à présent en maître absolu sur un immense territoire, décida d'envoyer une première ambassade dans l'empire du Khârezm, et demanda des volontaires pour cette mission. Aussitôt se présentèrent quelques nobles et quelques généraux, qui rassemblèrent autour d'eux quatre cent cinquante hommes, en veillant à ce que tous soient bien de religion musulmane.

L'ambassade quitta le campement de Gengis-khan, mais quand elle atteignit la ville d'Otrar, sur les berges du Syr-Daria, elle fut retenue prisonnière par Kadyr-khan, le gouverneur de cette région, qui s'appropria toutes les marchandises qu'elle emportait avec elle. Kadyr-khan fit savoir au sultan du Khârezm, Mohammed-shah, qu'il avait arrêté des espions mongols, et les quatre cent cinquante hommes furent finalement exécutés.

A l'annonce de cette nouvelle totalement inattendue, Gengis-khan fut saisi d'une véritable fureur : la bienveillance qu'il avait manifestée à l'égard du Khârezm avait donc été payée par une flagrante hostilité.

Pour Gengis-khan comme pour la plupart de ses fidèles compagnons et pour Ye-liu Tch'ou-ts'ai, le

Khârezm était une contrée auréolée de mystère. Ils ignoraient tout de sa situation politique et des mœurs de ses habitants. Des commerçants qui passaient au campement, ils avaient seulement appris qu'il s'agissait d'un immense pays musulman qui recelait de fabuleux trésors. Mais ils n'avaient pas la moindre idée de la nature de son gouvernement ou du pouvoir de son armée.

Gengis-khan consulta Ye-liu Tch'ou-ts'ai sur l'éventualité d'une campagne de représailles contre le Khârezm. Celui-ci lui dit alors : « Tout ce que nous savons de ce pays, c'est qu'il s'agit d'une grande communauté de musulmans, que leur croyance a rassemblés en une nation. C'est cette unité religieuse qui fait leur force, et de cela, l'empire mongol ne possède pas l'équivalent. A en juger par les produits qu'apportent leurs marchands, leur niveau de culture est incomparablement élevé. Il serait donc préférable, dans l'état actuel des choses, de différer cette campagne. »

Gengis-khan demanda également conseil à Qasar, Jelme et ses autres fidèles généraux, mais aucun ne se montra favorable à cette expédition.

« Tout ce que je sais, dit Qasar, c'est que les soldats du Khârezm portent des casques et des armures d'acier. Il est très difficile pour le moment de juger si cet équipement est supérieur ou non à celui de nos hommes, qui est fait de cuir, mais une chose est sûre : les armes dont nous disposons ne nous permettront pas de transpercer leurs armures. Nous serons donc confrontés à une forme de combat dont nous ignorons tout.

— Pour moi, enchaîna Jelme, le Khârezm est une contrée aussi impénétrable que l'océan : les marchands qui en viennent parlent tous des langues différentes, et n'ont pas les mêmes mœurs. Ils ne sont unis que par leur croyance en l'islam. Je pense qu'il ne faut pas précipiter dans cet insondable océan l'élite du peuple mongol. »

Tous les autres généraux consultés se faisaient du Khârezm l'image inquiétante d'un pays profondément religieux, impossible à cerner, et aucun d'eux n'approuva vraiment ce projet de campagne.

Gengis-khan fit enfin venir dans sa tente son fils Jöchi. A peine arrivé devant son père, celui-ci déclara : « Pourquoi aurais-je donc peur d'envahir le Khârezm ? »

Comme Gengis-khan lui expliquait qu'il n'avait pas encore pris cette décision, et qu'il voulait seulement son avis à ce sujet, Jöchi répondit : « Est-il paroi si élevée qu'un loup mongol ne puisse franchir ? Et précipice si profond qu'il ne puisse traverser ? Donnez-moi l'ordre, avec des dizaines de milliers de soldats, d'escalader les parois, d'enjamber les précipices ! »

Gengis-khan soutenait le regard hardi de son fils : jamais il n'avait éprouvé de façon aussi intense le sentiment que Jöchi était un véritable loup mongol. « On dit que le Khârezm est aussi insondable que l'océan. A peine aurons-nous franchi un obstacle qu'un autre se dressera devant nous. Ce n'est pas l'idée de te perdre avec tous tes soldats qui m'arrête, mais celle de précipiter dans cet océan l'ensemble du peuple mongol. »

Jöchi répondit alors : « Mais les Mongols ne sont-ils pas nés pour se mesurer avec un tel destin ? Depuis la conquête du Qara-Kitaï, le khan semble avoir perdu le désir de se battre. Or tous mes ancêtres, mon grand-père, mon arrière-grand-père, ont passé leur vie à affronter l'ennemi. C'était là la raison d'être du clan Borjigin. Le Loup bleu se doit d'avoir des ennemis. Un loup sans ennemi n'est plus un loup. Cet imposteur de Ye-liu Tch'ou-ts'ai cherche à implanter chez le khan l'âme des K'itan. Le temps est venu de se débarrasser de cet homme et de se choisir un ennemi. Que le khan consacre sa vie et celle de son peuple au combat, comme l'ont toujours fait nos ancêtres ! »

Gengis-khan laissa parler Jöchi, puis lui dit, sans hausser le ton : « Fougueux guerrier mongol, oses-tu insinuer que je ne suis plus un loup ? Lors de l'offensive contre le Khârezm, je t'accorderai l'honneur de commander l'avant-garde. Ainsi mon armée progressera-t-elle en passant sur ton cadavre ! »

Après avoir renvoyé Jöchi, Gengis-khan se sentit toute la journée de fort belle humeur. Il n'avait pas l'intention de suivre à la lettre les conseils de son fils. Mais celui-ci avait ravivé en lui un désir de conquête qui s'était attiédi ces derniers temps.

Gengis-khan se rendit ensuite dans la tente de Börte pour lui demander son opinion. Celle-ci, qui avait un an de plus que lui, était à présent une vieille femme corpulente, à l'allure distinguée, qui vivait entourée d'objets précieux et insolites. Avec le temps, ses mouvements avaient perdu de leur vivacité, ses yeux de leur éclat.

Depuis quatre ou cinq ans, Börte parlait de plus en plus rarement. Mais à la question de Gengis-khan sur une éventuelle offensive contre le Khârezm, elle répondit avec un petit rire qu'il n'avait pas entendu depuis longtemps : « Mobilise ton armée, ne la mobilise pas, selon ce que te dicte ton désir ! Ces dernières années, n'as-tu pas oublié d'agir comme bon te semble ?

— Il n'est pas exclu que nous perdions jusqu'au dernier soldat mongol dans cette entreprise. Faut-il vraiment courir ce risque ? »

Un sourire apparut alors sur le visage de Börte : « Depuis quand es-tu aussi timoré ? Autrefois, quand tu n'avais d'autre vassal que moi, qu'avais-tu donc à perdre ? »

Börte disait vrai. A l'entendre parler ainsi, Gengis-khan comprit que malgré l'abondance dans laquelle elle vivait à présent, sa femme n'était pas véritablement heureuse. Ce fut, pour le chef mongol, une découverte étrange, qui dépassait l'entendement. A mesure qu'il s'élevait au rang de souverain d'un immense empire, les griefs avaient dû s'accumuler en elle, finissant par la murer dans un univers de solitude. C'est profondément bouleversé, sans savoir exactement pourquoi, que Gengis-khan quitta la tente de Börte.

Il se rendit enfin auprès de Qulan, la dernière personne qu'il voulait consulter. Elle était à présent en pleine maturité. Son visage resplendissait, et sa position de favorite du khan conférait à toutes ses attitudes une grande dignité.

« Les trois mille concubines dont tu t'es entouré ne te suffisent-elles donc plus, que tu veuilles à présent faire venir auprès de toi, à dos d'éléphants, de jeunes princesses du Khârezm ? » demanda Qulan avec un gracieux sourire.

Chaque fois qu'il se trouvait en sa présence, Gengis-khan, comme s'il était gagné par son rayonnement, se sentait enveloppé dans l'atmosphère de douceur et de raffinement qui émanait d'elle. Et pourtant, il ne se fiait pas vraiment à ce charme radieux. Depuis qu'il avait confié leur fils à Sorqan-shira, jamais lui et Qulan n'avaient évoqué le destin de Ga'ulan, mais Gengis-khan ne pouvait pas imaginer qu'elle avait chassé de son souvenir l'image de l'enfant.

Qulan attaquait toujours Gengis-khan, avec une douce ironie, sur le nombre élevé de ses concubines, mais sans pourtant s'abaisser à des reproches. Car elle savait bien que le chef mongol n'en aimerait jamais aucune autre qu'elle.

Comme Gengis-khan lui demandait son avis sur l'offensive contre le Khârezm, Qulan l'exhorta, avec une passion qu'il n'avait rencontrée chez aucun de ses interlocuteurs, à se lancer dans cette entreprise : « Il faut absolument que tu attaques le Khârezm ! Car c'est un pays plus riche, plus évolué que celui des Mongols. Les combats seront d'autant plus acharnés que l'enjeu en est considérable. Précipite dans le creuset de cette guerre l'ensemble du peuple mongol ! Quant à moi, je veux seulement vivre avec toi sur les champs de bataille ! » Puis elle ajouta : « Dépouille-moi de tout ce que je possède ! Enlève-moi mes bijoux, mes splendides vêtements, mes objets les plus précieux, et emmène-moi toujours avec toi dans les clameurs des combats ! Parmi les sifflements aigus des flèches, il est une chose que je voudrais vérifier, une seule chose dont je voudrais te parler ! » Elle poursuivit encore : « T'ai-je jamais blâmé pour toutes tes concubines ? T'ai-je jamais réclamé le moindre trésor, le moindre territoire ? Jamais je n'ai considéré comme étant à moi tout ce qui, dans cette tente, m'entoure. Je vis ici provisoirement, au milieu d'objets d'emprunt. Et quand je partirai, tout cela cessera de m'appartenir. » Elle continua par ces mots : « Laisse-moi vivre avec toi dans la tourmente de la guerre contre le Khârezm ! Donne-moi la possibilité de te parler d'une seule chose !

— Mais dis-moi donc de quoi il s'agit ? demanda Gengis-khan, qui se sentait gagné par une certaine inquiétude.

— Cela, je ne pourrai le dire qu'au moment voulu. Alors, sans doute, les dieux me visiteront pour me dicter les mots nécessaires ! »

Ce furent les paroles de sa femme Börte, de sa favorite Qulan, de son fils Jöchi, bien différentes en apparence, qui déterminèrent Gengis-khan à partir en campagne contre le Khârezm. Mais une fois sa décision prise, le chef mongol ne passa pas immédiatement à l'action. Car il lui fallait d'abord, pour élaborer son plan d'attaque contre ce pays à la religion inconnue, mettre à profit les conseils de Ye-liu Tch'ou-ts'ai et de ses généraux.

Gengis-khan, sans parler à qui que ce fût de son projet d'expédition, s'efforça par tous les moyens de recueillir des informations sur le Khârezm. Il fit également le tour de tous les campements des hauts plateaux, pour attiser l'ardeur combative des troupes qui y étaient cantonnées.

A la fin de l'an 1218, Gengis-khan organisa un *quriltaï* afin de consulter sa famille et ses plus fidèles vassaux sur l'offensive contre le Khârezm. Mais en réalité, ce n'était qu'une consultation de pure forme, et le chef mongol se contenta de faire ratifier sa décision par l'ensemble des participants. Durant ce conseil, il désigna son frère Temuge-otchigin pour le remplacer à la tête du pays pendant son absence. Les autres membres de sa famille et tous ses plus anciens compagnons devaient se joindre à l'expédition. Parmi les concubines, seule Qulan fut autorisée à accompagner Gengis-khan. Ye-liu Tch'outs'ai reçut lui aussi l'ordre de le suivre.

Aussitôt, un ambassadeur fut envoyé en pays Si-Hia, soumis à l'empire mongol, afin de décider le roi à lever son armée. Contre toute attente, le Si-Hia refusa de s'engager dans cette campagne. Cette réponse fit comprendre à Gengis-khan que ce royaume, jugeant le Khârezm d'une puissance supérieure à celle des Mongols, avait voulu éviter de s'en faire un ennemi.

Au printemps de l'an 1219, Gengis-khan quitta son campement à la tête d'une armée de deux cent mille hommes qui, telle une immense horde en pleine migration, avançait avec la puissance menaçante de la houle. En plein été, les troupes franchirent l'Altaï et, progressant à travers les plaines et les zones montagneuses qui bordent le massif du T'ien-chan au nord, parvinrent sur les rives du fleuve Chu, où elles s'arrêtèrent. Gengiskhan, n'ayant aucune idée de la puissance militaire du Khârezm, décida de temporiser, et jusqu'à l'automne, organisa de grandes chasses qui duraient des dizaines de jours et auxquelles participait toute son armée. Ces chasses étaient indispensables aux troupes mongoles, à la fois pour entretenir l'ardeur combative des soldats, entraîner les chevaux et se procurer du ravitaillement.

Gengis-khan profita également de cette période pour recueillir des informations sur l'empire du Khârezm. Il apprit ainsi que ce pays résultait de l'assemblage de divers peuples, ce qui, à bien des égards, le rendait vulnérable. C'était surtout manifeste dans le domaine militaire : si le

Khârezm disposait, pour combattre les Mongols, d'une armée de quatre cent mille hommes, il lui manquait l'officier d'exception capable de diriger des troupes composées de soldats d'origines diverses. Le shah Mohammed, chef spirituel de la communauté musulmane, n'était pas qualifié pour commander une immense armée. Les quatre cent mille hommes étaient répartis dans quelques dizaines de places fortes disséminées sur ce vaste territoire. En restant ainsi cantonnés derrière les murailles, ils pouvaient éviter les batailles en rase campagne, dans lesquelles excellait la cavalerie mongole.

Vers le milieu de l'automne, Gengis-khan mit brusquement un terme à la chasse et donna l'ordre d'envahir le Khârezm par le nord-est. Devant l'armée mongole le Syr-Daria, qui prend sa source dans le massif du T'ien-chan et va se jeter dans la mer d'Aral, s'étirait comme un ruban interminable entre des rives semées de places fortes. Avant de passer à l'offensive, Gengis-khan divisa son armée en quatre bataillons. Le premier, dirigé par son fils aîné Jöchi, devait longer le Syr-Daria vers l'aval, tandis que le second, dont il confia le commandement à ses cadets Jagataï et Ögödeï, avait ordre de conquérir, sur le cours moyen du même fleuve, la ville d'Otrar. Le troisième, ayant à sa tête les jeunes généraux Alaq, Suqet et Tagaï, reçut pour mission de soumettre la région située sur le cours supérieur du Syr-Daria. Enfin le quatrième, que commandait le dernier fils de Gengis-khan, Tolui, devait franchir le fleuve pour aller attaquer, au cœur du Khârezm, la forteresse de Boukhara, importante base militaire.

Gengis-khan insista auprès de ses officiers sur la nécessité de poursuivre les opérations jusqu'à la destruction totale de l'armée du Khârezm et la mort de Mohammed-shah. Il donna l'ordre d'épargner tous ceux qui se rendraient, mais de massacrer sans pitié ceux qui résisteraient, qu'ils soient civils ou militaires. Car de cette campagne dans laquelle il avait engagé toutes les forces mongoles dépendait le destin de son peuple.

Comme à l'époque où il avait envahi pour la première fois l'empire Kin, Gengis-khan convia l'ensemble de sa famille et ses fidèles compagnons à un banquet d'adieu sous sa tente, car tous ignoraient s'ils reviendraient vivants de cette expédition. Autrefois, le festin avait eu lieu dans son campement au pied du mont Burqan. Cette fois-ci, il se déroula au cœur d'une région désertique, à dix jours de marche du fleuve Irtysch.

En cette occasion, Gengis-khan annonça qu'il allait désigner qui, de ses quatre fils, prendrait sa succession si jamais il mourait durant cette campagne. Depuis longtemps cette question avait suscité la plus vive curiosité, non seulement chez les enfants du chef mongol, mais aussi chez ses plus proches vassaux et l'ensemble des officiers de son armée. La préférence de Gengis-khan pour son benjamin, Tolui, était une évidence aux yeux de tous. Selon une coutume ancestrale chez les Mongols, les biens personnels de Gengis-khan devaient revenir à son dernier-né. Mais la nécessité de respecter cet usage n'avait aucune part dans l'affection toute particulière qu'il portait à ce fils.

Gengis-khan aimait la bravoure de Tolui, et les éclairs de génie dont il faisait preuve dans le domaine stratégique. Durant chacune de ses campagnes, il s'était toujours trouvé aux côtés de son dernier-né, à la tête du même bataillon. Et ce n'était pas seulement afin de le protéger : Gengis-khan éprouvait un grand plaisir à observer la façon dont Tolui faisait manœuvrer son armée et menait les combats. Il y avait, chez le jeune général de vingt-six ans, une virtuosité d'enfant prodige qui suscitait l'enthousiasme.

Tous les participants au festin étaient convaincus que Gengis-khan désignerait comme successeur soit son aîné, Jöchi, à cause de ses incontestables actions d'éclat, soit son préféré, Tolui. Or, ce fut un tout autre nom qu'il prononça : « Ögödeï ! »

D'abord, personne n'en crut ses oreilles. Mais bien vite, tous furent obligés de se rendre à l'évidence : il avait choisi son troisième fils.

« Jöchi, que penses-tu de ce choix ? Parle ! dit Gengis-khan.

— Je n'ai aucune objection à faire. Avec mes frères Jagataï et Tolui, je soutiendrai Ögödeï. C'est une bonne chose qu'il prenne la suite de notre père le khan, répondit brièvement Jöchi, le visage livide.

— Et toi, Jagataï, qu'en penses-tu ?

— Père, nous te seconderons tant que tu vivras. Puis après ta mort, comme l'a dit Jöchi, nous soutiendrons Ögödeï. Nous affronterons ensemble les assaillants ! Nous pourchasserons les fuyards pour les frapper dans le dos ! De tous mes frères, Ögödeï est le plus pondéré, le plus intègre. Il réunit toutes les qualités d'un vrai souverain mongol. Je te demande instamment d'en faire ton successeur ! »

Les paroles de Jagataï vibraient d'un enthousiasme peu perceptible chez Jöchi.

« Et toi, Tolui, qu'en dis-tu ? demanda Gengis-khan, tournant les yeux vers son dernier fils.

— Je me tiendrai aux côtés de mon frère. S'il oublie quelque chose, je le lui rappellerai ; s'il s'endort, je le secouerai pour l'éveiller. Je partirai avec lui en campagne, je deviendrai cravache pour son alezan. Je serai toujours présent dans les expéditions lointaines pour me battre avec acharnement ! »

Après avoir acquiescé d'un air satisfait, Gengis-khan s'adressa à son troisième fils : « Ögödeï, si tu as quelque chose à dire, parle sans détours ! »

Ögödeï ne pouvait dissimuler l'émotion qui l'avait saisi, mais il répondit pourtant avec son calme habituel : « Que pourrais-je donc ajouter ? Si tel est l'ordre de mon père, je m'y conformerai. Ma seule crainte est qu'aucun de mes fils ne soit digne d'accéder un jour au rang de khan ! »

Toute l'assemblée écoutait dans le plus grand silence cet échange entre Gengis-khan et ses quatre fils. Une fois celui-ci terminé, chacun convint en lui-même que le choix de Gengis-khan n'aurait pu être meilleur, et que personne n'était plus apte qu'Ögödeï à prendre la suite de son père à la tête de l'empire mongol.

Ögödeï n'avait pas la violence qui se manifestait sous des formes diverses chez ses trois frères. Il était d'un caractère pondéré et compatissant, avait un sens très marqué de ses responsabilités, était incapable de la moindre fourberie. Par sa discrétion, c'était celui des quatre frères qu'on remarquait le moins. Mais il savait aussi faire preuve de détermination, passant à l'action dès qu'il avait pris une décision. Il possédait donc plus de qualités que quiconque pour succéder à Gengis-khan.

Quand celui-ci vit que personne ne contestait son choix, il ajouta : « Devant nous s'étend un territoire illimité, sillonné de fleuves innombrables, planté de verts pâturages qui se succèdent à l'infini. Jöchi, Jagataï, Tolui, bientôt vous vous partagerez les terres immenses qui vont tomber entre nos mains ! »

Cependant il ne pouvait chasser de son esprit le visage livide de Jöchi. Gengis-khan lui-même était émerveillé de la volonté de fer de son fils aîné, devenu à présent le plus valeureux des officiers mongols, et de son ardeur combative qui le poussait sans la moindre crainte à risquer sa vie. Parmi les Mongols, personne n'était capable de rivaliser avec lui dans la réalisation des entreprises les plus périlleuses. Avant de se choisir un successeur, Gengis-khan avait donc longtemps hésité entre Jöchi et Ögödeï. Il n'était pas facile de déterminer lequel d'entre eux remplirait le mieux cette fonction. Finalement, il avait choisi son troisième fils. La réaction de Jöchi devant une telle décision n'avait donc rien de surprenant.

Gengis-khan, imité par toute l'assemblée, leva sa coupe au succès de cette campagne décisive. C'était en même temps un geste d'adieu, tous ignorant si un destin imprévisible n'allait pas les séparer à jamais. Mais il fit également passer à travers ce geste le sentiment particulier qu'il éprouvait à l'égard de Jöchi. Peut-être sa décision allait-elle éloigner son fils aîné de lui. Cela n'aurait rien d'étonnant. Mais Gengis-khan s'efforça de chasser cette pensée, comme si elle était tout à fait anodine. Et au fond de son cœur, il exhorta Jöchi : *Hôte du clan Borjigin ! La preuve n'est pas encore faite que tu es un véritable descendant du Loup bleu. Ni que je le suis moi-même. Va ! Emprunte, toujours plus loin, des voies semées d'embûches ! Il te faut t'engager dans des combats acharnés et sans nombre, et en sortir toujours victorieux ! C'est là aussi ma tâche. Jöchi, si tu es vraiment un glorieux loup mongol, c'est à toi, par tes seules forces, de conquérir ton territoire !*

Gengis-khan regardait Jöchi qui s'avançait vers lui. Levant sa coupe en l'honneur de son fils, il se borna à lui dire : « Il paraît que le cours inférieur du Syr-Daria est infesté de scorpions. Sois prudent ! »

— Qu'il en soit de même pour mon père le khan », répondit laconiquement Jöchi, sans détourner les yeux du visage de son père.

Les quatre bataillons mongols lancèrent presque simultanément leur offensive sur tout le bassin du Syr-Daria. L'armée de Jöchi partit vers la citadelle de Djend, celle de Jagataï et d'Ögödeï entreprit le siège d'Otrar, tandis que les troupes d'Alaq, Suqet et Tagaï se dirigeaient vers Benaket.

Gengis-khan, qui commandait le principal corps d'armée avec Tolui, resta d'abord cantonné sur les rives du Syr-Daria. Quand il eut reçu de chaque bataillon des nouvelles de victoires, il traversa immédiatement le fleuve, et selon l'objectif qu'il s'était fixé, marcha droit sur Boukhara, en plein cœur du Khârezm. A mesure que son armée progressait vers cette ville, elle fit naturellement obstacle aux contacts établis jusqu'alors entre le gros des forces ennemies et les citadelles situées le long du Syr-Daria.

Pendant près d'un mois, Gengis-khan traversa avec son armée des déserts et des zones de hauts plateaux. Parvenu enfin devant Zarnuq, il dépêcha un héraut aux portes de la ville : « Sur l'ordre du grand khan des Mongols, nous, fils du Ciel et protecteurs des musulmans, sommes venus pour vous sauver. Notre armée se presse aux abords de vos murailles. Si vous faites la moindre tentative de résistance, vos maisons seront détruites. Si vous vous rendez, nous épargnerons votre vie et vos biens. »

Aussitôt, on fit sortir tous les habitants de la ville. Les jeunes gens furent enrôlés dans l'armée, et le reste de la population autorisé à regagner ses foyers.

La mise à sac de Zarnuq se poursuivit durant trois jours. Les soldats s'emparèrent de tous les objets de valeur. Puis, après avoir rasé les murailles, les troupes mongoles, par des chemins escarpés, se dirigèrent vers Nour, qu'elles atteignirent au bout d'un mois. Là aussi Gengis-khan, interdisant à ses soldats de brutaliser les habitants, fit immédiatement évacuer la ville, qui fut alors pillée de fond en comble pendant plusieurs jours. C'était là l'occasion de se procurer du ravitaillement et aussi d'enrichir l'empire mongol de tous les trésors qui revenaient de droit au vainqueur.

La cavalerie mongole continua de progresser vers son objectif : Boukhara. Vers le milieu du mois de janvier 1220, elle parvint aux environs de cette ville et installa son cantonnement sur les berges du fleuve Zeravshan. Aux alentours s'étendaient des champs étonnamment fertiles. Gengis-khan, après avoir laissé à ses troupes le temps de reprendre des forces, entreprit le siège de la citadelle avec toute son armée. Boukhara était gardée par une garnison de vingt mille hommes qui, malgré les sommations du chef mongol, refusèrent de se rendre. De farouches combats se poursuivirent pendant plusieurs jours.

Une nuit, la garnison tenta une sortie et, faisant une brèche dans les lignes mongoles, s'enfuit en direction de l'Amou-Daria. Gengis-khan lança ses troupes à la poursuite des fuyards qui, acculés aux berges du fleuve, furent massacrés jusqu'au dernier. Sur les rives s'amoncelèrent les cadavres, tandis que les eaux de l'Amou-Daria se teintaient de pourpre. La vue de ces flots de sang provoqua une sorte de frénésie chez les soldats mongols.

Le jour suivant, Gengis-khan pénétra dans la ville. Elle foisonnait de boutiques, de mosquées, d'habitations qui témoignaient de l'ampleur de ses richesses. Ses rues grouillaient d'une foule d'hommes et de femmes de différentes races. Dans la citadelle restaient encore quatre cents soldats qui refusaient de capituler. Gengis-khan donna l'ordre de prendre d'assaut cette garnison et fit placer en première ligne des civils qui s'étaient rendus et à qui il avait confié des armes.

Il fallut douze jours aux troupes de Gengis-khan pour écraser l'ennemi. Cet assaut coûta la vie à bon nombre de soldats mongols et de gens de la ville enrôlés de force. Enfin, après en avoir abattu les murs, l'armée se rua dans la citadelle.

Une fois celle-ci investie, Gengis-khan, ayant interdit aux habitants de Boukhara d'emporter avec eux le moindre bien, les fit tous sortir de la cité, qui fut alors envahie par les soldats et livrée au pillage. Tous ceux qui, désobéissant aux ordres, étaient restés dissimulés là, furent tués sans pitié. La population avait été rassemblée en un même endroit, à l'extérieur des murailles. Les soldats se partagèrent les femmes, qui furent violées au vu de tous. Les hommes durent avouer où ils cachaient leurs trésors, dont on les dépouilla. Puis ils furent incorporés dans l'armée mongole.

Au moment de quitter Boukhara, Gengis-khan donna l'ordre d'incendier la cité vidée de ses habitants et de la réduire en cendres, montrant ainsi quel sort attendait les villes qui tenteraient de s'opposer à lui.

Boukhara était encore la proie des flammes quand le chef mongol partit vers la prestigieuse citadelle de Samarkand. Ses troupes marchèrent durant cinq jours. Le bain de sang et d'horreurs dans lequel ils venaient d'être plongés avait transformé les soldats en fauves enragés. Seule l'implacable discipline militaire les retenait de se déchaîner. Chaque nuit, la lueur bleutée de la lune dessinait, sur les dunes du désert, l'ombre mouvante et noire de cette armée. Nombre de prisonniers enrôlés de force à Boukhara, épuisés par le rythme de cette marche forcée, s'écroulèrent en cours de route. Ils furent systématiquement sabrés.

Après une progression de plusieurs jours à travers des terres désertiques et des montagnes rocheuses, les soldats virent surgir devant eux la ville de Samarkand. Sa beauté avait quelque chose d'irréel, qui toucha même ces féroces Mongols assoiffés de sang. Sur les rives du fleuve Zeravshan, qui coulait non loin des murailles, s'étendaient à perte de vue des champs de fleurs et des vergers. Au sein de cette nature magnifique, l'imposante cité était ceinturée de plusieurs rangées de remparts, récemment reconstruits pour faire face à une offensive de l'armée mongole.

Avant d'atteindre Samarkand, Gengis-khan avait chargé certains de ses bataillons d'attaquer deux places fortes situées entre cette ville et Boukhara. Au moment où son armée s'installait sur les berges du fleuve Zeravshan, il apprit la reddition de ces deux citadelles.

Samarkand était protégée par une garnison de quarante mille hommes, que commandaient quelques-uns des plus prestigieux généraux du Khârezm. Gengis-khan, différant l'offensive de la ville, prit position sur les rives du fleuve et prépara soigneusement son plan d'attaque. Entre-temps, les trois bataillons qui devaient investir toutes les forteresses du bassin du Syr-Daria, ayant rempli leur mission, avaient rejoint à quelques jours d'intervalle le bivouac de Gengis-khan.

Le premier à arriver fut celui de Jöchi. En six mois, le fils aîné du chef mongol s'était emparé de Signak et de trois autres citadelles des environs, avait conquis Djend et soumis tous les territoires qui bordaient le cours inférieur du Syr-Daria. Durant cette campagne, ceux qui refusaient de se rendre furent passés au fil du sabre. Le carnage le plus cruel eut lieu à Signak, où la population fut presque entièrement massacrée.

Dix jours plus tard arrivèrent les bataillons commandés par Jagataï et Ögödeï. Ils avaient reçu l'ordre d'attaquer la ville d'Otrar, dans laquelle avaient été assassinés les ambassadeurs pourtant pacifiques de Gengis-khan, ce qui avait poussé celui-ci à se lancer dans cette campagne. Au terme de cinq mois de bataille, les soldats mongols pénétrèrent dans la ville. Il leur fallut encore un mois de furieux combats pour en investir la citadelle. Une moitié de la population fut exécutée, l'autre moitié emmenée jusqu'à Samarkand avec le gouverneur d'Otrar, Kadyr-khan. Gengis-khan, sans accepter de le rencontrer, ordonna qu'on le fasse périr avec un raffinement de cruauté. Devant Kadyr-khan enchaîné, on fit fondre des morceaux d'argent. Le gouverneur demanda à un soldat ce qu'on allait faire de ce liquide en fusion. L'homme répondit : « On va te le couler dans tes oreilles et dans tes yeux. » Et c'est ainsi, effectivement, que Kadyr-khan fut tué.

Dix jours après, un autre bataillon, dirigé par les trois jeunes généraux Alaq, Suqet et Tagaï, rejoignit à son tour le cantonnement. Il ne comptait que cinq mille hommes, mais tous, sans exception, étaient de valeureux guerriers. Ils n'avaient pas été longs à investir la place forte de Benaket, expulsant les habitants de la ville, sabrant tous

253

les soldats qui tentaient de résister. Puis, longeant le cours du Syr-Daria vers l'amont, ils étaient arrivés en vue de la citadelle de Kojand, édifiée au milieu du fleuve. Après toute une série d'affrontements avec le commandant de la place, Timur-Malik, ils étaient parvenus, à l'aide d'embarcations, à gagner la citadelle. Au cours de ces opérations, ils n'avaient commis qu'une seule maladresse : ils avaient laissé échapper Timur-Malik.

Chaque bataillon était arrivé grossi d'une foule de captifs, enrichi d'une masse énorme de butin. Avant de voir ainsi tous ces gens rassemblés dans leur cantonnement, jamais les soldats mongols n'avaient imaginé que pussent exister sur terre autant de races différentes.

Dès que les trois bataillons furent réunis, Gengis-khan décida de poursuivre Mohammed-shah, le sultan du Khârezm, qui avait abandonné Samarkand pour se réfugier sur l'autre rive de l'Amou-Daria. A cette fin, il constitua deux corps d'armée, commandés respectivement par Jebe et Sübötéï. Le chef mongol donna ses instructions à ses deux plus fidèles généraux :

« Pareils à deux flèches lâchées par un seul arc, vous partirez d'un même point dans deux directions différentes, mais avec une mission identique : rattraper l'armée de Mohammed, l'encercler, l'exterminer. Si l'un d'entre vous se trouve face à un adversaire supérieur en nombre, il fera appel à l'autre avant d'engager le combat. Si l'ennemi bat en retraite, vous le traquerez sans relâche. Les villes qui se rendront seront épargnées, les rebelles seront massacrés sans pitié. »

Le jour même, les deux corps d'armée quittèrent ensemble le cantonnement puis, à environ un kilomètre de Samarkand, se séparèrent.

L'attaque de Samarkand commença à la fin du mois de mars. Gengis-khan fit précéder les fantassins mongols d'une avant-garde composée de prisonniers ramenés de toutes les régions du pays. Les soldats du Khârezm en garnison dans la ville étaient en majorité des Kangli d'origine turque, auxquels s'ajoutaient un petit nombre de Persans. Tous, retranchés derrière les murs d'enceinte, se défendirent farouchement. Au terme de sept jours de violents combats, Gengis-khan parvint à s'emparer de la ville, à l'exception de la citadelle, et en fit sortir les soldats kangli qui s'étaient rendus. Puis il prit d'assaut la citadelle elle-même, y mit le feu et massacra jusqu'au dernier les mille Persans qui avaient résisté avec l'énergie du désespoir.

Beaucoup d'habitants de Samarkand périrent dans l'indescriptible confusion de ces affrontements. Même les trente mille soldats kangli qui avaient déposé les armes furent exterminés en une seule nuit.

Cette nuit où brûla la citadelle de Samarkand fit, même à Gengis-khan, l'effet d'une scène de cauchemar, une scène interminable, retentissante de gémissements et de clameurs, embrasée par les flammes couleur safran qui roussissaient le ciel laqué de noir.

Aux premières lueurs blanchâtres de l'aube, le chef mongol vit, rassemblés en plusieurs endroits, tous ceux dont la vie avait été épargnée : trente mille artisans, cinquante et un mille captifs, un certain nombre de femmes. Il y avait aussi une vingtaine d'éléphants.

Après avoir réduit en cendres Samarkand, Gengis-khan partit s'installer dans un endroit situé à mi-chemin de cette ville et de Nasaf. Il y passa le printemps et l'été, afin de laisser les soldats et leurs montures se reposer jusqu'au prochain assaut, prévu pour l'automne. Cet emplacement représentait pour les chevaux une zone de pâturages idéale.

Toutes les places fortes au nord du fleuve Amou-Daria se trouvaient désormais au pouvoir de Gengis-khan. Celui-ci, pendant cette période de trêve, interdit formellement à ses troupes de malmener la population et de s'adonner au pillage. Les soldats mongols qui, avec une fureur bestiale, avaient rôdé en quête de meurtres, de viols et de rapines, retrouvaient peu à peu un visage humain. Dans le même temps, la terre gorgée de sang se couvrait de nouveau de verdure, les citadelles détruites se relevaient lentement de leurs ruines, et même dans les lieux qu'on aurait pu croire dévastés à jamais, des gens, venus d'on ne sait où, recommençaient à vivre.

Gengis-khan confia le gouvernement de ces villes à des musulmans choisis parmi la population locale et placés sous le contrôle d'officiers mongols. Aux endroits où des troubles risquaient de se produire, il installa des garnisons. Entre les villes, il fit construire des routes pour faciliter les déplacements de son immense armée. Et dans tout le vaste territoire d'oasis et de déserts compris entre le Syr-Daria et l'Amou-Daria, on vit désormais des gens du pays travailler sous la direction de soldats mongols.

Entre-temps ne cessaient d'arriver au cantonnement des messagers aux vêtements maculés de sang, dépêchés par Jebe et Sübötéï.

Leurs deux corps d'armée avaient investi Balkh, qui n'avait pas opposé de résistance, sans attenter à la vie d'un seul de ses habitants. En revanche, toute la population de Zabeh, qui refusait de se soumettre, avait été massacrée. Les troupes avaient attaqué ensuite toutes les places fortes qui les séparaient de Nishapur, point stratégique du centre de Khârezm. Au début du mois de juin, les soldats mongols avaient pénétré dans cette ville sans verser une goutte de sang. Puis les deux corps d'armée, toujours lancés à la poursuite de Mohammed-shah, avaient quitté Nishapur en direction du rivage de la mer Caspienne. Depuis lors, ils n'avaient plus donné de nouvelles. Mais ils tentaient certainement de remplir leur mission : ne jamais interrompre leur chasse avant d'avoir rattrapé l'armée du sultan.

Vers la fin de l'été, Gengis-khan apprit que l'héritier de Mohammed, le prince Djelal ed-Din, s'était réfugié à

Gourgendj, capitale du Khârezm. Il ordonna à ses trois fils, Jöchi, Jagataï et Ögödeï, de partir avec une importante armée à l'attaque de cette ville.

La citadelle de Gourgendj, située non loin de la mer d'Aral et de l'embouchure de l'Amou-Daria, était bâtie sur les deux rives de ce fleuve. L'armée mongole essaya de détruire un des ponts qui reliaient les deux parties de la ville, mais cette tentative se solda par un échec, entraînant la mort de trois mille hommes. Gourgendj était solidement défendue par des soldats remplis d'ardeur guerrière, et même après six mois de siège, elle n'avait toujours pas capitulé. Chaque bataille causait de lourdes pertes dans l'armée mongole.

Apprenant que ces pertes inconsidérées et les difficultés à s'assurer rapidement la victoire étaient dues à un conflit d'autorité entre Jöchi et Jagataï, Gengis-khan donna l'ordre de confier le commandement à Ögödeï. Celui-ci, répondant à l'attente de son père, joua un rôle de conciliateur entre ses deux frères afin de permettre un assaut en règle de la capitale. L'armée mongole se heurta à une résistance acharnée. La conquête du moindre pouce de terrain se faisait au prix de monceaux de cadavres. Enfin, en avril 1221, Gourgendj fut totalement investie. A l'exception de cent mille artisans qui eurent la vie sauve, toute la population fut massacrée : à chacun des cinquante mille soldats mongols fut confiée la tâche de tuer vingt-quatre habitants de la ville.

Une fois ce carnage terminé, l'armée mongole éventra la digue de l'Amou-Daria, dont les eaux se ruèrent dans la citadelle pleine de cadavres, submergeant tout sur leur passage. Les combats qui avaient fait rage pendant des jours avaient plongé la ville dans un bain de sang, et même les soldats mongols n'eurent pas le cœur de la piller. En dépit d'efforts acharnés, ils n'étaient pas parvenus à capturer Djelal ed-Din, le valeureux commandant ennemi.

Après avoir appris la chute de Gourgendj, Gengis-khan déplaça son cantonnement sur les rives de l'Amou-Daria. Là, Jagataï et Ögödeï, qu'il n'avait pas vus depuis six mois, le rejoignirent. Quant à Jöchi, faussant compagnie à ses deux frères, il était parti avec son armée vers la région située au nord du Syr-Daria, afin de la soumettre, sans que son père lui en ait donné l'ordre. Quand ses fils lui transmirent cette nouvelle, Gengis-khan sentit monter en lui une violente colère, mais n'en laissa rien filtrer, ni dans ses paroles, ni sur son visage. Jöchi était certes à blâmer pour avoir agi sans le consulter, mais sa décision était juste, et s'il n'avait pas pris cette initiative, Gengis-khan aurait été obligé de confier cette mission à quelqu'un d'autre. Par ce raisonnement, le chef mongol parvint à atténuer quelque peu sa colère.

Gengis-khan accorda à ses troupes, aux effectifs considérablement augmentés par l'incorporation de captifs de toutes les origines, une période de repos pour leur faire oublier des semaines de barbarie. Le seul à ne pas bénéficier de cette trêve fut son dernier-né, Tolui, qu'il chargea de partir à la recherche de Djelal ed-Din, au cœur du Khârezm.

Au début de l'automne, Gengis-khan passa de nouveau à l'attaque, et après avoir conquis un certain nombre de forteresses sur la rive nord de l'Amou-Daria, installa son quartier général dans une zone de pâturages le long de ce fleuve. Entre-temps Tolui, lancé à la poursuite de Djelal ed-Din, avait investi toutes les citadelles dans lesquelles celui-ci s'était réfugié, mais sans parvenir finalement à s'emparer de lui.

Shi'i-qutuqu, l'orphelin autrefois élevé par Höelün et qui était à présent général, fut vaincu par Djelal ed-Din à Perwan, au terme d'un combat où il perdit la majorité des soldats de son bataillon. Ce fut là la seule véritable défaite subie par les Mongols durant cette campagne. De retour au cantonnement de Gengis-khan, Shi'i-qutuqu, convaincu de sa responsabilité dans cette défaite, attendit la sentence du chef mongol. Mais celui-ci ne lui fit aucun reproche. Il se contenta de lui dire : « Shi'i-qutuqu ! Accoutumé seulement à la victoire, tu n'as jamais connu les revers. A toi de tirer les leçons de ce premier échec ! »

Par ces paroles, Gengis-khan voulait moins marquer sa clémence à l'égard de Shi'i-qutuqu que sa déférence vis-à-vis de Höelün qui avait élevé le jeune officier.

Peu de temps après la défaite de Shi'i-qutuqu, le chef mongol apprit que Mohammed, qui s'était réfugié en février de cette année-là dans un îlot de la mer Caspienne, venait d'y mourir de maladie. Cette mort dispensait donc Jebe et Süboteï de mener leur mission à terme. Les deux généraux envoyèrent aussitôt un messager auprès de Gengis-khan pour obtenir de lui l'autorisation de se lancer dans une nouvelle expédition. Ils avaient l'ambition de franchir le Caucase avec leurs corps d'armée.

Gengis-khan n'imagina pas une seule seconde que ses impétueux officiers avaient eu la patience d'attendre, bloqués dans quelque coin perdu entre la mer Noire et la Caspienne, que leur parvienne son autorisation. Il renvoya le messager, tout en étant persuadé que celui-ci ne parviendrait jamais à les rattraper.

Le chef mongol n'avait pas oublié l'ordre qu'il avait donné aux deux généraux avant leur départ : celui de progresser comme deux flèches. Une fois lâchées, les flèches ne pouvaient que voler le plus loin possible avant de retomber à terre. L'initiative de Jöchi avait rendu Gengis-khan furieux. En revanche, il ne se sentit nullement contrarié à l'idée que Jebe et Süböteï avaient, eux aussi, devancé ses ordres.

Au début de l'hiver, Djelal ed-Din réapparut dans la région du Cachemire avec une immense armée. A l'annonce de cette nouvelle, Gengis-khan partit aussitôt vers le Cachemire à la tête de ses troupes. Il investit toutes les citadelles qu'il rencontra en cours de route, en appliquant le principe qui lui était désormais habituel : épargner les villes qui capitulaient, ne laisser, dans celles qui résistaient, que cadavres et décombres. Cette expédition fut marquée par une épreuve douloureuse : durant le siège de Bamiyan, ville située au cœur du massif de l'Hindou-Kouch, le fils de Jagataï fut blessé à mort par une flèche perdue. Gengis-khan, qui adorait son petit-fils, ordonna à ses troupes, pour le venger, de se montrer impitoyables : « Attaquez, attaquez encore, jusqu'à la destruction, ne laissez pas un arbre, pas un brin d'herbe ! Que cette citadelle reste déserte pour les cent années à venir ! »

Gengis-khan interdit à ses soldats tout acte de pillage. La forteresse tomba, les habitants furent massacrés, et la ville rayée de la surface de la terre.

Quand Jagataï, ignorant la mort de son fils, revint d'une autre expédition, Gengis-khan, feignant la colère, lui demanda d'un ton agressif : « Es-tu prêt à obéir à tous mes ordres ? » Jagataï, surpris, lui répondit : « Plutôt mourir que de désobéir à mon père le khan ! » Gengis-khan poursuivit alors : « Ecoute-moi, Jagataï ! Ton fils est mort au combat. Je t'interdis de te lamenter ! » Et Jagataï ne put donc, devant son père, pleurer la mort de son fils bien-aimé.

Gengis-khan, toujours lancé à la poursuite de Djelal ed-Din, pénétra en Inde, et après avoir talonné les troupes de son adversaire, finit par les rejoindre sur les bords de l'Indus. Le chef mongol, pour laver la honte de la défaite de Shi'i-qutuqu, prit lui-même la tête des opérations. Au terme d'une bataille acharnée, Djelal ed-Din, à bout de ressources, se jeta à cheval d'une falaise de vingt pieds, bouclier sur le dos, étendard au poing, pour traverser le fleuve. Les soldats mongols allaient lui lancer des volées de flèches quand Gengis-khan, admirant l'intrépidité du chef ennemi, les en empêcha.

Gengis-khan passa le Nouvel An de 1222 dans un campement installé au nord du massif de l'Hindou-Kouch. Il envoya ses généraux à la conquête des forteresses situées sur le territoire contrôlé jusqu'alors par Djelal ed-Din, avec ordre de les raser. Les villes qui, au sud de l'Amou-Daria, étaient encore intactes, subirent l'une après l'autre l'assaut des troupes mongoles. Leurs habitants furent presque entièrement massacrés. Chaque jour arrivaient au campement des messagers apportant, de toutes les régions investies, des nouvelles de batailles victorieuses et sanglantes.

Au début du mois d'avril, Gengis-khan reçut la visite d'un personnage peu ordinaire. Il s'agissait de Tch'ang-tch'ouen, venu à son invitation de la lointaine région du Chan-tong. Le chef mongol connaissait la réputation de cet homme que tous vénéraient comme le plus grand sage taoïste[1]. Un an plus tôt, il avait fait rédiger par Ye-liu Tch'ou-ts'ai une lettre le conviant à se rendre auprès de lui, et avait envoyé au vieillard le général Lieou-tchong-lou avec une escorte de vingt soldats mongols. Si Gengis-khan désirait tant rencontrer Tch'ang-tch'ouen, c'était pour l'interroger sur les secrets de longue vie. Tandis qu'il combattait sans relâche, le chef mongol avait abordé la soixantaine, et il sentait bien que ses forces le quittaient peu à peu.

Après avoir accordé à son visiteur un moment de repos, Gengis-khan le fit venir le jour même dans sa tente. Le vénérable vieillard, sans s'incliner vraiment devant le khan, se contenta de courber un peu sa petite taille puis, les bras croisés, s'avança vers lui.

« Dédaignant les invitations des autres souverains, tu as accepté de répondre à mon appel, parcourant pour cela une distance de dix mille lieues. Je me réjouis de ta visite. » Un interprète transmit les paroles de Gengis-khan au vieil homme. Celui-ci répondit alors :

---

1. Le voyage de Tch'ang-tch'ouen (« Printemps éternel ») et son séjour auprès de Gengis-khan sont relatés dans *La Pérégrination en Occident du Parfait Tch'ang-tch'ouen,* dû à son disciple Li Tche-tch'ang. Cet ouvrage donne de précieuses informations sur la situation en Asie centrale à l'époque.

« L'homme sauvage que je suis est venu sur ton ordre : telle était la volonté du Ciel. » Tch'ang-tch'ouen avait parlé sans même regarder Gengis-khan, les yeux dans le vague, comme si personne ne se trouvait devant lui.

« Homme sage, tu es venu de très loin. Existe-t-il des drogues d'immortalité ? Si tel est le cas, offre-les-moi !

— Il existe des moyens de prolonger la vie, mais aucun remède pour la rendre éternelle. » Pour prononcer ces quelques mots, le vieillard avait bougé imperceptiblement les lèvres, mais son visage restait impénétrable.

« N'existe-t-il vraiment aucune drogue d'immortalité ? » demanda une fois encore Gengis-khan, en haussant la voix. « Il existe des moyens de prolonger la vie, mais aucun remède pour la rendre éternelle », répondit le vieil homme du même ton qu'auparavant. Gengis-khan, malgré sa déception, eut le sentiment qu'il avait bien fait d'inviter Tch'ang-tch'ouen. Ils avaient l'un et l'autre besoin d'un interprète pour converser, et pourtant le chef mongol sentait passer, dans les propos du vieillard, comme un souffle d'air frais. Depuis longtemps, il n'avait pas rencontré d'homme qui, comme celui-ci, restait insensible à son autorité.

« On t'appelle, dit-on, le Sage céleste. Est-ce toi qui t'es choisi ce nom ?

— Ce sont les gens qui me nomment ainsi. Mais cela m'est indifférent. »

Tch'ang-tch'ouen ne prit pas une seule fois l'initiative de la parole, se contentant de répondre aux questions de Gengis-khan.

Deux ou trois jours plus tard, le chef mongol reçut, des mains de Lieou-tchong-lou, des poèmes que le vieux sage avait composés durant son long voyage : ils chantaient tous les lieux où il était passé, Samarkand, Luntaï, les campements du désert. Gengis-khan donna ces poèmes à Ye-liu Tch'ou-ts'ai et lui demanda ceux que le jeune conseiller avait écrits au cours de l'expédition, pour les transmettre à Tch'ang-tch'ouen. Il était persuadé

262

que ces deux personnages hors du commun, en qui il avait toute confiance, ne pourraient que s'accorder en tout, en dépit de leur différence d'âge.

Au bout de quelques jours, Gengis-khan demanda à Tch'ang-tch'ouen ce qu'il pensait des poèmes de Ye-liu Tch'ou-ts'ai. Celui-ci répondit qu'il les avait trouvés magnifiques. Cependant, il déclina la proposition de Gengis-khan de rencontrer le jeune conseiller. Le chef mongol, trouvant cela curieux, fit venir Ye-liu Tch'ou-ts'ai et lui posa la même question qu'au vieux sage.

« Je trouve ses poèmes magnifiques. Mais pourquoi devrais-je donc le rencontrer ? répliqua le jeune homme à la haute stature, de sa voix claire et énergique.

— Tch'ang-tch'ouen a répondu exactement comme toi », constata Gengis-khan en riant. Pourtant, il n'arrivait pas à comprendre pourquoi les deux hommes, sans s'être jamais rencontrés, semblaient éprouver si peu de sympathie l'un pour l'autre. Comme il en parlait à Ye-liu Tch'ou-ts'ai, celui-ci lui dit : « Le vieux sage me méprise sans doute de ne rien faire pour le khan alors que je l'accompagne dans ses expéditions et que je suis toujours auprès de lui.

— Et toi, pourquoi es-tu si mal disposé à son égard ?

— Parce qu'il ne fait rien pour le khan alors qu'il n'a pas hésité à parcourir dix mille lieues pour venir jusqu'à lui.

— Qu'entends-tu par "ne rien faire" ?

— Ne mettre en œuvre aucun moyen pour empêcher qu'à l'avenir le nom du khan ne disparaisse de l'histoire des hommes.

— Comment oses-tu prétendre que mon nom disparaîtra de l'histoire ? Mon nom et celui des Mongols demeureront à jamais ! » dit alors Gengis-khan, le visage brusquement durci. Le jeune homme, nullement intimidé, lui lança : « Je suis au regret de vous dire que votre nom ne restera pas dans l'histoire, et cela parce que vos sujets ne font que se livrer au massacre ! »

A ces mots, Gengis-khan changea de couleur et se dressa en tremblant. Il passa dans l'autre partie de la tente, mais revint aussitôt. « Je devrais te punir cruellement ! Mais n'importe quelle peine serait encore trop douce pour tes paroles ! Tu resteras en vie jusqu'à ce que je décide du châtiment que tu mérites ! » déclara-t-il gravement, puis il s'exclama en éclatant de rire : « Quel monstre d'insolence ! »

Gengis-khan n'allait pas oublier de sitôt l'extrême déplaisir qu'avaient provoqué en lui les propos de Ye-liu Tch'ou-ts'ai. Mais il appréciait trop le jeune homme pour avoir vraiment envie de le châtier.

Quelques jours plus tard, il convoqua de nouveau son conseiller et lui dit : « Bientôt, je consulterai le vieux sage sur les enseignements du tao[1]. Tu assisteras à ces entretiens ! » C'était là, en quelque sorte, la punition qu'il lui réservait. Il comptait également faire transcrire les propos de Tch'ang-tch'ouen par les lettrés chinois T'ien-tcheng-hai, Lieou-tchong-lou et A-li-hien, et par trois secrétaires de son entourage.

Mais le projet de mettre en présence ces deux hommes éminents qui faisaient tout pour s'éviter dut être ajourné à cause de troubles imprévus provoqués par les Uigur. Avant de partir à la tête de son armée pour réprimer personnellement ces troubles, Gengis-khan décida de remettre les entretiens avec Tch'ang-tch'ouen à six mois plus tard, à un jour d'octobre considéré comme faste. Le vieux sage, qui avait demandé à passer ces six mois à Samarkand, partit avec une escorte de plus de mille cavaliers pour un voyage de vingt jours, en direction de la belle citadelle du Nord, à présent relevée de ses ruines.

---

1. Philosophie chinoise fondée au VIᵉ siècle avant notre ère par Lao-tseu. Basé sur la croyance en un « chaos originel » dont procèdent toutes choses, et sur un certain nombre de pratiques permettant à l'homme de trouver l'harmonie en retournant à cet état originel, le tao a imprégné en profondeur toute la pensée et l'esthétique chinoises.

A peine parti en campagne, Gengis-khan ne songea plus à Tch'ang-tch'ouen ni à Ye-liu Tch'ou-ts'ai. De nombreux Uigur vivaient dans les places fortes du Khârezm, fomentant sans cesse de petites révoltes. Le chef mongol devait donc, comme on arrache de la mauvaise herbe, supprimer tous les fauteurs de troubles. Ses officiers prirent d'assaut la ville de Hérat, incendièrent sa citadelle, massacrèrent tous ses habitants. Puis ils reprirent Merv, ne laissant derrière eux que quelques survivants.

Gengis-khan investit la forteresse de Ghazni au début de l'été. Puis, pour fuir la chaleur torride, il installa un nouveau cantonnement dans le massif de l'Hindou-Kouch. Là, il vit arriver un messager envoyé par Jebe et Söböteï, dont il avait été longtemps sans nouvelles.

« Les troupes mongoles, après avoir contourné la mer Caspienne par le sud, ont franchi le massif du Caucase et défait une armée composée de Qipchaq, d'Alains et de Lesghiz. Continuant leur marche vers l'ouest, elles sont sur le point de pénétrer dans le royaume bulgare. »

Ce message décrivait des mouvements de troupes déjà vieux de six mois. Environ un mois plus tard, un autre messager arriva au cantonnement.

« Nous avons vaincu l'armée bulgare en plusieurs endroits et détruit toutes les citadelles. Nous modifions notre itinéraire pour pénétrer en Russie. »

Ce messager avait fait relativement vite, puisqu'il transmettait des nouvelles qui ne dataient que de trois mois.

Gengis-khan, imaginant la progression des deux corps d'armée, les voyait, en proie à quelque attraction irrésistible, décrire dans l'espace une ligne au tracé étincelant et mystérieux. Ce n'était plus la volonté du chef mongol, ni celle des généraux Jebe et Söböteï, qui les aiguillonnait. Pareilles à des flèches qui, une fois lâchées, ne pouvaient que voler le plus loin possible avant de retomber à terre, les deux hordes de loups, comme poussées par un instinct tribal, devaient continuer leur course, en quête de l'ennemi.

Sans plus connaître ni repos ni terme, il leur fallait s'élancer toujours plus loin, jusqu'à leur dernier souffle.

D'après le messager, les deux corps d'armée avançaient comme un incendie dévorant une plaine. Après leur passage, tout était dévasté. Les villes qui osaient résister étaient réduites en cendres : des citadelles, des rues, des habitants, des arbres, il ne restait plus rien. Irak-Adjemi, Azerbaïdjan, Kurdistan, Géorgie, Syrie, Arménie, Qipchaq, Bulgarie : dans tous les pays traversés par les loups mongols, les principales villes furent livrées au pillage et au massacre.

Quand il reçut ces deux messages de Jebe et de Süböteï, Gengis-khan sentit qu'il ne pourrait plus arrêter la course de leurs armées. Il ne lui restait plus désormais qu'à la favoriser. Il se résolut à faire appel à son fils aîné Jöchi qui, depuis qu'il avait pris l'initiative de quitter le bassin du Syr-Daria pour remonter vers le nord, l'avait laissé sans nouvelles. Il lui ordonna de terminer rapidement les opérations militaires dans le Qipchaq, puis de rejoindre les armées de Jebe et de Süböteï en passant par le nord de la mer Noire et de la Caspienne, et en soumettant les peuples de ces régions. Quant à ses deux valeureux généraux, Gengis-khan leur décerna des citations pour leurs exploits.

De Muqali, qui poursuivait sa grande expédition dans l'empire Kin, Gengis-khan recevait régulièrement des nouvelles : elles faisaient état d'une progression très lente. La conquête du nord de cet empire ne laissait pas un instant de répit à Muqali. Toutes les places fortes dont s'étaient autrefois emparés les Mongols avaient été reprises par les Kin après le départ de Gengis-khan. Son général, ne s'appuyant que sur ses seules forces, s'appliquait donc à les reconquérir une à une. Gengis-khan ne manquait jamais de transmettre à Muqali, par l'intermédiaire des messagers que celui-ci lui envoyait, ses félicitations pour la ténacité avec laquelle il accomplissait sa tâche.

A la fin du mois d'août, Tch'ang-tch'ouen, venant de Samarkand, se présenta au quartier général de Gengis-khan. Le chef mongol, qui s'apprêtait à partir vers le nord à la tête de son armée, décida d'emmener le vieux sage avec lui. Alors qu'ils étaient en route pour Samarkand, arriva le jour faste d'octobre précédemment fixé pour l'entretien avec Tch'ang-tch'ouen sur le *tao*. Gengis-khan fit dresser une tente magnifique, qu'il décora de chandeliers étincelants, et fit éloigner les femmes.

Gengis-khan avait contraint Ye-liu Tch'ou-ts'ai à assister à l'entretien. Ce dernier et Tch'ang-tch'ouen se bornèrent à se saluer en silence et n'échangèrent pas un seul mot jusqu'à la fin. Ils gardèrent la même attitude lors du second entretien, qui eut lieu quelques jours plus tard.

« Le *tao* a donné naissance au Ciel et fait croître la Terre. Soleil et lune, constellations, dieux et démons, hommes et bêtes, tous tirent leur vie du *tao*. L'homme connaît la grandeur du Ciel, mais ignore la grandeur du *tao*. C'est du *tao* que procède l'univers, puis l'homme. A l'origine, les hommes diffusaient une lumière divine, ils se promenaient en volant dans l'espace et ne se nourrissaient que d'aliments non transformés. Mais avec le temps, leurs corps sont devenus pesants, la lumière divine s'est éteinte. Car ils ont connu le désir charnel.

« A l'origine, le khan était un être céleste. C'est le Ciel qui, empruntant son bras, cherche à châtier les tyrans. Quand il aura triomphé des épreuves et accompli sa tâche, le khan quittera aussitôt cette terre pour regagner le Ciel. Pendant son passage en ce monde, il lui faut baisser la voix, modérer son appétit, s'interdire la cruauté, s'accorder du repos. C'est ainsi que la longévité viendra habiter son corps.

« Le divin est vérité. L'homme qui réalise cet ordre divin grâce au *tao* passe le plus clair de son temps en méditation. En pratiquant le bien et en progressant sur la voie du *tao,* il s'élèvera vers le Ciel et y deviendra immortel.

« Le khan s'évertuera vis-à-vis des autres à pratiquer le bien, vis-à-vis de lui-même à fortifier son âme. La compassion pour les hommes, la protection de la vie du peuple, la pacification du monde font partie de l'ascèse extérieure, la sauvegarde du divin, de l'ascèse intérieure. »

Telles étaient les maximes énoncées par Tch'ang-tch'ouen. Au cours de ces rencontres, Gengis-khan écouta avec ferveur toutes les paroles du vieux sage. Mais les deux fois, il interrompit l'entretien au moment où le mot de « khan » commençait à apparaître un peu trop souvent. Car il se rendait compte que tous ses actes allaient à l'encontre de la voie du *tao.* Cependant il avait goûté, à écouter ainsi parler Tch'ang-tch'ouen, des heures de sérénité et de recueillement comme il n'en avait jamais connu jusqu'alors. Bien sûr, elles avaient été ponctuées de propos qui, cinglants comme des coups de cravache, l'avaient contraint à couper court, mais même ces propos-là ne lui avaient pas été fondamentalement désagréables.

Gengis-khan établit son cantonnement aux environs de Samarkand, mais ne pénétra pas dans cette ville. La région s'était à présent complètement relevée de ses ruines. De nombreux peuples se côtoyaient, y vivant en paix. La plupart des habitants, d'origine uigur, travaillaient au service des Chinois, des Q'itan et des Tangut. Les charges de fonctionnaires étaient presque toutes occupées par des Turcs, des Iraniens et des Arabes. Les conquérants mongols paradaient au milieu de cette population venue de tous les horizons.

Soldats et officiers, quel que fût leur grade, vivaient en grands seigneurs. Ils fréquentaient les tavernes de la ville en compagnie de femmes étrangères, flânaient avec elles dans les vergers des alentours. Deux ans plus tôt, cette cité, comme tant d'autres, avait été jonchée de cadavres, assaillie par les flammes. Pourtant il ne restait plus trace, dans sa prospérité présente, de ce désastreux passé.

Parmi les citadelles du Khârezm attaquées par les Mongols, Samarkand avait été la plus rapide à se relever. Bientôt, elle serait suivie de toutes les autres : celles du Khârezm, mais aussi, dans des contrées inconnues de Gengis-khan, celles des régions de la Caspienne et de la mer Noire conquises par Jebe et Süböteï. On pouvait donc pressentir, à travers le renouveau de Samarkand, l'avenir de nombreuses autres villes.

Pourtant Gengis-khan ne se décidait pas à pénétrer dans la cité reconstruite, malgré les palais somptueux et les jardins splendides qui l'y attendaient, malgré les paons et les éléphants qu'il pourrait y lâcher si la fantaisie l'en prenait. Ses officiers et ses soldats désiraient tous entrer dans Samarkand, mais quelque chose, au fond de lui, retenait le chef mongol de s'approcher de la ville.

Il installa donc son campement à un endroit situé à deux jours de marche de là, et y resta jusqu'au mois de novembre. Puis il décida de partir vers le sud pour y passer les quelques mois d'hiver. Comme ses ancêtres avant lui, pendant des générations, Gengis-khan avait toujours vécu ainsi depuis l'enfance : son instinct le poussait sans cesse à démonter les quelques centaines de tentes de son campement et à se déplacer avec son clan selon les saisons, à la recherche de nouveaux pâturages.

Gengis-khan fixa ses quartiers d'hiver dans une région montagneuse du Nord-Ouest de l'Inde, non loin des sources de l'Indus. Quelques jours après son installation, il vit arriver son troisième fils Ögödeï et ses soldats qui revenaient, l'air hagard, d'une suite de longues et sanglantes batailles. Apportant avec eux une masse énorme de butin, ils étaient accompagnés d'un nombre de prisonniers hindous presque égal à leurs propres effectifs. La présence, dans leurs rangs, de ces captifs enturbannés de blanc donnait de loin l'illusion que les troupes étaient coiffées de neige.

Dès le début de 1223, à peine le banquet de Nouvel An terminé, Gengis-khan annonça à son armée sa décision de repartir vers le Khârezm. Le chef mongol ne trouvait plus désormais la quiétude qu'au sein des pérégrinations et des combats.

Les troupes franchirent une nouvelle fois des zones de montagnes et de déserts, en direction de Samarkand. Puis, sans s'arrêter dans cette ville, elles continuèrent leur longue marche vers le cours supérieur du Syr-Daria, où elles installèrent un nouveau campement. Tout au long de cette expédition, Tch'ang-tch'ouen enseigna à Gengis-khan la doctrine du *tao*. Le chef mongol ne comprenait pas toujours les propos du vieux sage, mais prenait grand plaisir à les entendre.

Tandis qu'il campait sur les berges du Syr-Daria, Gengis-khan s'adonna avec passion à la chasse. Un jour qu'il forçait à la course une harde de sangliers furieux, il tomba de cheval. Par bonheur, il ne fut pas blessé. Mais il fut très affecté par cette chute : jamais il n'aurait imaginé qu'une chose pareille pût lui arriver. Tch'ang-tch'ouen lui dit alors : « Le khan est déjà âgé. Cette chute de cheval est un avertissement du Ciel. Mais grâce au Ciel, les sangliers n'ont pas chargé. Le khan devrait réduire le nombre de ses parties de chasse. »

Et le chef mongol ne put que se rendre à l'avis de Tch'ang-tch'ouen.

Peu de temps après cet incident, le vieux sage demanda à Gengis-khan l'autorisation de rentrer dans son pays.

« Trois années déjà se sont écoulées depuis que j'ai quitté les rivages de ma patrie. J'avais accepté alors l'invitation du khan pour une durée de trois ans. Voici venu le temps fixé par le Ciel pour mon départ. »

Auparavant, à deux reprises, Gengis-khan n'avait pas accédé aux désirs du vieil homme. Mais cette fois, sachant qu'il s'agissait de la volonté du Ciel, il ne pouvait plus s'obstiner à le retenir.

Tch'ang-tch'ouen quitta le cantonnement de Gengis-khan au début du mois de mars. Le chef mongol, pour assurer sa protection, avait mis à sa disposition un détachement de soldats dirigé par A-li-hien, que secondait un groupe d'officiers : Mangqutaï, Hô-ts'eu et Jen-hai.

Après le départ de Tch'ang-tch'ouen, Gengis-khan sentit qu'un grand changement s'opérait en lui : il éprouvait soudain l'irrépressible désir de retourner au pied du mont Burqan. Qulan fut la première personne à qui il se confia. Cinq années s'étaient écoulées depuis qu'il avait quitté son pays, et depuis lors la jeune femme avait toujours été à ses côtés.

« Si tel est ton désir, comment pourrais-je m'y opposer ? dit-elle.

— Et toi, ne te languis-tu pas des hauts plateaux mongols ?

— Crois-tu que mes désirs soient différents des tiens ? Mon cœur reste toujours avec toi. Toujours, même quand tu dors avec des princesses d'autres pays ! »

Les longues expéditions dans les contrées étrangères avaient affaibli Qulan. Et si elle continuait d'accompagner Gengis-khan dans ses campagnes, depuis deux ans elle ne partageait plus sa couche. Nul n'aurait pu reconnaître, dans son corps désormais amaigri, la splendeur de ses formes d'autrefois. Pourtant, sa peau avait l'aspect lustré et laiteux de l'opale, l'éclat pénétrant de son regard s'était encore avivé, et son visage aux traits fermes, empreint d'une incontestable noblesse, n'avait rien perdu de sa grâce.

« Si tel est ton désir, pourquoi y ferais-je obstacle ? Laisse-moi pourtant te dire quel est mon vœu ! »

Et Qulan, s'arrêtant de parler, plongea son regard dans celui de Gengis-khan.

« Que souhaites-tu donc ? Parle-moi sans détour !

— Au-delà de l'Himalaya existe, m'a-t-on dit, une immense contrée. Une contrée à la chaleur tropicale, où vivent d'énormes éléphants, où est né le bouddhisme, où les hommes portent des turbans sur la tête, et les femmes des voiles blancs qui leur cachent le visage. Comment se fait-il que tu n'aies jamais cherché à le conquérir ? Alors que ce pays à l'armée puissante recèle, dit-on, d'inépuisables richesses…

— Crois-tu que j'ignore le fond de ton cœur ? Ce n'est pas le pays au-delà de l'Himalaya que tu désires, ce sont les furieux combats qui s'y dérouleront !

— Mon seul désir, c'est d'être toujours aux côtés de l'homme qui traverse les épreuves, non auprès du souverain siégeant sur un trône de diamants dans un palais d'or ! O mon khan, à présent, aucun obstacle ne se dresse plus devant toi. Les soldats mongols sillonnent à leur guise tout ce territoire. Si tu cherches un défi à ta mesure, il te faut franchir l'Himalaya et traverser l'Indus pour affronter les soldats ennemis menant à la charge, dans un piétinement sourd, leurs troupes d'éléphants !

— Qulan, seras-tu capable de supporter une telle expédition ? Le cours de l'Indus est infiniment long, les pics coiffés de neige de l'Himalaya s'étendent à perte de vue !

— Le fleuve dans lequel Ga'ulan a été jeté n'est-il pas plus long que l'Indus, plus vaste que les étendues enneigées de l'Himalaya ? Puisque notre fils y a été précipité, pourquoi craindrais-je, moi, de m'y noyer ? »

Gengis-khan garda un instant le silence, puis dit enfin : « C'est bon, j'agirai selon tes vœux. Tu m'accompagneras dans mon expédition en Inde ! » Les paroles de Qulan avaient éveillé en lui des résonances bien différentes des propos de Tch'ang-tch'ouen et de Ye-liu Tch'ou-ts'ai. Et son désir de retourner au pays natal s'évanouit soudainement, remplacé par une ardeur combative qui le revivifia. Il venait aussi de comprendre que Qulan, sentant qu'il lui restait peu de temps à vivre, souhaitait finir ses jours au cours d'une campagne périlleuse menée par l'homme qu'elle aimait. Elle n'avait nullement envie de revoir le mont Burqan, ni d'y retourner dans l'éclat de sa victoire. Cette destinée-là était réservée à Börte et aux héritiers qu'elle avait mis au monde. Qulan, elle, voulait donner un autre sens à sa vie.

Le chef mongol se consacra bientôt aux préparatifs d'invasion de l'Inde. Mais cette campagne ne pouvait être entreprise sur-le-champ. Il fallait d'abord faire revenir le plus vite possible les bataillons de Jagataï et d'Ögödeï, qui s'étaient séparés de l'armée de Gengis-khan l'année précédente aux environs de Boukhara pour se lancer dans une autre expédition. Des messagers furent également envoyés à Jöchi, toujours cantonné dans les steppes du Qipchaq, et à Jebe et Süböteï qui poursuivaient leur course folle, pour leur donner ordre de regagner le quartier général.

Jagataï et Ögödeï arrivèrent au bout d'une vingtaine de jours. Mais il fallait attendre un certain temps avant de voir apparaître les armées de Jöchi, Jebe et Süböteï, parties en campagne dans des régions lointaines. Gengis-khan estima que Jöchi arriverait vers les derniers jours de l'été, Jebe et Süböteï à la fin de l'automne.

Le chef mongol passa tout l'été dans une région montagneuse du Nord du Khârezm, consacrant son temps à des parties de chasse qui permettaient d'entraîner les soldats et d'entretenir leur combativité. Puis il installa de nouveau son campement sur les berges du Syr-Daria. Là, il reçut un jour un messager qui lui annonça l'arrivée imminente de Jöchi : celui-ci était en route, poussant devant lui toutes les bêtes qu'il avait débusquées dans les plaines du Qipchaq afin de les offrir à son père.

Cette nouvelle suffit à combler Gengis-khan de joie. Une quinzaine de jours avant la date prévue pour la venue de son fils, il déploya trois cent mille soldats dans la zone du haut Syr-Daria, afin d'accueillir cet arrivage inattendu. Au début de l'automne, toutes sortes d'animaux, sangliers, chevaux, bœufs, cerfs, furent rabattus vers les champs environnant le fleuve. Il y avait aussi des troupeaux de centaines de chevaux sauvages, et une multitude de lièvres, grouillant dans la plaine qu'ils remplissaient de leurs cris étranges et plaintifs. Gengis-khan ne fut guère étonné à l'idée que Jöchi avait parcouru des milliers de kilomètres en poussant tous ces animaux devant lui. Il reconnaissait bien là la personnalité peu ordinaire de son fils.

Les battues prirent une ampleur inconnue jusqu'alors, mettant chaque jour aux prises bêtes et hommes dans toute la région du haut Syr-Daria. Mais même une fois la chasse terminée, on ne vit apparaître ni Jöchi, ni un seul de ses soldats. Deux messagers vinrent annoncer que Jöchi, étant tombé malade au cours de cette partie de chasse, avait regagné son campement dans le Qipchaq. Gengis-khan lui renvoya immédiatement les deux hommes, pour lui ordonner de le rejoindre à tout prix, malgré cette maladie. Que son fils ait été retardé, le chef mongol pouvait encore le comprendre. Mais l'initiative de Jöchi, qui retenait toutes ses unités auprès de lui, le rendait furieux.

Cet automne-là, Gengis-khan apprit que Muqali, général en chef du corps expéditionnaire dans l'empire Kin, venait de mourir à l'âge de cinquante-trois ans. Cette disparition brutale lui fit l'effet d'une véritable mutilation. C'était en se déchargeant sur Muqali de la reconquête de l'empire Kin qu'il avait pu se consacrer en toute tranquillité à la campagne du Khârezm. Son abattement fut donc extrême.

Gengis-khan fit rassembler toute son armée pour lui annoncer la mort de Muqali et ordonna un deuil d'un mois.

« Muqali, l'officier qui avait toute ma confiance, vient de s'éteindre. Si le Ciel lui avait accordé encore six mois de vie, il aurait édifié, sur les ruines de l'empire Kin, son propre royaume ! » Et le chef mongol, incapable d'ajouter une parole, se retira. Il avait prévu pourtant de faire l'éloge du valeureux général, mais quels mots pouvaient chanter avec assez d'éloquence ses glorieux exploits ?

Il fit venir dans sa tente uniquement Bo'orchu et Jelme, pour pleurer avec eux la mort de Muqali. Qui d'autre qu'eux connaissait vraiment la grandeur, les mérites de cet homme ?

Bo'orchu avait, comme Gengis-khan, soixante et un ans, et Jelme soixante-quatre ans. Jelme, à moitié paralysé depuis deux ans, ne s'exprimait plus qu'avec difficulté. Quant à Bo'orchu, affaibli par la maladie depuis le printemps, il avait déjà les larmes aux yeux quand il se présenta devant Gengis-khan.

Comme ce dernier leur rappelait qu'ils étaient les seuls à se souvenir encore de la valeur de Muqali, Jelme, agitant fébrilement la main en signe de dénégation, bredouilla des paroles que ni Gengis-khan ni Bo'orchu ne furent en mesure de saisir. Le chef mongol dut approcher à plusieurs reprises son oreille des lèvres de son ami avant de comprendre enfin ce qu'il disait : « Non, nous ne sommes pas les seuls. Dans l'empire Kin, tous reconnaissent la grandeur de Muqali. »

A la fin de cette année-là arrivèrent au cantonnement de Gengis-khan, aux alentours de Samarkand, deux messagers envoyés par Jebe et Süböteï.

« Les troupes ont pénétré en Russie et ont écrasé sur les rives de la Kalka une armée composée de bataillons des diverses principautés. Après avoir mis à feu et à sang tout le sud du pays, elles ont rejoint les rives du Dniepr, et tentent à présent de conquérir la région qui borde la mer d'Azov. »

Les messagers étaient incontestablement mongols, mais leurs pantalons étroits et leurs foulards leur donnaient une étrange allure. Leurs sacoches contenaient du vin et de magnifiques gobelets en verre, et à leur selle étaient attachées des dizaines de croix qu'ils s'étaient appropriées dans les pillages. Ils se bornèrent à faire au chef mongol un rapport sur la progression des troupes. Mais l'ordre de retour que Gengis-khan avait fait transmettre à ses deux généraux était demeuré sans réponse.

Chapitre VIII

Au début de l'année 1224, Gengis-khan exposa devant ses hommes le plan ambitieux qu'il avait élaboré pour sa campagne en Inde : il s'agissait de pénétrer dans ce pays en franchissant soit le massif de l'Hindou-Kouch, soit celui du Karakoram, et de s'emparer de toutes les places fortes. Une fois ces opérations terminées, l'armée regagnerait les hauts plateaux mongols en passant par le Tibet. Ni Gengis-khan ni ses officiers n'étaient capables de prévoir le temps que demanderait cette campagne.

Plusieurs unités furent chargées de l'organisation de l'intendance. Pendant un mois, un nombre considérable de captifs de toutes origines dut consacrer ses journées à la préparation de galettes de riz et à l'entretien des vêtements militaires. Quant aux soldats mongols, ils furent soumis de façon intensive à un entraînement spécial : abattage d'arbres, traversée de rivières, construction de ponts, afin de pouvoir faire face aux obstacles naturels qu'ils rencontreraient.

Au mois de mars, l'armée mongole, divisée en plusieurs bataillons, quitta le cantonnement dressé sur les rives du Syr-Daria. Avant le départ, Gengis-khan avait dépêché des messagers auprès de Jebe et de Süböteï, toujours lancés malgré ses ordres dans leur expédition lointaine, et auprès de Jöchi, qui s'attardait encore dans les plaines du Qipchaq. Ces messagers étaient chargés d'annoncer aux trois hommes l'imminence de la prochaine campagne et de leur enjoindre d'interrompre les opérations en cours pour reprendre le chemin des hauts plateaux.

Après avoir progressé durant environ un mois, les soldats mongols aperçurent à l'horizon les dentelures de l'imposant massif du Karakoram. Il leur fallut encore un mois de marche avant de pénétrer au cœur de ce massif. Là, les pics vertigineux succédaient aux épaisses futaies, et l'armée avait à peine franchi d'interminables étendues de forêts qu'elle se heurtait à des parois coiffées de neige. En peu de temps, l'épuisement gagna hommes et chevaux.

Tandis que les troupes stationnaient dans un petit village perdu au fond d'une vallée, Qulan s'éteignit. Gengis-khan savait déjà, en quittant les rives du Syr-Daria, que les jours de celle qu'il aimait étaient comptés. Dès qu'il apprit que l'état de Qulan s'était aggravé, il se rendit dans sa yourte. La jeune femme reposait sur son lit, le corps amaigri, le visage d'une pâleur de cire. Gengis-khan s'approcha. Qulan, comme si elle avait attendu ce moment, ouvrit les paupières sur des yeux qui semblaient étonnamment grands. Malgré le feu qui brûlait dans la tente, un froid intense y régnait. Qulan vivait ses derniers instants. D'une petite voix cristalline, qui n'avait plus rien de terrestre, elle murmura ces simples mots : « Sous les glaces… » Puis, ébauchant un sourire, elle tendit la main vers Gengis-khan. Mais elle ne put aller jusqu'au bout de son geste. Et le chef mongol, retenant son souffle, assista à l'agonie de la femme qu'il avait le plus aimée, de celle qui lui avait voué un amour sans égal. Peut-être ses dernières paroles exprimaient-elles son souhait d'être ensevelie sous les glaces ?

Bientôt, Qulan expira. Dès que le médecin persan lui eut confirmé la mort de la jeune femme, Gengis-khan sortit de sa tente. Comme il l'avait imposé à Jagataï lors du décès de son fils, il s'interdit de pleurer la disparition de Qulan. Depuis des jours et des jours, il s'était préparé à affronter cette douleur. Il lui fallait à présent penser aux funérailles et donner à Qulan la sépulture qu'elle avait demandée. C'était la dernière tâche qu'il devait accomplir pour cet être tant aimé. Durant la nuit, il fit dresser un autel dans la tente de Qulan, et n'annonça sa mort qu'à ses plus fidèles officiers.

La cérémonie funèbre eut lieu dans le froid glacial de l'aube. Le cortège quitta le cantonnement avant le lever du jour. Il n'était composé que d'une trentaine de généraux familiers de Qulan et d'un nombre presque égal de soldats chargés de transporter tour à tour le cercueil. Après avoir parcouru tout le jour une zone d'épais taillis, le convoi parvint enfin, à l'approche du soir, aux abords d'un précipice désolé, enfoui sous la neige et les glaces.

Le lendemain, Gengis-khan envoya ses soldats reconnaître les dizaines de crevasses qui fissuraient le fond du précipice. Puis, les examinant une à une, il choisit la plus large pour y ensevelir Qulan. Le cercueil, dont quatre jeunes Uigur freinaient la descente par des cordes, disparut peu à peu, avec un léger mouvement de balancier, dans la faille aux parois épaisses. Quand les cordes furent complètement tendues, les garçons lâchèrent tout. On entendit un grincement aigu et métallique, puis plus rien. Le cercueil avait-il été arrêté dans sa chute ? Etait-il tombé au fond de ces profondeurs vertigineuses ? Jamais on ne le sut.

Une fois cette cérémonie terminée, toute la troupe, craignant un brusque changement de temps, s'empressa de quitter le glacier et, fouettée par le vent qui soufflait en rafales, redescendit la montagne sans faire la moindre halte.

Gengis-khan s'était interdit de pleurer la mort de Qulan. Mais rien ne pouvait apaiser la douleur née de cette disparition. Soudain, cette interminable progression dans des montagnes escarpées lui sembla totalement dénuée de sens. Car c'était à la demande de Qulan qu'il avait formé le projet d'envahir l'Inde, avec le désir de lui offrir une sépulture digne d'elle.

En signe de deuil, il laissa ses troupes en cantonnement durant un mois dans le village où Qulan était morte. Une nuit, un rêve étrange le visita. A l'aube, il vit apparaître à son chevet un animal qu'il prit d'abord pour un cerf. Mais la bête avait la queue d'un cheval, le poil vert, portait une corne au milieu du front et parlait le langage des hommes. Repliant ses pattes de devant, elle s'assit près de Gengis-khan et lui dit : « Il vous faut rentrer le plus vite possible dans votre pays avec toute votre armée. » Elle avait à peine prononcé ces mots qu'elle se leva et sortit de la tente. C'était un rêve, à n'en pas douter. Et pourtant il y avait dans les mouvements de l'animal, dans sa façon de se déplacer, quelque chose de si vivant qu'on aurait pu le croire réel.

Le lendemain, Gengis-khan convoqua Ye-liu Tch'outs'ai et lui demanda la signification de ce rêve. Son conseiller lui répondit : « Cet animal est une licorne. Elle parle toutes les langues et se manifeste d'ordinaire dans les époques troublées, ensanglantées par les désastres. L'apparition de la licorne dans votre rêve doit être tenue pour un avertissement du Ciel. »

Gengis-khan ne se fia pas entièrement à l'interprétation de Ye-liu Tch'ou-ts'ai, qui cherchait toujours tous les prétextes pour le dissuader d'entreprendre des invasions et des guerres. Mais d'habitude, s'il écoutait son conseiller sans le contredire, il n'appliquait jamais ses avis à la lettre. Or cette fois, il dit immédiatement : « Eh bien soit ! Conformons-nous aux paroles de la licorne ! » Il lui avait semblé en effet voir briller dans les yeux de cet animal l'éclat du regard de Qulan. Peut-être même Qulan s'était-elle métamorphosée en licorne pour venir lui porter conseil ?

Sans plus attendre, il informa l'armée de sa décision de prendre le chemin du retour. Deux jours plus tard, les groupes mongoles partaient en direction de Peshâwar. Ce changement d'itinéraire avait été accueilli avec soulagement, car il était évident aux yeux de tous qu'une campagne en Inde aurait été peu fructueuse par rapport aux sacrifices qu'elle imposait.

Gengis-khan, passant par Peshâwar, franchit le col de Khyber et installa ses quartiers d'été à Baghlan. Tandis qu'il demeurait à cet endroit, sa résolution de regagner les hauts plateaux mongols avec toute son armée se renforça. Une fois déjà, il avait senti naître en lui ce désir, mais il y avait momentanément renoncé à cause du projet d'expédition en Inde. Cinq années s'étaient écoulées depuis qu'il avait quitté, au printemps de 1219, son campement du mont Burqan. Pour lui comme pour ses soldats, constamment plongés dans la tourmente de la guerre, il était grand temps de fouler de nouveau le sol du pays natal, afin d'apaiser la violence de leur cœur.

A la fin de l'été, Gengis-khan quitta Baghlan en direction du nord. Il avait l'intention de rassembler l'ensemble de ses troupes à Samarkand et d'organiser leur retour en masse vers les hauts plateaux. En cours de route, en passant non loin de la ville de Balkh, il apprit que la population de cette citadelle fomentait une insurrection. Il chargea l'une de ses unités de la juguler. Puis ses troupes, traversant une fois de plus l'Amou-Daria, pénétrèrent dans Boukhara. Cette place forte avait été la première à être totalement détruite par les Mongols, afin de montrer au peuple du Khârezm ce qui lui en coûterait de s'opposer à l'envahisseur. La plupart des hommes avaient été massacrés, les quelques survivants enrôlés dans l'armée, les femmes violées et la ville, vidée de ses habitants, incendiée et réduite en cendres.

Pourtant, en l'espace de quatre ans et demi, comme à Samarkand, s'était développée à Boukhara une nouvelle cité, qui par sa prospérité n'avait rien à envier à celle d'autrefois. Elle grouillait d'une foule tapageuse d'hommes et de femmes qui s'adonnaient avec passion au négoce. Des murailles qui entouraient autrefois la ville ne restaient plus que quelques ruines, seul témoignage de plusieurs nuits de cauchemar.

Il fallut de longues heures à l'armée mongole pour traverser Boukhara du sud au nord. Le passage de cet interminable cortège n'émut guère les habitants : sur leurs visages ne se manifestait ni peur ni joie. Comme à Samarkand se côtoyaient des peuples d'origines tout à fait diverses : Chinois, K'itan, Tangut, Turcs, Iraniens, Arabes, auxquels se mêlaient également quelques soldats mongols en cantonnement dans cette ville. Mais ces derniers, noyés dans la foule disparate, semblaient indifférents eux aussi au passage des troupes de leur armée. Devant cette absence d'enthousiasme, Gengis-khan n'éprouvait plus le moindre sentiment de victoire. Tous ces gens qui s'affairaient sous ses yeux n'avaient rien d'un peuple conquis. Ce n'étaient ni des alliés ni des ennemis. Ils ne devenaient hostiles que quand ils sentaient leur vie menacée. Gengis-khan était obligé de reconnaître que tous les massacres qu'il avait commis n'avaient dans le fond rien changé. Il n'avait fait que détruire des vies, abattre des citadelles, semer le malheur et la désolation.

Gengis-khan, quittant Boukhara, parvint à Samarkand au bout de cinq jours de marche. Il décida de rester durant quatre mois aux environs de cette ville avant de repartir, au printemps suivant, pour les hauts plateaux mongols. C'était donc le dernier hiver que ses troupes allaient passer dans le Khârezm. Mais Samarkand ne pouvait accueillir qu'un nombre réduit de soldats, car la population s'était considérablement multipliée depuis le massacre et la ville était surpeuplée.

Quelques campements furent donc établis aux alentours de la citadelle. Soldats mongols et étrangers passaient tout leur temps libre dans la ville, ajoutant encore à la cohue et à l'activité bourdonnante de ruche qui y régnaient.

Gengis-khan ne pénétrait que rarement dans l'enceinte de Samarkand. Les banquets avaient toujours lieu dans sa tente, et quand il voulait se divertir, il préférait faire venir jusqu'à son campement comédiens ambulants et acrobates. Les cantonnements de ses proches, Jagataï, Ögödeï, Tolui, Qasar, Belgüteï, avaient été dressés non loin du sien, mais il ne s'y rendait jamais. Une fois seulement, la fantaisie le prit d'aller y faire un tour.

Il resta stupéfait de ce qu'il découvrit dans chaque campement : si les habitations de ses frères et de ses fils avaient l'apparence de tentes, l'intérieur en était fait de briques et de pierres, comme dans les palais. Tout, depuis les cheminées et les lits jusqu'aux tables et aux chaises réservées aux invités, attestait le luxe et la magnificence. Sur d'élégants vaisseliers s'alignaient des bouteilles de vin et des verres en cristal. Derrière les tentes s'étendaient de vertes pelouses, agrémentées de parterres de fleurs et de fontaines bruissantes.

Ce mobilier et tout cet aménagement n'étaient sans doute pas purement décoratifs : ils devaient servir aux réceptions, qui semblaient très fréquentes. Les généraux se rendaient visite mutuellement dans leurs tentes et accueillaient souvent de riches marchands étrangers. Ce nouveau mode de vie n'avait pas uniquement cours parmi les officiers. Les soldats, eux aussi, avaient adopté d'autres habitudes : ils s'habillaient différemment, prenaient plaisir à chanter d'étranges mélodies en s'accompagnant sur des instruments singuliers.

Gengis-khan ne fit aucune critique à propos de tous ces changements. Il s'interdit de manifester sa réprobation. N'avait-il pas lui-même rêvé d'offrir une vie plus aisée aux gens de sa famille et à l'ensemble du peuple mongol ? Un souvenir des longs jours de banquet qui avaient suivi son accession au rang de khan lui revint alors en mémoire : à regarder de vieilles femmes pauvrement vêtues qui exécutaient une danse primitive en répétant inlassablement le même chant, il avait été saisi d'une violente émotion. Et le désir était né en lui de tirer les Mongols de leur misère, de leur donner confort et richesse. Qu'ils ne luttent plus seulement pour survivre, qu'ils connaissent aussi la joie de vivre. Or, n'était-ce pas précisément ce qui était en train de se passer ? Il pouvait le constater autour de lui, parmi ses officiers et ses soldats. Et sans doute en allait-il de même dans le campement du mont Burqan où, pendant son absence, la vie des femmes et des vieillards avait dû subir de profonds changements. N'était-ce pas cela qu'il avait recherché ?

Quand, après cette visite dans les cantonnements de ses proches, Gengis-khan se retrouva seul dans sa tente obscure, aménagée de façon rudimentaire comme celles de ses ancêtres mongols, il se dit qu'il aimait cette forme de vie, mais qu'il n'avait pas à l'imposer aux autres. Et qu'il ne devait pas leur reprocher de penser et de vivre différemment de lui. Mais il avait beau tenter de se convaincre, quelque chose au fond de lui restait irréductible à ce raisonnement. Cette nuit-là Gengis-khan, envahi par le souvenir de Qulan, veilla très tard. C'était la première fois depuis sa mort qu'il ressentait avec un tel déchirement le vide causé par son absence. Cette femme qui avait toujours voulu être à ses côtés dans les épreuves, cette femme qui avait supporté sans mot dire l'abandon de Ga'ulan, jamais il n'aurait imaginé qu'elle pût lui manquer à ce point.

Un autre jour, Gengis-khan se rendit à Samarkand. Les soldats mongols, certains vêtus à la persane, d'autres portant des parures turques ou iraniennes, passaient presque inaperçus parmi les habitants de la ville.

Gengis-khan alla visiter une manufacture de vêtements militaires et d'armement installée dans un coin de la citadelle. Dans l'atelier de cordonnerie, on fabriquait de grandes bottes comme en portent les Turcs. Le jeune officier qui lui servait de guide lui expliqua avec fierté combien ces bottes étaient belles, et pratiques pour la marche, et résistantes. Gengis-khan le laissait parler en acquiesçant parfois d'un signe de tête. Mais au fond de lui, il pensait que jamais un vrai guerrier du clan Borjigin n'aurait accepté de porter des choses pareilles. Les loups mongols n'avaient pas besoin de se protéger ainsi pour parcourir les plaines enneigées, franchir les montagnes, bondir au-dessus des précipices. Voilà ce qu'il aurait eu envie de dire. Mais il garda le silence.

Cette fois encore, quand Gengis-khan se retrouva seul dans sa tente, il ne put s'empêcher de songer à Qulan. Pourquoi donc, en de telles circonstances, son souvenir venait-il toujours le hanter ?

Après s'être installé aux environs de Samarkand, le chef mongol avait dépêché de nouveau des courriers auprès de Jebe et de Süböteï, ainsi que de Jöchi, pour les sommer de le rejoindre immédiatement. En effet, aucun des hommes qu'il leur avait envoyés jusqu'alors n'ayant regagné son campement, il ignorait même si ses deux généraux et son fils avaient eu connaissance de ses ordres.

Vers la fin de l'année, au bout de près d'un an de silence, il reçut enfin des nouvelles de Jebe et de Süböteï. Leur messager était accompagné cette fois d'une unité composée de cent soldats mongols et de cinq cents captifs étrangers. Il apportait aussi, chargée sur des centaines de chameaux, une masse énorme de butin : armes, mobilier, objets d'art, statuettes religieuses. Gengis-khan, après avoir accordé deux jours de repos aux soldats, en renvoya un certain nombre auprès de Jebe et de Süböteï, afin de réitérer à ses deux généraux l'ordre de rejoindre Samarkand avec leurs troupes. Quant au butin qu'il avait reçu en présent, il le fit transporter immédiatement jusqu'à son campement du mont Burqan.

L'année 1224 allait s'achever quand le messager précédemment dépêché par Gengis-khan auprès de son fils aîné, dans les plaines du Qipchaq, revint en compagnie d'un soldat chargé de lui transmettre la réponse de Jöchi : ce dernier, malade depuis deux ans, était incapable de supporter les longues marches et ne pouvait donc rentrer au pays avec son père. Il lui demandait de ne pas lui en tenir rigueur puisqu'un jour ou l'autre il aurait certainement l'occasion de fouler de nouveau le sol des hauts plateaux mongols.

A cette nouvelle, Gengis-khan fut saisi d'une violente colère : non seulement Jöchi avait négligé pendant des mois de lui répondre, mais quand enfin il se décidait à le faire, il osait s'exprimer comme s'il avait coupé tout lien avec le peuple mongol ! Qui croyait-il être, pour rester cantonné ainsi en pays étranger alors que toute l'armée s'apprêtait à repartir ? Gengis-khan renvoya le messager à Jöchi le jour même, avec cet ultimatum : « Quoi qu'il puisse t'en coûter, regagne sur-le-champ Samarkand ! »

En 1225, lors du banquet de Nouvel An, Gengis-khan confia à ses officiers la date qu'il avait fixée pour le retour vers les hauts plateaux : l'armée quitterait Samarkand à la fin du mois d'avril. Mais il demanda de ne pas révéler cette décision à l'ensemble des troupes avant le début de ce même mois.

Au début de mars, le chef mongol apprit soudain que les deux corps d'armée de Jebe et Süböteï s'étaient mis en route pour rejoindre au plus vite Samarkand. Cette nouvelle fut suivie de messages quotidiens faisant état de la progression des troupes, aux effectifs considérablement augmentés, notamment par l'incorporation de deux bataillons de soldats russes et bulgares.

Le jour où Jebe et Süböteï, après quatre années de lointaines campagnes, devaient arriver à Samarkand, Gengis-khan fit aligner toute son armée devant les portes de la citadelle afin de les accueillir. On vit d'abord apparaître l'avant-garde qui progressait le long du fleuve

Zeravshan, là-bas, au nord de la ville. Il fallut un certain temps avant qu'elle ne se rapproche, et plus de temps encore avant que l'ensemble des troupes n'ait envahi la place qui s'étendait devant les murailles.

Bo'orchu, avec deux ou trois officiers, s'était porté à la rencontre de cette armée. Bientôt, entouré d'un groupe d'une dizaine d'hommes, il revint vers Gengis-khan. Le chef mongol, brûlant de l'impatience de retrouver ses deux généraux, se dirigea vers eux. Arrivé à proximité du groupe, il s'arrêta. Il vit alors, s'en détachant, un homme qui s'avançait vers lui d'un pas sûr et tranquille. C'était Süböteï.

Son officier avait une allure plus imposante qu'autrefois. Il avait à présent dépassé la cinquantaine, mais loin de paraître épuisé par les expéditions lointaines, il semblait y avoir gagné un regain d'énergie. Süböteï, en quelques mots, fit à Gengis-khan le rapport de ses campagnes, citant des noms de pays, de montagnes, de fleuves et de lacs que le chef mongol entendait presque tous pour la première fois.

Le rappel de ces succès enchanta Gengis-khan. Il attendait désormais que se présente l'autre valeureux guerrier : Jebe. Mais le temps avait beau passer, celui-ci ne se montrait pas. Le chef mongol ne l'apercevait nulle part dans le groupe qui restait légèrement en retrait.

« Où est Jebe ? » Gengis-khan allait poser cette question quand il se sentit soudain envahi d'une irrépressible angoisse. Süböteï restait figé, muré dans un silence qui semblait cacher quelque chose. Mais qu'était-il advenu de Jebe ? Pourquoi l'officier ne se présentait-il pas devant lui ? Gengis-khan, l'air terrible, interrogeait Süböteï du regard. Puis brusquement, il se détourna de lui. Il irait lui-même à la recherche de Jebe !

Il s'enfonça parmi la foule des soldats qui occupait toute l'étendue de la place. Chaque unité devant laquelle il passait se mettait immédiatement au garde-à-vous.

Gengis-khan se faufilait d'un pas pressé entre les rangs. *Jebe, où es-tu donc ? Toi qui autrefois as brisé la mâchoire de mon cheval fauve, toi qui m'as blessé à la veine du cou, toi l'invincible flèche !*

Gengis-khan continuait de marcher. Il marchait, l'air exalté, fouillant du regard chaque file de soldats. *Jebe, si tu es là, montre-toi ! Toi, au crâne aussi pointu qu'une tête de flèche !* Mais Jebe n'apparaissait pas. Marchant toujours, le chef mongol découvrait des troupes composées uniquement de soldats étrangers. Les teints clairs succédaient aux visages basanés. Comme se succédaient les commandements les plus divers, les façons les plus étranges de se mettre au garde-à-vous.

Quand Gengis-khan comprit qu'il ne retrouverait pas Jebe, il revint auprès de Sübötéï, toujours figé dans la même attitude, et se plantant devant lui, lança d'un ton acerbe : « Jebe est-il mort de maladie ? A-t-il péri au combat ?

— Ni les maux ni les blessures ne pouvaient vaincre Jebe ! Sa vie était arrivée à son terme. Il a expiré dans un village au sud-ouest de la mer d'Aral. A présent il repose non loin de là, au flanc d'une colline », répondit Sübötéï, avec la même violence. La sueur ne cessait de dégouliner de son front.

Ainsi donc, cette flèche vibrante s'était brisée au terme de sa course. Gengis-khan, hochant la tête en silence, se força à réprimer la peine que lui causait cette nouvelle. Il lui fallait surmonter son désespoir, comme il l'avait fait déjà lors de la mort de Qulan.

A la fin du mois d'avril, l'armée mongole quitta Samarkand. Jusqu'au dernier moment, Gengis-khan avait attendu, en vain, le retour de Jöchi. Il envoya une fois encore un messager vers le Qipchaq, pour transmettre à son fils l'ordre de le rejoindre en cours de route, à Boga-soqiqo, en territoire Naiman.

La veille de son départ de Samarkand, il fit monter sur les murailles de la ville la mère de Mohammed-shah et ses suivantes, qu'il gardait comme otages, afin qu'elles fassent leurs adieux au Khârezm. Il allait les emmener avec lui vers les hauts plateaux et ne comptait pas les laisser revenir un jour dans leur pays.

Le printemps passa, puis l'été. Jusqu'à l'automne, la colossale armée mongole poursuivit sa lente progression vers sa patrie. Elle traversa nombre de villes et de citadelles qu'elle avait autrefois plongées dans le sang. Tantôt elle y restait cantonnée quelques jours, tantôt elle y passait sans s'arrêter. Elle franchit le Syr-Daria et plusieurs de ses affluents, y jetant des ponts avec une habileté acquise en quatre années de campagnes. D'interminables colonnes composées de soldats de toutes les origines défilaient sur ces ponts durant des jours et des jours.

Au début de l'automne, les troupes atteignirent les berges du fleuve Chu. Elles s'y reposèrent quelque temps avant de reprendre leur route. Les eaux de ce fleuve n'avaient pas la même couleur que celles du Syr-Daria et de l'Amou-Daria : ces derniers, coulant vers l'ouest, allaient se jeter dans la mer d'Aral. Le fleuve Chu, lui, remontait vers le nord, si loin qu'on n'en connaissait pas les bornes. L'armée franchit l'Altaï vers le milieu de l'automne.

Alors qu'il parvenait aux rives du fleuve Imil, près des anciennes limites des territoires Naiman et Uigur, Gengis-khan rencontra une troupe de mille hommes, venus de son campement du mont Burqan pour l'accueillir.

Parmi eux, le chef mongol découvrit les deux enfants de son fils Tolui, Qubilaï et Hulegu, respectivement âgés de onze et de neuf ans. Il les convia à leur première partie de chasse, accomplissant lui-même les gestes qui étaient de tradition en une telle circonstance : prenant dans ses vieilles mains robustes les doigts souples et frêles des deux garçons, il leur frotta le majeur avec de la viande et de la graisse [1].

Gengis-khan, voyant ses petits-fils entourés de leurs nombreux serviteurs, ne put s'empêcher de songer à Ga'ulan, élevé il ne savait où comme un obscur enfant du peuple. A supposer qu'il soit toujours en vie, Ga'ulan, abandonné en 1213 lors de la seconde invasion de l'empire Kin, devait avoir à présent dix-sept ans. Et c'était certainement un soldat de premier ordre.

Gengis-khan ne regrettait nullement d'avoir imposé à ce garçon, et à lui seul, un destin cruel. *Ga'ulan, jamais je ne frotterai ton doigt de viande et de graisse ! C'est à toi-même d'accomplir ce geste, ce geste que personne n'a accompli pour moi. Si tu en es capable, ne compte que sur toi-même ! Comme je l'ai toujours fait...*

Quand le chef mongol regardait Qubilaï et Hulegu, son visage barbu au regard perçant, aux lèvres serrées, se tempérait de tendresse. Quand il songeait à Ga'ulan, une sévérité passagère venait assombrir ses traits. Et pourtant c'était là, sous des formes différentes, l'expression d'un même amour.

Une fois arrivé dans la plaine de Boga-soqiqo, à environ deux jours de marche du fleuve Imil, Gengis-khan donna un grand festin en l'honneur de l'ensemble de ses hommes, qui avaient affronté de longues années d'épreuves en terre étrangère. A présent, tous commençaient à respirer l'air des hauts plateaux. Le fastueux banquet dura des jours et des jours. Les fils de Gengis-khan, Jag ataï, Ögödeï et Tolui, ses frères Qasar, Belgüteï et Qachi'un, ses plus fidèles généraux, Bo'orchu, Jelme, Süböteï, Qubilaï, Chimbeï et Chila'un, tous, heureux de retrouver l'odeur du pays natal, se réunissaient chaque

---

1. Le majeur étant le doigt qui maintenait la flèche sur la corde tendue de l'arc, ce rite de passage était censé faire de l'enfant un habile chasseur.

jour dans la tente du chef mongol pour d'interminables libations. Seuls manquaient Jebe et Muqali, ainsi que Jöchi.

Celui-ci, une fois de plus, avait négligé de répondre au message que son père lui avait envoyé avant de quitter Samarkand. Mais à part l'insubordination de Jöchi, rien ne venait troubler l'euphorie de Gengis-khan. Le banquet se poursuivait dans la liesse. Tout avait été prévu pour que les soldats puissent, avant de regagner le pays natal, se débarrasser des miasmes sanglants des champs de bataille. Il fallait laisser là toutes les férocités, toutes les violences.

Les soldats étrangers originaires de toutes les régions d'Asie centrale passaient eux aussi leur temps en chants, en danses, en beuveries et en joyeux tapage. Des groupes de plusieurs dizaines d'enfants métis, avec leurs mères, ajoutaient par leur remue-ménage à l'excitation générale. Des femmes kangli à la nombreuse progéniture dansaient à la lumière de la lune, et les ondulations tantôt amples tantôt imperceptibles de leurs corps aux formes opulentes fascinaient tous les spectateurs par leur beauté lascive.

Durant le banquet, Gengis-khan dit, en manière de plaisanterie : « Nul à part moi n'est digne d'être accueilli chaleureusement par les femmes des hauts plateaux. » En effet, il savait bien qu'il était le seul à conserver les habitudes mongoles jusque dans les moindres détails de son habillement. Tous les autres, même les vieillards comme Bo'orchu et Jelme, avaient troqué leur tenue militaire contre de riches vêtements du Khârezm, brodés de fils d'argent et d'or.

Une fois terminé ce somptueux festin, les troupes mongoles reprirent leur route et, passant par le nord du massif de l'Altaï, arrivèrent peu à peu au cœur de la région des hauts plateaux. A la vue des paysages de la terre natale, qu'ils retrouvaient après si longtemps, tous se sentaient envahis d'une douce émotion.

Gengis-khan ne rejoignit pas d'une seule traite son campement du mont Burqan : accueilli avec enthousiasme dans chaque village, il y restait parfois plus de dix jours. C'était pour lui l'occasion d'accorder des distinctions aux soldats originaires de ces villages, avant de les renvoyer dans leurs foyers.

Au début de l'hiver, il parvint enfin au campement de la rivière Toula, qui était devenu, avec celui du mont Burqan, le centre politique et économique de l'empire mongol. Jamais Gengis-khan n'avait oublié cette région de la Forêt noire, ancien territoire Kereyit autrefois dominé par To'oril-khan. C'était là qu'il avait, au terme de trois jours et trois nuits de furieux combats, vaincu les troupes du vieux chef. Depuis lors, plus de vingt ans déjà s'étaient écoulés, et pourtant cet événement lui semblait dater de la veille.

Gengis-khan établit un cantonnement à cet endroit, et à part ceux de sa garde personnelle, démobilisa presque tous les officiers et les soldats de ses bataillons. Puis il resta là pendant une vingtaine de jours, marchant dans cette Forêt noire chargée de souvenirs, organisant des parties de chasse sur les rives de la Toula. Apprenant qu'aucune sépulture n'avait été bâtie pour To'oril-khan, son *anda* puis son adversaire d'autrefois, le chef mongol fit dresser une stèle en son honneur dans le nord de la Forêt noire, là où le vieil homme avait péri. Il fit inscrire sur la pierre, en écriture uigur, l'épitaphe suivante : *Ici repose l'âme indomptable de To'oril-khan, souverain de la Forêt noire.*

Une fois la stèle dressée, Gengis-khan fit célébrer une cérémonie solennelle à la mémoire de To'oril-khan. Autrefois, le vieux chef l'avait vraiment sauvé. C'était grâce à son appui que Gengis-khan, dans les jours difficiles de sa jeunesse, était parvenu à maintenir son clan en vie malgré les menaces des Tayichi'ut. C'était lui aussi qui avait favorisé son rapprochement avec Jamuqa, lui encore qui l'avait ensuite aidé à vaincre ce dernier.

Pourtant Gengis-khan, au terme d'une lutte à mort avec le vieux chef, l'avait abattu, mais de cela il n'éprouvait aucun remords. Car ils étaient prédestinés à s'affronter un jour, et il était donc inéluctable que l'un ou l'autre fût vaincu. Et si les morts peuvent voir ce qui se passe sur terre, nul doute que To'oril-khan lui-même l'avait compris et qu'il se réjouissait plus que tout autre du retour triomphal de Gengis-khan.

Celui-ci n'avait jamais vraiment éprouvé de sympathie pour Jamuqa, mais il avait aimé ce vieil homme maigre qui était la bravoure incarnée. Et même durant les batailles qui s'étaient déroulées au Khârezm, pas une seule fois l'ennemi ne lui avait semblé aussi redoutable que To'oril-khan.

Le campement du clan Borjigin au pied du mont Burqan était tout au plus à trois ou quatre jours de marche de la Forêt noire. Mais Gengis-khan ne montrait aucun empressement à le regagner, malgré les fréquentes objurgations de ses officiers, auxquelles il répondait par ces mots : « Si je meurs, c'est là-bas que je reposerai. Tant que je suis vivant, rien ne m'oblige à me hâter ! » Devant de telles paroles, personne n'osait insister davantage.

Gengis-khan n'avait pas encore revu sa femme Börte. A moins qu'elle ne se déplace elle-même jusqu'à la Forêt noire, il tenait à retarder le moment de leurs retrouvailles. Car il savait bien ce qu'elle lui dirait : « Toute l'armée est de retour. Pourquoi Jöchi ne revient-il pas ? »

Or, Gengis-khan n'était pas sûr de donner à sa femme une réponse assez convaincante. Sans doute Börte n'accorderait-elle aucun crédit à ses paroles. Et pourtant, elle ne pourrait pas lui reprocher de ne pas avoir attendu Jöchi assez longtemps. Mais sachant que son fils n'avait pas été choisi comme successeur, elle avait dû en concevoir une certaine amertume. Si en outre Jöchi était le seul à ne pas revenir, nul doute qu'elle établirait un lien entre cette absence et les rapports complexes qui existaient entre le père et le fils. Gengis-khan n'avait aucune envie d'argumenter avec Börte. Il préférait temporiser jusqu'au retour de Jöchi avant de la revoir. Il voulait éviter autant que possible les risques de conflit avec elle.

Chaque jour, arrivaient au campement des messagers venus de toutes parts. Gengis-khan avait le secret espoir qu'ils lui apporteraient des nouvelles de Jöchi, mais chaque fois son attente était déçue.

Cependant, il ne pouvait pas rester indéfiniment dans l'expectative. Il ne pouvait plus différer le moment de son retour triomphal parmi ceux de son clan. Il annonça à tous sa décision de lever le camp de la rivière Toula, pour partir vers le campement du mont Burqan. Au jour fixé, son char, orné à son pourtour des bannières du clan Borjigin, s'ébranla, suivi par les longues colonnes de sa garde personnelle, de l'infanterie et de la cavalerie. Et les soldats borjigin, descendants les plus purs du Loup bleu, progressèrent le long de la rivière Toula, toujours plus avant vers l'amont.

Le troisième jour, vers midi, Gengis-khan aperçut la silhouette familière du mont Burqan, où résidait le dieu protecteur de son clan. Dans l'après-midi les troupes, atteignant le cours supérieur du fleuve Kerülen, prirent la direction de sa source. Elles pénétrèrent dans le campement alors que, dans le ciel incendié de pourpre, les rayons du soleil versaient la splendeur de leurs derniers feux. Börte, entourée d'une foule de serviteurs et de suivantes, était venue accueillir Gengis-khan. Elle avait à présent soixante-quatre ans, et son embonpoint lui rendait les déplacements difficiles. On l'avait donc transportée sur une chaise jusqu'à l'entrée du campement.

Gengis-khan, se dirigeant vers elle, vit qu'elle se levait lentement. Les cheveux de son épouse, à présent blancs comme neige, avaient pourtant conservé l'éclat qu'ils avaient dans sa jeunesse. Sur son visage aux traits empâtés n'apparaissait aucune émotion. Seul le mouvement léger de quelques muscles distendus lui donnait un semblant d'expression. Gengis-khan s'aperçut qu'elle portait de grosses boucles d'oreilles en rubis et un grand collier de jaspe. Au moment où elle s'était levée, il avait remarqué que sa chaise était incrustée d'une multitude de petites pierres précieuses d'une beauté éblouissante.

« O mon khan ! » Ayant prononcé ces quelques mots, Börte, le souffle court, fit une pause avant de continuer. « Aujourd'hui, quel jour faste, puisque tu reviens victorieux au moment même où j'ai reçu des nouvelles de l'hôte du peuple mongol ! » Quand elle s'adressait à Gengis-khan, c'était toujours par ce terme d'« hôte » que Börte désignait leur fils Jöchi. Le chef mongol ne comprit pas ce qu'elle voulait dire exactement par « des nouvelles », mais sans prendre le temps de l'interroger, il pénétra dans le campement où l'attendait une foule énorme.

Le lendemain soir, il organisa dans sa tente un repas qui réunissait, autour de Börte, ses fils Jagataï, Ögödeï et Tolui ainsi que leurs enfants. Outre Qubilaï et Hulegu, qu'il avait déjà eu l'occasion de revoir, étaient présents tous ses autres petits-enfants, qu'il n'aurait pas reconnus tant ils avaient grandi. Ils étaient plus d'une vingtaine.

Gengis-khan profita de cette occasion pour demander à Börte des éclaircissements sur la phrase qu'elle avait prononcée la veille. Elle parla d'une voix que l'oppression rendait haletante. Tout le campement savait déjà depuis un an que Jöchi ne reviendrait pas avec l'ensemble de l'armée, et les rumeurs les plus diverses avaient circulé à ce sujet. Elle en avait été fort chagrinée. Mais la veille, elle avait enfin appris, d'un marchand venu du Khârezm, que Jöchi se portait bien et qu'il goûtait les plaisirs de la chasse dans les plaines du Qipchaq.

Quand il entendit cela, Gengis-khan sentit le sang se retirer de son visage. Si cette nouvelle était exacte, la conduite de Jöchi était impardonnable. Par égard pour sa femme, il s'imposa de ne pas manifester sa colère. Mais une fois le repas terminé, il ordonna à l'un de ses hommes de retrouver le marchand que Börte avait rencontré.

Au bout de deux ou trois jours, un Persan d'un certain âge fut ramené au campement et traîné devant Gengis-khan. Celui-ci l'interrogea sans ménagement. Tout ce qu'il put en tirer, ce fut que Jöchi avait étendu son autorité sur tout le Qipchaq et que, tout en vivant en grand seigneur, il organisait des parties de chasse afin d'entraîner ses soldats.

Gengis-khan se sentit embrasé d'une fureur comme il n'en avait jamais connu. Jöchi n'avait tenu aucun compte des multiples messages qu'il lui avait envoyés. Bien plus : il avait fait fi des ordres du khan. Et même, alors que Gengis-khan, soucieux des réactions de Börte, avait attendu chaque jour des nouvelles de son fils, celui-ci était resté insensible à cette marque de sollicitude paternelle. Cette pensée ajoutait encore à la rage du chef mongol. Quiconque transgressait ses ordres devait être châtié. Jöchi subirait le même sort que les villes du Khârezm qui s'étaient insurgées.

En moins de dix jours, les hauts plateaux mongols furent de nouveau en effervescence. Des soldats de tous les clans affluèrent au campement du mont Burqan. Jagataï et Ögödeï furent désignés pour diriger l'expédition punitive dans le Qipchaq. Ils avaient sous leurs ordres trois cent mille hommes.

Gengis-khan, que le départ de cette armée n'avait pas suffi à calmer, leva aussitôt des troupes pour une seconde expédition, à laquelle il décida de participer personnellement. Mais un certain temps s'écoula avant que ce bataillon, dont il avait confié le commandement à Tolui, ne parte à son tour. En effet, certains officiers, dont Bo'orchu et Jelme, s'opposaient à cette campagne de représailles contre Jöchi. Cependant, Gengis-khan resta inflexible. Personne ne parvint à apaiser sa colère. Pour la seconde fois, les hauts plateaux mongols allaient donc être momentanément désertés par tous les hommes en âge de combattre.

Gengis-khan n'avait aucune intention de se montrer clément à l'égard de son fils. S'il ne massacrait pas jusqu'au dernier les soldats de Jöchi, s'il ne transformait pas les steppes du Qipchaq en un champ de décombres, il ne pourrait jamais retrouver sa tranquillité. En agissant ainsi, il voulait aussi montrer l'exemple tant à ses troupes mongoles qu'à tous les peuples étrangers. Gengis-khan évita de se trouver en présence de Börte. Il quitta son campement avec Tolui pour gagner l'ancien territoire Kereyit. Toute la Forêt noire était déjà remplie de soldats et de chevaux prêts à partir en campagne.

Quelques jours après avoir établi son cantonnement à cet endroit, Gengis-khan reçut un envoyé qui lui avait été dépêché par Jagataï et Ögödeï. Celui-ci était accompagné d'un messager venant du Qipchaq. Les deux hommes portaient la ceinture noire qui était la marque du deuil. Ils furent introduits dans la tente de Gengis-khan.

« Le prince Jöchi, malade depuis trois ans, s'est soudain affaibli au mois d'août de cette année 1225 et a expiré dans son campement du Qipchaq, au nord de la mer Caspienne. Conformément à ses dernières volontés, toute son armée prendra le chemin du retour avec sa dépouille mortelle en février de l'an prochain. »

Tel fut le message transmis par l'envoyé venu du Qipchaq. Gengis-khan restait là, hébété, les yeux fixés sur le visage de l'homme. Le messager de Jagataï et d'Ögödeï confirma les dires du premier : le fils aîné du khan était effectivement mort au terme d'une longue maladie. Il ajouta qu'au début de l'automne 1223, au moment où Gengis-khan avait vu arriver sur les rives du Syr-Daria toutes les bêtes rabattues depuis les plaines du Qipchaq, Jöchi, déjà souffrant, n'avait pas participé à cette battue. Mais pour ne pas inquiéter son père, il avait gardé le silence sur la gravité de sa maladie.

Gengis-khan, après avoir accordé une permission aux deux hommes, se retira immédiatement dans la partie de la tente qui lui était réservée. Il était furieux contre lui-même, furieux d'avoir été assez stupide pour croire aveuglément les affabulations du marchand du Khârezm. Dès qu'il se trouva seul, il fut submergé par une douleur intolérable. Lors de la mort de Qulan, de celle de Jebe, il était parvenu à maîtriser sa tristesse. Mais à présent, l'idée que Jöchi était mort en terre étrangère au terme d'une longue maladie lui causait une peine impossible à endiguer. Et les larmes, débordant de ses yeux qui d'ordinaire, par leur éclat impérieux, faisaient trembler tout le monde, coulèrent sur ses joues parsemées de taches brunes et vinrent se perdre dans sa barbe blanche. Et il se mit à arpenter la tente, en poussant des plaintes sourdes pareilles à un râle de bête blessée.

Se forçant à réprimer ces gémissements, Gengis-khan appela un de ses gardes et lui intima l'ordre de ne laisser personne s'approcher. Tout homme qui porterait les yeux sur lui serait immédiatement puni de mort. Le garde, après s'être incliné respectueusement, se retira. Dès que Gengis-khan se retrouva seul, il sentit refluer en lui l'intolérable douleur. Comme un noyé emporté par le ressac, le vieux souverain mongol s'abandonna au désespoir qui le submergeait.

Car soudain il l'avait compris : il aimait Jöchi plus que quiconque. Il aimait plus que tout au monde ce garçon qui, conçu comme lui lors du rapt de sa mère, avait dû, comme lui, passer sa vie à prouver qu'il descendait bien du Loup bleu.

Le lendemain Gengis-khan annonça, dans une déclaration officielle, la mort de son fils : « Le prince Jöchi a expiré dans les plaines du Qipchaq. Là-bas se trouvent les rives d'un beau et vaste lac, celui que les ancêtres du peuple mongol, le Loup bleu né d'un ordre céleste et la Biche blanche, franchirent autrefois pour venir jusqu'ici. Cet endroit a pour nom la mer Caspienne. Le prince Jöchi, au cours des nombreuses batailles qu'il a livrées, a toujours été pour ses hommes un modèle de bravoure. Il a conquis deux cents villes, quatre-vingt-dix citadelles, envahi l'empire Kin, dévasté le Khârezm, édifié, au nord de la mer Noire, de la mer d'Aral et de la Caspienne, le royaume du Qipchaq. Afin de perpétuer les hauts faits de leur ancêtre, les descendants de Jöchi, secondés par une puissante armée, régneront longtemps sur le Qipchaq. »

Gengis-khan, en utilisant le terme de « royaume », voulait au moins rendre à son fils mort l'hommage qu'il lui avait refusé de son vivant. Le texte de cette déclaration avait été rédigé par Ye-liu Tch'ou-ts'ai.

Puis Gengis-khan envoya à Börte une lettre dans laquelle il lui exprimait ses condoléances : « Impératrice Börte, je déplore la disparition du prince Jöchi, que tu as mis au monde et que tu as élevé. Ma douleur est égale à la tienne. Jöchi, comme le montre le nom qu'il portait, était véritablement un "hôte", l'hôte envoyé par le Ciel auprès du clan Borjigin. Jöchi a désormais regagné l'Empire céleste. »

Plusieurs jours s'écoulèrent avant que l'affliction de Gengis-khan ne commence à se dissiper. Dès qu'il se fut un peu remis, il convoqua ses officiers, et après les avoir consultés, décida d'envahir de nouveau le Si-Hia. Il informa toute son armée de cette expédition prochaine et donna l'ordre aux troupes de Jagataï et d'Ögödeï, qui étaient parvenues jusqu'au Khârezm, de rebrousser chemin pour rejoindre directement le Si-Hia.

Il y avait trois raisons à la décision soudaine de Gengis-khan de s'engager dans cette campagne. D'une part, au moment où les troupes mongoles s'apprêtaient à attaquer le Khârezm, le roi du Si-Hia leur avait refusé son aide, et cet affront était resté jusqu'alors impuni. D'autre part, il fallait désormais en finir avec la conquête de l'empire Kin, laissée inachevée depuis la mort de Muqali, et pour cela, il était d'abord indispensable de soumettre définitivement le Si-Hia. Enfin, Gengis-khan ne pourrait atténuer le choc causé par la mort de Jöchi qu'en se lançant dans une importante expédition. Il voulait en effet passer le reste de ses jours dans la poussière des combats contre le Si-Hia et l'empire Kin. Il n'avait pas encore suffisamment prouvé qu'il descendait du Loup bleu. Comme Jöchi, comme Jebe, comme Qulan, il lui fallait finir sa vie dans la tourmente de la guerre. C'était le seul moyen qu'il avait de devenir un vrai loup bleu.

L'armée mongole quitta le campement de la rivière Toula en direction du Si-Hia à la fin de l'année 1225. Dix jours à peine s'étaient écoulés depuis l'annonce officielle de la mort de Jöchi.

Les troupes traversaient le désert de Gobi quand vint le Nouvel An. En signe de deuil, aucune réjouissance ne fut organisée : soldats et officiers, tournés vers le levant, se contentèrent de se prosterner devant le ciel, puis marchèrent tout le jour en direction du sud, dans des tourbillons de vent glacial mêlé de sable. Cette traversée du désert fut la plus difficile que les troupes mongoles aient jamais affrontée. A partir du milieu du mois de janvier, les tempêtes de neige quotidiennes soumirent l'armée à rude épreuve : soldats et chevaux s'écroulaient, on ne comptait plus les membres gelés.

Vers le milieu du mois de février, les troupes parvinrent enfin à pénétrer dans le Si-Hia. Là, Gengis-khan attendit la venue des bataillons de Jagataï et d'Ögödeï. Dès que ceux-ci l'eurent rejoint, le chef mongol donna l'ordre d'invasion. L'offensive se déclencha simultanément dans l'ensemble des régions situées dans le nord du pays. Entre le printemps et l'été, Hei-chouei, puis toutes les autres citadelles disséminées sur ce territoire tombèrent aux mains des Mongols.

Gengis-khan réunit alors l'ensemble de ses troupes dans le massif du Houen-tch'ouei, pour fuir la chaleur torride de l'été. La campagne reprit à l'automne, par l'attaque des places fortes de Kan-tcheou et de Son-tcheou. Peu de temps après, Lean-tcheou et Ling-tcheou tombaient à leur tour. Gengis-khan ravagea toutes les villes qui lui opposaient la moindre résistance. Après le passage de ses troupes ne restaient plus que des citadelles vidées de leurs habitants et des plaines couvertes de cadavres.

L'année suivante, en février 1227, l'armée mongole arriva en vue de la capitale, Ning-hiao. Gengis-khan chargea une partie de ses unités d'en faire le siège, tandis qu'il traversait le fleuve Jaune avec le reste de ses hommes. Une fois le fleuve franchi, les troupes mongoles, comme poussées par quelque force démoniaque, accélérèrent leur progression, balayant tout sur leur passage. Elles attaquèrent Ki-che-tcheou, Lin-t'ao-fou, T'ao-tcheou, Hô-tcheou, Hi-ning, Hin-tou-fou, massacrèrent les habitants, incendièrent les citadelles.

Au mois de mai, Gengis-khan installa son quartier général à Lung-tô, à l'ouest de P'ing-leang-fou. Il envoya un messager à la cour de Nan-king, pour exiger de l'empereur Kin qu'il se soumette. Le chef mongol, ayant déjà conquis l'ensemble du territoire Si-Hia, hormis la capitale, était maintenant en mesure de pénétrer quand il le voulait dans l'empire Kin. Tandis qu'il était cantonné à Lung-tô, il reçut un ambassadeur qui lui transmit la reddition du roi du Si-Hia, Li-hien. Ce dernier lui demandait un mois de délai pour lui ouvrir les portes de la capitale, Ning-hiao. Le chef mongol accéda à cette demande.

Il attendait l'ouverture de Ning-hiao pour lancer une attaque de grande envergure contre l'empire Kin et achever ainsi, à la place de Muqali, la mission que la mort de celui-ci l'avait empêché de mener à bien.

En juillet Gengis-khan, toujours cantonné au même endroit, reçut un ambassadeur venu lui apporter des présents de la part de l'empereur Kin. Le plus splendide de tous était un grand plateau chargé de perles. Mais

Gengis-khan n'avait que faire des perles : il voulait cet empire Kin, dont la terre avait été autrefois foulée par les chevaux de son armée. Le chef mongol distribua une partie des perles à ses officiers et jeta le reste devant sa tente. Tandis qu'elles roulaient au sol, il lui sembla soudain qu'elles augmentaient en nombre : alors que sur le plateau il n'y en avait que quelques dizaines, à présent la cour du quartier général paraissait en être couverte, à l'infini.

Gengis-khan mit ses mains devant ses yeux. Au bout d'un instant, il les écarta. Rien n'avait changé. Il appela un de ses gardes et lui demanda si la cour était remplie de perles. L'homme lui répondit aussitôt que non. Gengis-khan ressentit une lassitude extrême. Un mois auparavant, sur les berges du fleuve Jaune, il avait déjà été en proie à une illusion du même genre : les ossements blanchis d'une vingtaine ou d'une trentaine de soldats qu'il avait tués au combat l'année précédente s'étaient brusquement multipliés, transformant la plaine en véritable charnier.

Le soir même, Gengis-khan fit venir Ögödeï et Tolui dans sa tente et leur annonça que ses jours étaient comptés. Il leur intima l'ordre de garder sa mort secrète jusqu'au moment où toute l'armée aurait regagné le pays natal. Puis il s'alita, pour ne plus se relever.

Au bout de quelques jours, son mal s'aggrava soudain. Dans un état de semi-conscience, il cria le nom de son fils :

« Jöchi !... »

Mais Jöchi était mort. Il appela alors sa compagne :

« Qulan !... »

Mais Qulan reposait au fond d'un glacier perdu au cœur du massif escarpé de l'Hindou-Kouch. Il appela encore :

« Muqali !... »

« Jebe !... »

Tous ceux qu'il aurait voulu rencontrer n'étaient plus de ce monde. Et n'ayant pas vu où ils étaient enterrés, il ne pouvait même pas se raccrocher aux images de leurs sépultures.

Alors Gengis-khan appela : « Tolui ! » Celui-ci répondit aussitôt. Le chef mongol eut l'impression d'avoir enfin tiré au sort le nom de quelqu'un qui n'était pas mort. Il dit à son fils : « Les troupes d'élite de l'empire Kin sont toutes rassemblées à Tong-kouan. Cette ville est bordée au sud par une chaîne de montagnes, au nord par un grand fleuve. Tu ne peux espérer la conquérir rapidement. Pour envahir l'empire Kin, il faut d'abord passer par le pays Song, puis marcher vers T'ang-tcheou et Teng-tcheou, au sud du Hô-nan, et attaquer Pien-king par surprise. Cette ville est trop éloignée de Tong-kouan pour que les renforts arrivent à temps. Tolui, tu feras comme je te l'ai dit ! »

Après avoir indiqué à son fils l'itinéraire à suivre pour envahir l'empire Kin, Gengis-khan ferma les yeux. Au bout d'un moment il ajouta, sans plus s'adresser à personne : « Si le Si-Hia n'ouvre pas les portes de sa capitale au jour dit, il faudra passer à l'attaque avec toute l'armée, tuer le roi et massacrer jusqu'au dernier les habitants de Ning-hiao ! »

Peu de temps après, il rendit le dernier souffle.

Le roi du Si-Hia, trahissant la promesse qu'il avait faite à Gengis-khan, n'ouvrit pas les portes de sa ville. Les troupes mongoles, prenant d'assaut la place forte, en escaladèrent les murailles et se ruèrent à l'intérieur de la citadelle. Le roi Li-hien fut capturé et exécuté, et la plus grande partie de la population passée au fil du sabre. Un mois plus tard, l'armée mongole se retrouva au grand complet sur les rives du fleuve Jaune, et quittant les lieux du combat, repartit pour les hauts plateaux mongols. Comme Gengis-khan l'avait autrefois décidé, c'était Ögödeï qui commandait l'ensemble de l'armée. Il n'y avait qu'un petit nombre d'officiers à savoir que leur chef était mort. Cette nouvelle n'avait pas encore été annoncée aux soldats.

L'armée, malgré la chaleur torride, traversa rapidement le territoire Si-Hia puis, s'engageant dans le désert de Gobi, remonta tout droit vers le nord, en direction du mont Burqan. Les troupes progressaient en silence, entourant un cercueil qu'une dizaine de soldats portaient sur leurs épaules. Tous savaient bien que ce cercueil renfermait un cadavre, mais étaient loin de se douter qu'il s'agissait de celui de Gengis-khan.

Ceux qui apercevaient ce cortège, ceux qui le croisaient, hommes ou femmes, vieillards ou enfants, étaient tués sur-le-champ[1]. Bientôt, la rumeur de ces exécutions s'étant propagée, les troupes ne rencontrèrent plus personne sur leur route. Tous les campements qu'elles traversaient étaient déjà désertés.

A la fin du mois de septembre, l'armée parvint sur le territoire du clan Borjigin. A l'entrée du campement, Tolui annonça à l'ensemble des troupes la mort de Gengis-khan. Ce soir-là, les unités furent mises au repos. Elles restèrent toutefois cantonnées dans les environs, plongées dans un profond silence que troublaient parfois quelques bruits de bottes et de sabots. Le cercueil, placé dans la tente de Börte, fut veillé uniquement par les vassaux les plus fidèles. Partout se pressaient les tentes des soldats, aussi innombrables que les étoiles pailletant la lourde étoffe du ciel nocturne. Le campement Borjigin n'avait jamais connu un tel afflux de population, jamais vécu de nuit plus calme.

Le cercueil de Gengis-khan, transporté le lendemain dans la tente de Yesüi, passa successivement dans celles de Yesügen, de la princesse chinoise Ha-touen et de toutes ses principales concubines, avant d'être placé dans la tente du chef mongol.

Dès l'annonce officielle de la mort de Gengis-khan, on vit affluer une foule de gens originaires de toutes les

---

1. Ainsi furent systématiquement éliminés tous ceux qui auraient pu divulguer, avant le moment choisi par Gengis-khan lui-même, la mort du chef mongol.

régions des hauts plateaux. Il fallut à certains, pour arriver, deux ou trois mois de voyage. Pendant longtemps, le campement Borjigin fut rempli d'une multitude de visiteurs en deuil. Au bout de six mois, la dépouille mortelle du chef mongol fut enterrée dans une immense forêt au cœur du mont Burqan. Le jour des funérailles, un vent violent fit rage sur toute la région, obligeant à interrompre momentanément la cérémonie. Car il secouait avec des mugissements, de la racine à la cime, les arbres qui entouraient la tombe de Gengis-khan.

En peu de temps la végétation s'épaissit, la forêt devint impénétrable. A peine trente ans plus tard, nul n'aurait pu dire où reposait le chef mongol. Ainsi la nature s'était-elle refermée sur soixante-cinq années de vie, sur vingt-deux années de règne.

Appendice

L'origine de Gengis-khan est Börte Tchino [...] né du Ciel qui est en haut, par mandat céleste. L'Epouse de celui-ci est Qo'ai Maral.

(Histoire secrète des Mongols.)

La légende de Gengis-khan puise sa richesse dans une longue généalogie de naissances miraculeuses et d'accouplements prodigieux. Deux mythes originels, deux couples fondateurs se font écho avant même la naissance de Gengis-khan. Le premier raconte l'accouplement d'un loup bleu (*Börte*) et d'une biche blanche (*Qo'ai*), couple totémique en même temps que symbolique d'une union entre le ciel et la terre. Ce mythe, rattaché à Gengis-khan lui-même, est avant tout le mythe fondateur du peuple mongol. Le second grand mythe gengiskhanide est celui d'Alan-qo'a qui aurait engendré miraculeusement : *Chaque nuit un homme jeune brillant entrait par l'ouverture supérieure de la tente [...] frottant mon ventre et son éclat lumineux s'enfonçant en lui. Quand il partait, il rampait, tel un chien jaune, dans les raies du soleil et de la lune.*

Telle est la signification du nom collectif *nirum* (enfants de la lumière) donné à sa descendance.

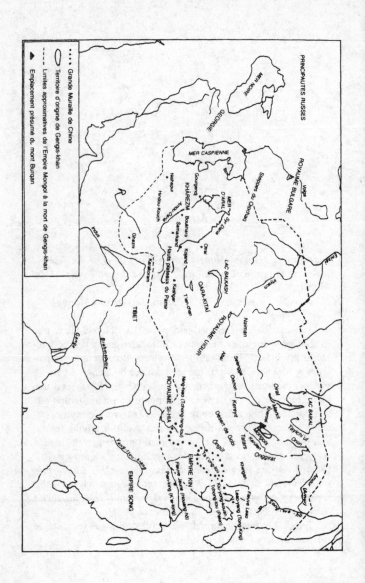

Les origines mythiques de Gengis-khan

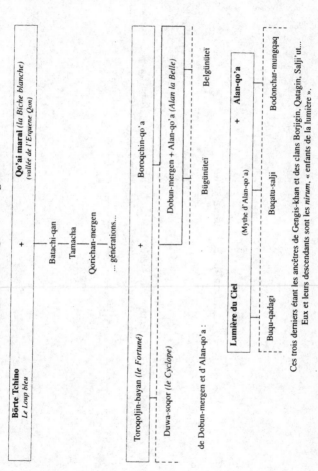

Börte Tchino
Le Loup bleu

+

Qo'ai maral (*la Biche blanche*)
(*vallée de l'Erquene Qom*)

Batachi-qan

Tamacha

Qorichan-mergen

... générations ...

Toroqoljin-bayan (*le Fortuné*)

+

Duwa-soqor (*le Cyclope*)

Boroqchin-qo'a

Dobun-mergen + Alan-qo'a (*Alan la Belle*)

Büginütei

Belginütei

de Dobun-mergen et d'Alan-qo'a :

Lumière du Ciel

(Mythe d'Alan-qo'a)

+

Alan-qo'a

Buqu-qadagi

Buqatu-salji

Bodonchar-mungqaq

Ces trois derniers étant les ancêtres de Gengis-khan et des clans Borjigin, Qatagin, Salji'ut...
Eux et leurs descendants sont les *nirun*, « enfants de la lumière ».

La famille de Gengis-khan

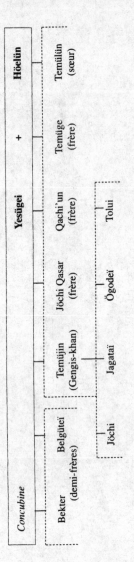